dtv

Nach einem längeren Auslandsaufenthalt kehrt die ehrgeizige Polizistin Grace O'Malley nach Irland zurück und übernimmt dort die Leitung des Morddezernats in Galway. Doch sie ist nicht überall willkommen und bekommt deutlich die Ablehnung und den Neid der Kollegen zu spüren. Zwischenmenschlicher Lichtblick und unerlässliche Hilfe sind ihr handfester und liebenswerter Kollege Rory Coyne, der mit sechs Töchtern und der Gabe des »zweiten Gesichts« gesegnet ist, und der attraktive Wirtschaftsdetektiv Peter Burke. Gleich ihr erster Fall, der Mord an der Studentin Annie, hat es in sich: Drei prominente Männer sind im Fokus der Ermittlungen, und sie alle scheinen etwas zu verbergen. Als kurze Zeit später zwei von ihnen tot aufgefunden werden, gerät Grace zunehmend unter Druck. Die Ereignisse überstürzen sich, als auch noch ihre vierzehnjährige Tochter Roisin spurlos verschwindet. Nicht zum ersten Mal bekommt Grace die Macht der einflussreichen irischen Familienclans zu spüren …

Hannah O'Brien ist Journalistin und Autorin und war lange Zeit in Großbritannien und Irland zu Hause. Heute lebt sie in Köln und an der Mosel, ist aber noch immer regelmäßig auf der Grünen Insel zu Gast. Mehr über die Autorin: www.hannah-o-brien.de

Hannah O'Brien

Irisches Verhängnis

Kriminalroman

dtv

Ausführliche Informationen über unsere Autoren und Bücher
www.dtv.de

Im Anhang befindet sich ein kleines Glossar über die Aussprache der irischen Eigennamen.

Von Hannah O'Brien
sind bei dtv außerdem erschienen:
Irisches Roulette (21631)
Irische Nacht (21675)
Irisches Erbe (21720)

Für Andrew Davies

Originalausgabe 2015
6. Auflage 2018

Dieses Werk wurde vermittelt durch die Literarische Agentur Michael Gaeb
Umschlagkonzept: Balk & Brumshagen
Umschlaggestaltung:
Johannes Wiebel/punchdesign, München
Satz: Fotosatz Amann, Memmingen
Gesetzt aus der Aldus 9,75/12˙
Druck und Bindung: Druckerei C.H.Beck, Nördlingen
Gedruckt auf säurefreiem, chlorfrei gebleichtem Papier
Printed in Germany · ISBN 978-3-423-21584-8

»Ist hier die Erde zu Ende?«

Graínne rieb sich die Augen und schaute dann wieder auf das Meer. Sie muss fünf oder sechs Jahre alt gewesen sein, als sie ihrem Vater bei einem der gemeinsamen Streifzüge entlang des silbrig weichen Sandteppichs der Küste vor Achill Island diese Frage gestellt hatte. Das Meer war über den unendlichen Strand in weißköpfigen Wellen auf sie zugerollt, hatte an ihren nackten Füßen geleckt und ihr versprochen, ihr etwas zu erzählen, wenn sie nur in der Nähe bleiben möge.

Shaun hatte sich zu ihr umgedreht, den Mund zu seinem leicht schiefen Lächeln verzogen, und seine Tochter fest an die Hand genommen. Sein rechter Arm beschrieb einen Halbkreis über dem Wasser.

»Du hast recht, Graínne, hier ist zwar die Erde zu Ende, aber nicht unsere Welt.«

Sie hatte wissend genickt. Diese Antwort genügte ihr.

Sie schlenderten ein Stück über den nassen Sand, der unter ihren Schritten zu federn schien.

»Und warum kommt das Wasser immer wieder zu uns zurück?«, fragte das kleine Mädchen.

Shaun blieb stehen und beugte sich zu ihr hinunter. Ihre braunen langen Locken waren von einer Windbö frech vor ihr Gesicht geschoben worden und verdeckten es halb. Nur die Nasenspitze blinzelte noch hervor. Sanft strich er seiner kleinen Tochter das Haar aus der Stirn.

Er lachte sie vergnügt an, und sie wusste, dass sie nun gut aufpassen musste.

»Es kehrt immer zu uns zurück, weil es genau weiß, dass wir es erwarten. Es hat versprochen zurückzukommen und will uns nicht enttäuschen.«

Die kleine Graínne Ni Mháille dachte nach, während sie ihren Blick über den Ozean schweifen ließ. Schließlich schaute sie zu ihrem Vater auf.

»Und wenn wir mal weggehen?«

»Du meinst, weg von hier? Weg von unserer irischen Küste?«

Graínne nickte heftig. Nun musste ihr Vater nachdenken.

»Das macht dem Meer nichts aus, weil es weiß, dass wir eines Tages wiederkommen. Und dann ist es da, als wäre nichts geschehen.«

Grace O'Malley schaute lange auf den fast unendlichen Sandstreifen über der Galway Bay. Das Meer hatte sich so weit zurückgezogen, dass man Mühe hatte, es in der Ferne noch zu entdecken. Heute war es ruhig und spiegelglatt, wie man es nur sehr selten hier erlebte. Man hatte fast den Eindruck, es habe sich mit Absicht aus dem Staub gemacht. Kein Windhauch war zu spüren. Der Himmel verlor sich am Horizont in gestreiften Aquarellfarben: lila und pink, gelb und hellblau. Darunter breitete sich der Atlantik behutsam wie eine schimmernde Decke aus, schon auf dem Sprung, an das Gestade der alten Stadt mit den grauen Steinen zurückzukehren.

Auch sie war zurückgekehrt. Sie hatte Wort gehalten. Wie das Meer.

1

Grace hielt sich die Ohren zu. Doch das furchtbare Geräusch verschwand einfach nicht. Stattdessen bohrte es sich wie eine Schraube gnadenlos in ihr Gehirn und hakte sich fest. Es gab kein Entkommen.

Die Verzweiflung über ihr Ausgeliefertsein überflutete sie. Sie spürte ihre Hände nicht mehr. O Gott, wo waren ihre Hände? Hatte man sie ihr weggerissen? Das Inferno in ihren Ohren war für einen kurzen Moment verstummt, doch nur, um gleich darauf umso quälender fortzufahren. Laut, hart und erschreckend böse.

Grace schrie auf und schreckte hoch. Es dauerte ein paar Sekunden, bis sie sich erinnerte, wo sie eigentlich war. Sie lag in ihrem Bett in der Wohnung, die sie vor knapp einer Woche bezogen hatte. Das Handy neben ihr auf dem kleinen Hocker, den sie provisorisch als Nachttisch benutzte, dudelte immer wieder die gleiche Melodie. Im Halbdunkel des Raumes klang das Kinderlied seltsam bizarr. Die Luft war stickig, obwohl sie das Schiebefenster halb geöffnet hatte. Sie erinnerte sich vage, dass es rechts neben ihr an der Wand einen Knopf gab. Sie tastete herum, fand ihn, und das sanfte Licht nahm dem Raum sofort seinen Schrecken.

Grace beruhigte sich ein wenig, rutschte auf die Bettkante und berührte mit ihren nackten Füßen den kalten, gekachelten Fußboden. Schließlich nahm sie den Anruf an. Obwohl sie nicht im Dienst war.

»O'Malley.« Nach ihrem Umzug von Dänemark nach Irland hatte sie sich noch nicht daran gewöhnt, sich nur mit dem knappen »Hi« zu melden, wie das in ihrer alten Heimat üblich war.

»Hier ist dein Bruder. Du schläfst hoffentlich noch nicht?«

Sie seufzte leise und schaute auf ihre kleine Armbanduhr mit dem roten Lederband auf dem Tischchen. Zehn Minuten nach zwölf.

»Dara?« Sie musste gähnen. Ihr Blick fiel auf das blau gerahmte Foto eines dunkelhaarigen Mädchens, das mit einem streng geschnittenen Pagenschnitt in die Kamera starrte. Ungewöhnlich ernst für einen vielleicht dreizehn, vierzehn Jahre alten Teenager. Grace hielt dem Blick des Mädchens stand. Dann lächelte sie.

»Du hast nur mich.« Dann fügte er fast entschuldigend hinzu: »Als Bruder, meine ich.«

»Ist etwas passiert? Es ist mitten in der Nacht.« Sie fuhr sich mit der Hand durch ihre Lockenmähne und schwieg. Das übergroße gelbe T-Shirt, das ihr als Nachthemd diente, rutschte von ihrer Schulter. Sie zog es zurück und wartete. Ihr Bruder brauchte manchmal Zeit. Mehr Zeit als sie.

»Ja, ich weiß. Entschuldige. Wenn Oonagh mich nicht so gedrängt hätte, hätte ich auch nicht um diese Zeit angerufen, glaub mir. Aber ...«

»Ist etwas mit den Kindern?« Grace strich sich die langen Haare aus der Stirn und merkte, dass sie geschwitzt hatte. Mit einer Hand versuchte sie, eine verklebte Strähne aufzudröseln.

»Roisin ist weg.«

»Was heißt das, sie ist weg? Ein vierzehnjähriges Mädchen verschwindet nicht einfach so.« Grace klang eher verblüfft als alarmiert. Wieder schaute sie das Bild auf ihrem Nachttisch an. Sie hatte es so gestellt, dass sie es sofort sehen konnte, wenn sie aufwachte.

»Du weißt besser als ich, ob es normal ist, dass Kinder verschwinden. Du bist die Polizei, nicht ich.« Dara räusperte sich. Seine Stimme klang irgendwie anders als sonst.

»Seit wann ist sie verschwunden?« Sie versuchte, ruhig zu bleiben.

»Seit gestern. Wir hatten angenommen, dass sie bei einer ihrer Freundinnen übernachtet, was sie öfter macht, aber als Oonagh vorhin noch einmal dort anrief, um sie etwas zu fragen, stellten wir fest, dass sie nicht da war. Dann …«

»Warum habt ihr mich nicht sofort angerufen?« Grace versuchte ganz bewusst, nicht vorwurfsvoll, sondern sachlich zu klingen, wie eine Polizistin.

Dara machte eine Pause und Grace wartete ungeduldig. »Wir haben dann alle anderen in Frage kommenden Freundinnen kontaktiert, um sicherzugehen, dass sie nicht woanders übernachtet. Das hat gedauert. Schließlich haben wir Declan aufgeweckt und gefragt.«

Grace war aufgestanden und barfuß ins andere Zimmer gegangen. Schnell schloss sie die Vorhänge. Sie hatte am Abend vergessen, sie zuzuziehen. Im Wohnblock gegenüber brannte noch in einigen Fenstern Licht. Rechts lag das Meer dunkel und ruhig, wie vorhin, als sie einen Abendspaziergang gemacht hatte. Es schien, als wartete es auf etwas. Aber vielleicht wartete das Meer immer.

»Wieso Declan? Was kann denn ein zehnjähriges Kind wissen?«

»Die wissen mehr, als du denkst! Er ist doch kein Baby mehr!«

Es war die energische Stimme ihrer Schwägerin, die nun offenbar den Hörer übernommen hatte, oder, wie Grace eher vermutete, ihn ihrem Bruder ungeduldig aus der Hand gerissen hatte.

»Du kennst dich mit Kindern nun wirklich nicht besonders gut aus. Geschwister wissen oft mehr voneinander, als Eltern vermuten. War das bei euch beiden nicht so?«

Grace schwieg, und auch Dara sagte offenbar nichts dazu.

»Roisin hat Declan vor Kurzem sogar zur Beichte mitgenommen.« In Oonaghs Stimme schwang ein kleiner Triumph mit. Oder bildete sich Grace das nur ein? Was hatte ihre Schwägerin da gerade gesagt? Der großzügige Raum erschien Grace auf einmal noch stickiger und völlig ungelüftet.

»Zu was hat sie Declan mitgenommen?« Obwohl ihr Herz schnell und hörbar laut klopfte, klang ihre Stimme nach wie vor dunkel und abgeklärt, ganz im Gegensatz zur aufgeregten Tonlage ihrer Schwägerin.

»Roisin ist in letzter Zeit eben ein bisschen merkwürdig geworden. In dem Alter durchlaufen sie Phasen. Das ist ganz normal. Kein Grund zur Sorge.«

»Was meinst du mit merkwürdig?« Grace war unsicher. Sie musste sich erst wieder an diese vagen Formulierungen gewöhnen, die man in Irland bevorzugt verwendete. In Dänemark, wo sie die letzten fünf Jahre gelebt und gearbeitet hatte, war man meist viel direkter gewesen, sprachlich gesehen zumindest.

»Na, sie surfte neuerdings ein wenig auf der Fundi-Schiene.«

»Fundi-Schiene?« Grace fuhr sich mit der freien Hand durch das lange Haar, schnappte sich eine Strähne und knabberte an deren dürrem Ende herum.

»Katholischer Fundamentalismus. Ist im Moment ziemlich angesagt.« Oonaghs Stimme klang nun eindeutig belehrend, fand Grace. Sie schluckte.

»Ich war der Meinung, dass wir den hier auf der Insel endlich hinter uns gelassen haben.«

»Ist ja auch nur eine Modeerscheinung, Grace. Total retro und gerade angesagt bei der Jugend. Vorübergehend. Das ist der Unterschied zu früher. Also, mach dir keine Sorgen.«

Sie konnte es nicht mehr hören. Mach dir keine Sorgen. Jeder dritte Satz auf der Insel lautete so. Schamlose Verniedlichung. Sie spürte beißenden Sarkasmus in sich aufsteigen. Vorsicht. Sie durfte nicht unfair werden. Sie war noch keinen Monat wieder zurück. Sie musste den Iren Zeit geben. Sie war selbst Irin, dachte sie, trotz ihrer dänischen Mutter, die es damals aber auch vorgezogen hatte, hier und nicht in Dänemark zu leben. Irland war ihre Heimat. Sie musste sich und dem Land Zeit geben.

Ihre Schwägerin hatte inzwischen weitergeredet. »... aber Declan hatte keine Ahnung, wo Roisin sein könnte. Wir werden morgen früh gleich St. Joseph's und Roisins Beichtvater Father Antony kontaktieren.«

»Beichtvater? Ich dachte, sie sei zuletzt mehr in der Gothic-Ecke engagiert gewesen. Du weißt schon, diese Gruftis in schwarz, bleich, rot?«

»Bis kurz vor Ostern. Jetzt ist Ende Mai.« Oonagh klang nun wieder völlig unaufgeregt, fast lässig, als habe sie die Situation im Griff.

»Und die Polizei? Habt ihr Gardai informiert?«

Oonaghs Stimme wirkte überrascht, als sie antwortete. »Aber hiermit haben wir ja die Polizei informiert. Du bist doch Garda, oder?«

Grace schüttelte ungläubig den Kopf.

»Aber ich gehöre nicht zur Garda in Dalkey in der Grafschaft Dublin, sondern sitze nun mal in Galway, am entgegengesetzten Ende unserer hübschen Insel. Die ist zwar klein, aber nicht wirklich winzig. Ich könnte sofort morgen früh einen Flieger zu euch nehmen, hier passiert eh nichts im Moment. Ich kann doch nicht so unbeteiligt hier herumsitzen. Es betrifft mich doch genauso.«

Auf einmal spürte Grace, dass sie keine Chance mehr hatte, die aufsteigende Angst zu ignorieren. Den Hörer ans Ohr gepresst, begann sie, unruhig hin- und herzulaufen.

Oonagh schien die Situation inzwischen neu zu überdenken. Sie hatte offensichtlich die Hand über den Hörer gelegt und redete mit Dara.

Vor ein paar Tagen, genauer gesagt, vor einer Woche, hatte Grace ihre neue Stelle als Leiterin des Morddezernats bei Garda, wie sich die unbewaffnete irische Polizei nannte, in Galway angetreten. Grace hatte sofort gespürt, dass einige der neuen Kollegen, vielleicht sogar fast alle, ihr höflich, doch ablehnend gegenüberstanden. Sie hatte bisher versucht, das zu ignorieren, was ihr weitgehend gelungen war. Da kein Mordfall passiert war, der eindeutig in ihre Zuständigkeit gefallen wäre, hatte man sie bisher mit Arbeit verschont oder, weniger nett ausgedrückt, hatte man sie bei der Verteilung der anfallenden Arbeit bisher umgangen. So hatte sie die Zeit zum Kennenlernen der viertgrößten Stadt Irlands und der örtlichen Verhältnisse genutzt. Außerdem hatte sie einiges an Energie aufwenden müssen, ihrem Onkel Jim nicht über den Weg zu laufen.

»Wir werden sofort Garda in Dalkey informieren. Versprochen.« Das war wieder Dara. »Du brauchst wirklich nicht rüberzukommen. Leb dich erst mal ein. Es wird sich alles aufklären. Wir schaffen das allein.«

Grace zögerte einen Moment und saugte an ihrer Unterlippe. »Warum habt ihr mir nicht von Roisins Veränderung erzählt?« Sie zögerte einen Moment. »Das hätte ich als Mutter gern gewusst.«

»Äh …«

Daras »Ähs« hatte sie schon als Kind gehasst.

Blitzschnell übernahm wieder Oonagh das Gespräch, und Grace merkte an ihrem schnellen Atem, dass sie wütend war.

»Weißt du, Grace. Roisin lebt nun schon seit ihrer Geburt bei uns. Wir sehen uns daher eigentlich als ihre Eltern an, auch wenn wir sie nicht adoptiert haben. Das hat dir ja bisher immer gut in den Kram gepasst. Da haben wir, dein Bruder und ich, schon lange kein Gefühl mehr dafür, wie viel oder wie wenig Mutter es bei dir sein darf. Beantwortet das deine Frage? Wir halten dich auf dem Laufenden. Gute Nacht.«

Sie hatte aufgelegt. Grace stand still im Zimmer. Ein Gefühl von Leere und Nutzlosigkeit breitete sich in ihr aus. Schließlich ließ sie sich auf das cremefarbene Ledersofa fallen. Das Leder klebte bei jeder Bewegung an ihrer nackten Haut. Sie fand das Ding abscheulich, doch es war Teil der Möblierung dieses recht teuren Appartements, das sie vorübergehend gemietet hatte. Ihr Blick fiel auf den traurigen bunten Rosenstrauß, dessen Blüten bereits verwelkt waren. Zum Einzug hatte sie ihn sich als Begrüßung auf den niedrigen Holztisch gestellt. Bald würde sie etwas Eigenes finden. Und dann würde sie bleiben. Bald würde ihr Leben in normalen Bahnen laufen. Vielleicht sogar mit Roisin. Sie zog die Knie zu sich ran und ahnte, dass sie in dieser Nacht keinen Schlaf mehr finden würde.

2

»Junge weibliche Leiche in Salthill, Grace!«

Es war noch früh am Morgen, doch Grace saß bereits an ihrem Schreibtisch in der Polizeizentrale. Was hatte ihr Kollege da gerade gerufen?

Noch bevor sie Rory Coyne um die Ecke biegen sah, hörte sie schon seine kräftige und melodische Stimme im Korridor vor ihrem Büro. Grace wurde noch etwas blasser, als sie heute Morgen sowieso schon war. Schnell stand sie auf und langte nach ihrer großen knallroten Schultertasche, die sie mit dem Fuß unter den Schreibtisch geschoben hatte. Da erschien Rorys leicht gerötetes Gesicht in der Tür.

»Wie alt?« Grace blickte den etwas stämmigen Kollegen fragend an.

Rory zuckte mit den Schultern.

»Der Mann von der Geisterbahn, der sie gefunden hat, hat nur gesagt, jung. Das kann ja alles sein. Wir fahren hin. Die Spurensicherung ist schon auf dem Weg zum Rummelplatz. Toi toi toi, Grace. Dein erster Fall bei uns.«

Er lächelte ihr erwartungsvoll zu. In seiner Stimme schwang eine Spur von Feierlichkeit mit. Dankbar erwiderte sie das Lächeln.

»Auf geht's, Rory.« Sie warf noch einen Blick zurück auf ihren leeren Schreibtisch. Leere Schreibtische hatte sie schon immer deprimierend gefunden.

Als sie sich in der Tür an ihm vorbeizwängen wollte, wich Rory zurück. »Tut mir leid. Ich steh im Weg.«

Einen Moment lang schaute sie ihn irritiert an. Sie strich sich die dunklen Locken aus dem Gesicht und kräuselte ihre Nase, wie sie es schon als Kind getan hatte. Dann lächelte sie.

»Du stehst nicht im Weg. Ich hätte nicht drängeln sollen. Wenn sich jemand entschuldigt, dann ich.«

Rory blickte sie aus seinen dunklen Augen an und wirkte fast etwas verlegen, als er schnell sagte: »Ich bin froh, dass du hier bist.« Es klang fast wie ein Geständnis.

Grace schaute ihren Kollegen nachdenklich an. Da sie recht groß war, waren sie fast auf Augenhöhe. »Das glaube ich dir sofort. Du kannst nicht lügen. Nur bist du da wahrscheinlich der Einzige hier.«

»Der nicht lügt?«

»Das auch. Ich meinte aber, der sich darüber freut, dass ich hier bin.« Sie ging ihm mit schnellen Schritten voraus. Rory folgte ihr durch den tristen Korridor, der menschenleer war. Vor wenigen Minuten hatte die Nachricht von dem Leichenfund noch eine gewisse Hektik in der Polizeizentrale ausgelöst. Jetzt waren alle in ihren Büros wie in einem weit verzweigten Kaninchenbau verschwunden.

Gemeinsam gingen sie zum Wagen. Grace bat Rory zu fahren, da sie sich noch nicht gut genug auskannte und die Garda-Zentrale mitten in einem unentwirrbaren Knäuel von schmalen Gässchen lag. Zur Freude der vielen Besucher hatte die alte Hafenstadt Galway sich ihren mittelalterlichen Stadtkern bewahren können. Verkehrstechnisch gesehen, war das jedoch eine Katastrophe, vor allem, wenn man es eilig hatte. Die meisten Gassen waren entweder komplett für den Autoverkehr gesperrt oder wiesen ein undurchschaubares Einbahnstraßennetz auf, das sogar Ortskundige zur Verzweiflung brachte.

Der Rummelplatz befand sich im Stadtteil Salthill, an der Uferpromenade, die sich von Galway aus westlich in die Bucht hinein erstreckte. Als sie eintrafen, war bereits alles abgesperrt, und es drängelten sich zahlreiche Schaulustige vor dem gestreiften Band.

»Jesus, schon wieder ein Mord in unserer schönen Stadt!«

Es war eine krächzende Frauenstimme, die aus der Menge heraus geschrien hatte. Grace warf Rory einen fragenden Blick zu. Der winkte ab.

»Der letzte Mord hier liegt fast zwei Jahre zurück. Typische Übertreibung aller Westländer.« Er schmunzelte und strich sich seine Uniformjacke glatt, die über seinem Bauch immer etwas spannte.

Bis auf die leitenden Detectives, zu denen auch Grace gehörte, trugen alle Mitglieder der Garda die vorgeschriebene blaue Uniform. Und nur die Detectives waren bewaffnet, von ganz wenigen Ausnahmen abgesehen. Garda hatte sich, was das betraf, bei der Staatsgründung 1922 an den ehemaligen englischen Kolonialherren orientiert, die bis heute von einer moralischen Autorität ausgingen, die nicht auf den Einsatz von Waffen begründet sein sollte.

Als sie die Frauenleiche sah, verspürte Grace kurz eine gewisse Erleichterung. Bevor sie heute früh in die Polizeizentrale gegangen war, hatte sie mehrmals vergeblich versucht, ihren Bruder telefonisch zu erreichen, um eventuell Neues von Roisin zu erfahren.

Ein gut aussehendes junges Mädchen mit rotblondem Schopf und Sommersprossen auf der Nase kam in lustigen gelbgrünen Sneakers auf sie zu. Sie streckte Grace die Hand entgegen. »O'Grady. Aisling.«

Fragend zog Grace die Augenbrauen hoch.

»Forensik. Ich war bei deinem Einstand noch in Urlaub. Schön, dass du bei uns bist.« Sie drückte ihre Hand noch etwas fester, bevor sie sie wieder losließ.

Die junge Frau, der sie nie und nimmer die Rechtsmedizinerin angesehen hätte, klang herzlich und ehrlich. Vielleicht war sie doch nicht ganz alleine, dachte Grace beruhigt. »Danke. Ich freue mich auch.«

Sie folgten Aisling zum Fundort der Leiche. Es war ein grellbunt bemalter Geisterbahnwagen, auf dem ein eher lächerlich als gruselig wirkendes, violettes Skelett aufreizend winkte. Die Sitze waren mit einem verblichenen grünen Plastikbezug bespannt und wiesen Risse auf. Grace kniete sich neben die Tote, die unnatürlich verrenkt auf dem Sitz lag, als habe man sie so drapiert.

Die Frau war schätzungsweise um die dreißig und trug keine Alltagskleidung, sondern war eindeutig zum Ausgehen zurechtgemacht. Vielleicht eine Spur zu auffällig. Es wirkte irgendwie verkleidet, fand Grace.

»Wir haben mehrere tiefe Stichwunden im Halsbereich festgestellt. Hier.« O'Grady wies auf die tiefen Einstiche an der Halsschlagader.

»Da wusste jemand, was er tat.« Rory fotografierte und machte sich Notizen. Grace nickte ihm zu. »Großer Blutverlust?«

Aisling zögerte. »Im Moment schwer zu sagen. Ich glaube nicht, dass sie hier ermordet wurde. Sie wurde erst später hier abgelegt. Als man die Bahn heute für die erste Fahrt des Tages überprüfte, haben sie sie gefunden. Im Wagen gab es so gut wie keine Blutspuren. Die Spurensicherung untersucht das noch weiter.«

O'Grady machte sich am Kopf der Leiche zu schaffen. Vorsichtig tastete sie die Kopfhaut der toten Frau ab.

»Schaut mal hier! Das finde ich interessant.« Aisling deutete auf eine Stelle am Hinterkopf der Frau. »Das ist ein richtig großes Hämatom, eine faustdicke Beule. Könnte signifikant sein.«

»Du meinst, möglicherweise tödlich?«

»Vielleicht.« Die junge Ärztin arbeitete konzentriert

weiter. Schließlich standen beide Frauen fast gleichzeitig auf.

»Genaues weiß ich erst nach der Obduktion. Machen wir so schnell wie …«, Aisling zögerte einen Moment, um die richtigen Worte zu finden, »… wie schon lange nicht mehr.«

Sie grinste in Rorys Richtung. Der grinste sofort zurück.

»Ich dachte, ihr habt hier schon länger keine Leiche mehr gehabt?«, wandte Grace ein. Ihre beiden Kollegen wechselten amüsierte Blicke.

»Das stimmt schon. Nicht direkt in Galway. Aber wir kriegen mal ab und zu eine aus Clifden oder Cong geschickt.«

»Geschenkt«, ergänzte die Rechtsmedizinerin und kicherte.

»Das fällt ja auch in unser Gebiet. Alles was im schönen Connemara mausetot gemacht wird.« Sein Kopf deutete eine kleine Kreisbewegung an.

»Aha. Verstehe.«

Aber Grace verstand nicht. Sie konnte mit den Anspielungen ihrer beiden Kollegen nichts anfangen. Deshalb lenkte sie ihre gesamte Aufmerksamkeit wieder auf die Tote.

Die Frau war recht stark geschminkt, auch wenn ein Teil der Schminke nun verschmiert war und das ursprünglich erwünschte Ergebnis entschieden verfälschte. Im Widerspruch dazu stand ihr eher braves halblanges mittelblondes Haar.

»Die Haare«, murmelte Grace, »sie war im letzten Jahr wohl kaum bei einem Friseur gewesen. Die Frisur sieht nach einem Do-it-yourself-Schnitt vor dem Spiegel aus.« Sie hatte das halb zu sich gesprochen, doch Rory sprang sofort darauf an.

»Das steht dann im Gegensatz zu ihrem ... na ja, so, wie sie aufgedonnert ist. Sie sieht ja fast wie eine von denen aus, die bei den Races in der Bar des Bay Hotels herumlungern.«

»Du meinst die Nutten, die in Luxushotels anschaffen? Glaubst du, das ist eine Professionelle?« O'Grady klang interessiert. Abwartend schaute Grace ihren Kollegen an. Rory wiegte seinen runden Kopf mit den schwarzen Locken bedächtig hin und her.

Grace ärgerte sich über ihre eigene Unsicherheit. Natürlich gab es viele Ähnlichkeiten zwischen Dänemark und Irland, aber mindestens ebenso viele unterschiedliche Alltagsgewohnheiten, Dresscodes und regionale oder traditionelle Verweise. Gerade wenn man im Fall eines Kapitalverbrechens ermittelte, war es wichtig, sich perfekt darin auszukennen. Sie musste sich das alles erst wieder erarbeiten, und sie wusste, dass das ein starkes Argument gegen ihre Einstellung bei Garda gewesen war.

»Könnte sein. Guck mal die Schuhe an«, sagte Rory zögernd.

Die waren auch Grace sofort aufgefallen. Giftgrüne, abenteuerlich hochhackige Stilettos, die an den Fesselriemchen mit Strasssteinchen verziert waren.

»Die gehören ihr nicht«, murmelte Grace mehr zu sich.

»Wie? Die gehören ihr nicht? Sie hat sie doch an.« Rory klang verblüfft. Auch Aisling hielt einen Moment mit ihrer Untersuchung inne und schaute auf.

»Die gehörten ihr nicht. Die hat man ihr angezogen. Wahrscheinlich, nachdem sie tot war. Die sind ihr nämlich mindestens zwei Nummern zu groß.«

Immer noch klang Graces Stimme fast ein wenig unbeteiligt.

Rory pfiff durch die Zähne, und die Gerichtsmedizinerin grinste breit. »Das kannst du so auf Anhieb erkennen?«

Grace nickte und stand auf. Mit der Hand klopfte sie den Staub von ihrem Rock. Sie trug gerne Röcke und Kleider. Obwohl es in ihrem Job praktischer gewesen wäre, schlüpfte sie relativ selten in Hosen. Jeans verabscheute sie geradezu und besaß deshalb auch nur eine einzige, die noch aus ihrer Teenagerzeit stammte, in die sie aber immer noch hineinpasste.

Rory war begeistert. »Das ist super. Sag ich doch. Das fällt keinem Mann auf, zumindest nicht sofort.«

»Und du musst es ja wissen, Rory.« O'Grady stupste ihn vielsagend an. Sie lachte dabei so laut, dass die drei Männer in Weiß von der Spurensicherung kurz ihre Köpfe hoben und sie angrinsten.

»Nun weiht mich doch bitte mal ein.« Grace schaute auffordernd von einem zum anderen.

»Rory hat es mit den Frauen und kennt sich echt aus.«

»Ach?« Sie hatte in ihrem Kollegen in der kurzen Zeit, die sie hier war, nicht unbedingt den Frauenexperten gesehen und schon gar nicht den Schürzenjäger, falls die Rechtsmedizinerin darauf angespielt hatte.

»Rory lebt mit sieben Frauen zusammen. Der weiß, wovon er spricht.« O'Grady drehte sich lachend weg und wandte sich wieder der Toten zu. Sie winkte jemandem von der Spurensicherung.

»Ich lebe mit Mrs Coyne und unseren sechs Töchtern. Das meint sie.«

Er war pinkfarben angelaufen, und Grace überlegte kurz, ob sie lachen durfte. In Irland war man auch an Mordschauplätzen schon mal heiter, ohne dabei pietätlos zu wirken. Das hatte sie seit ihrer Ausbildungszeit in Templemore, der Garda-Akademie in Tipperary, fast vergessen.

In dem Moment klingelte ihr Handy. Alle starrten sie entgeistert an. Ich muss den Klingelton ändern, dachte Grace. Sofort, auf der Stelle. Sie fischte es aus ihrer Tasche und trat ein paar Schritte zur Seite, weg von der Leiche und den anderen.

»Ja?« Ihre Stimme blieb sachlich, als sie dem Anrufer mitteilte, dass sie im Moment nicht sprechen könne. Schließlich sagte sie »Danke, Dara, ich melde mich« und beendete das Gespräch.

»Sind wir hier fertig?«, fragte Rory. Während des kurzen Telefonats hatte er sie aufmerksam beobachtet. Sie nickte abwesend.

»Da ist noch etwas, was wir nicht vergessen dürfen.« Rorys Stimme klang zwar leise, doch bestimmt. Grace ließ das Handy in die Tasche ihres roten Blazers gleiten.

»Das Seidentop, das sie trägt, ist stark zerknittert.« Rory sagte es, als sei es ihm fast peinlich, diese Tatsache besonders hervorzuheben.

Graces Augenbrauen schossen in die Höhe. Sie bückte sich und befühlte vorsichtig den Stoff. »Richtig. Und es ist auf eine ganz bestimmte Weise zerknittert.«

»Ist Knitter nicht gleich Knitter?« Nun klang Rory unsicher.

»Nein. So knittert billige Seide nur, wenn sie nass geworden ist und dann trocknet, ohne gebügelt zu werden.« Grace stand wieder auf.

Wieder pfiff Rory. Das musste sie ihm unbedingt abgewöhnen. Es klang in ihren Ohren irgendwie anzüglich.

»So knittert Seide, wenn man damit zum Beispiel unerwartet in einen Regenguss kommt.«

Rory dachte nach. Grace schaute ihn an und ließ ihm Zeit. War es Zufall oder Absicht gewesen, die Tote hier zu deponieren?, ging es ihr durch den Kopf. Wenn man eine Leiche erfolgreich verschwinden lassen wollte, standen einem hier unmittelbar das Moor und die Berge zur Verfügung. Warum also ausgerechnet auf einem Rummelplatz, wo sie sofort gefunden werden würde? Offensichtlich war es also genau das, was der Mörder beabsichtigt hatte. War das eine Drohung, eine Botschaft?

Rory unterbrach ihre Gedankengänge. »Aber es hat in Galway wundersamerweise seit gut einer Woche nicht mehr geregnet.« Er blinzelte dabei, als habe er gerade ein Geheimnis preisgegeben.

3

Als sie gegen Mittag das Spaniard's Head betrat, war es noch halb leer. Grace schaute sich im ersten der vier niedrigen Schankräume um und steuerte dann die Bar an, an der sich im Moment niemand aufhielt, weder davor noch dahinter. Sie hatte gehofft, Fitz anzutreffen. Der Mittvierziger erinnerte sie immer ein wenig an diesen österreichischen Schauspieler, der im fernen Hollywood eine Oscar-Karriere gemacht hatte. Fitz sah ihm ähnlich, wirkte immer leicht distanziert, doch humorvoll, mit lachenden Augen. Grace fand ihn, wie sie sich aber nur zögernd eingestand, attraktiv. Nur ein ganz kleines bisschen. Schon als junges Mädchen hatte sie Schwierigkeiten damit gehabt, sich selbst einzugestehen, dass ihr ein Mann gefiel. Das hatte sich fast zwanzig Jahre später nicht geändert. Und auf gar keinen Fall würde sie anderen gegenüber irgendeine Andeutung machen.

Sie hatte gehört, dass Fitz, der mit vollem Namen Padraig Fitzgibbon hieß, aus Limerick stammte und angeblich sogar einen Doktortitel besaß, vor einiger Zeit diesen heruntergekommenen Pub im Zentrum von Galway übernommen hatte. In kürzester Zeit wurde der Spaniard's Head zu einem der wichtigsten Treffpunkte der Stadt, zu dem es Musiker wie Studenten, Banker, Makler, Touristen und Politiker zog. Schnorrer und Alkoholiker inklusive. Die bildeten, wie in jedem irischen Pub, zusammen mit den Heiligenbildchen grundsätzlich den imaginären Stammtisch. Niemand in Galway hatte den rasanten Erfolg des Pubs erklären können. Die lebendige Universitätsstadt, einst Hort von Piraten und spanischen Möchtegern-Eroberern, besaß immer schon eine unübersehbare Auswahl an exzellenten Einkehrmöglichkeiten.

Auch unternehmungslustige Frauen tummelten sich zu jeder Tageszeit im Pub. In der Mittagszeit strömten sie in dunkelblauem Businessdress und fließenden Blusen in Vierer- oder Fünfergrüppchen aus den Büros der Umgebung hierher. Dann nippten sie an Mineralwassern aus irgendeiner Quelle, die unweigerlich mit »Bally« anfing. Die Stimmung im Spaniard's Head war immer aufgeräumt, auch schon kurz nachdem sich um elf Uhr morgens die Türen geöffnet hatten.

Grace zog sich auf einen der wenigen schwarzen Barstühle und schaute sich noch einmal um. In der Ecke saßen ein paar junge Leute und versuchten sich an Musik. Ein einsames Banjo klimperte und eine schrille Tin Whistle lamentierte dazu. Grace mochte irische Musik, doch auf fast nüchternen Magen fand sie sie nur schwer genießbar. Ihr Blick fiel auf den großen Bildschirm über der Tür, der wie fast überall ohne Ton lief. In Dänemark waren Fernseher in vielen Kneipen verpönt, es sei denn, man ging in ein dafür ausgewiesenes Etablissement, das sich meist auf Sportprogramme spezialisiert hatte. In

Irland dagegen hatte der Fernseher in den Pubs seit den frühesten Tagen der flimmernden Mattscheibe ein Tor zur Welt dargestellt. So hatte es ihr Vater einmal erklärt.

Heute war diese Funktion für die Ryan Air Generation, wie die irischen Medien die jungen Leute, die jedes Wochenende ans andere Ende Europas hüpften, nannten, überflüssig geworden. Der laufende Fernseher blieb jedoch ein Überbleibsel aus jener Zeit, so wie das schlecht gerahmte Bild von John F. Kennedy und die vergilbten Pilgerdrucke von Johannes Paul II., die mit Tesafilm an den Wänden der meisten irischen Gaststätten klebten. Im Spaniard's Head fehlten zwar Papst wie Präsident, doch der Fernseher lief verlässlich.

Grace verfolgte mit einem Auge die Kochsendung, die gerade lief. Ein hübscher junger Mann im Ringel-T-Shirt mit halblangen goldenen Locken filetierte eine Seezunge. Während er das weiße Fleisch erst tätschelte und es dann vorsichtig mit einer Marinade beträufelte, redete er unaufhörlich. Grace betrachtete den Koch fasziniert, obwohl sie Kochsendungen eigentlich völlig uninteressant fand. Als sie sich wieder zur Bar umdrehte, stand Fitz da und lächelte sie amüsiert an. Hatte er dort etwa schon länger gestanden und sie beobachtet? Sie merkte, dass ihr das peinlich war.

»Hi, Grace. Schön, dich zu sehen. Dich hatte ich heute eigentlich gar nicht erwartet.«

Fitz war dunkelblond mit schon leicht ergrauten Schläfen. Er trug eine randlose runde Brille, die Grace vom ersten Moment unirisch vorkam. In Irland bildeten Menschen mit Brillen immer noch die Ausnahme. Entweder hatten die Nachfahren der Kelten wirklich bessere Augen, oder sie wollten lieber nicht so genau wissen, wie die Welt wirklich aussah.

Fitz trug ein flaschengrünes Jackett aus weichem Cord

und sah in Graces Augen umwerfend aus. Innerlich rief sie sich zur Ordnung: Ihr Job war es, über die Kleidung der Toten nachzudenken und nicht den Modegeschmack eines Wirts zu taxieren.

»Was kann ich dir bringen?« Wieder lächelte Fitz sie an.

»Eure selbstgemachte Zitronenlimonade, bitte. Warum hast du mich nicht erwartet heute?«, erwiderte sie jetzt ebenfalls lächelnd.

»Ihr habt doch eine Leiche in Salthill.« Er schenkte ihr aus einer bauchigen Glaskanne die Limonade ein und reichte ihr das schlanke Glas mit der milchigen Flüssigkeit und einem Zitronenrad, in das ein Zweig frische Minze gesteckt war.

»Woher weißt du das? Wir haben der Presse doch noch nichts bekanntgegeben.« Sie fixierte ihn bei ihrer Frage, aber ihre Stimme war nach wie vor freundlich.

Fitz grinste. »Ich hab so meine Quellen. Aber es kommt sicher auch gleich in den Zwölf- Uhr-Nachrichten. Oder wartet ihr bis eins? Wäre wahrscheinlich besser.« Auf einmal wirkte er nervös und schaute in Richtung Eingang. Grace folgte seinem Blick, doch da war nichts zu sehen.

Fitz war früher der leitende Rechtsmediziner bei Garda in Limerick gewesen. Irgendwann, so hieß es, sei er krank geworden, aber Genaues wusste niemand. Grace gegenüber hatte er in einem Gespräch beiläufig einen längeren Klinikaufenthalt vor seinem Umzug nach Galway erwähnt und dabei auch über seine Zeit bei Garda gesprochen. Sie hatte nicht weiter nachgefragt.

»Hm. Ich bin dienstlich hier, nicht zum Vergnügen.« Sie zog ihr Handy hervor und suchte das Bild, das sie von der Leiche gemacht hatte. »Kennst du sie?«

Fitz schaute sich das Foto lange an, bevor er nickte.

Sein sonst offenes und fröhliches Gesicht war auf einmal verschlossen.

Er räusperte sich. »Ich bin sicher, ich hab sie hier schon mal gesehen. Wie sie heißt, weiß ich allerdings nicht. Warte. Ja, sie kam ein-, zweimal in Begleitung von dieser Carol. Da bin ich mir hundertprozentig sicher.«

»Und wer ist diese Carol?«

»Tja, sie ist so der Typ ›Monroe aus Mayo‹, würde ich sagen. Blond, auf eine kesse Art. Kennt jeden, und jeder hier kennt sie. Was nicht heißt, dass man sich bei vollem Namen kennt. Aber so ist es hier.« Beide mussten lachen. Sie schaute einen winzigen Moment zu lange in seine grauen Augen. Die Angst, die sie zuvor noch in ihnen gesehen hatte, war wieder verschwunden.

»Sag mal, du weißt, was ich mit ›Monroe aus Mayo‹ meine?«, fragte Fitz sie nach einer kurzen Pause. Wieder schweifte sein Blick kurz zur Tür.

»Klar. Ich bin immerhin aus Mayo. Ursprünglich, meine ich.«

Von der Grafschaft Mayo, die nordwestlich an Galway angrenzte, sprach man bis in die Sechzigerjahre des zwanzigsten Jahrhunderts in Irland nur mit dem Zusatz »Mayo, Gott helf uns!«. Dazu bekreuzigte man sich schnell, wie um einen Fluch abzuschütteln. Die Geschichte der Landschaft entlang der Atlantikküste, zwischen dem einzigen Fjord Irlands, dem Killary Harbour im Süden, und der mächtigen Sligo Bay im Norden, war blutgetränkt und von Tod und Elend gezeichnet. In Mayo konnte man bis heute Geistersiedlungen aus dem neunzehnten und zwanzigsten Jahrhundert finden. Ein großer Teil der irischen Auswanderer nach Amerika und Australien hatte sich von Mayo aus mit letzter Kraft zu den Auswandererschiffen nach Derry oder Cork durchgeschlagen, um den Hungersnöten zu entkommen, die

die ganze Insel heimsuchten. Mayo, das bedeutete über Jahrhunderte hinweg Hoffnungslosigkeit, unvorstellbare Armut, Verzweiflung und Tod.

Aber Mayo besaß auch eine landschaftliche Schönheit, die von einem Besitz ergreifen konnte und fast wehtat. Keltische Legenden waren dort noch heute lebendig geblieben, und gälische Fabelwesen bevölkerten bis in die aufgeklärten digitalen Tage des neuen Jahrtausends diesen magischen Landstrich. Bewohner dieser dünn besiedelten Grafschaft verehrten oft noch ehrfürchtig alte heilige Quellen und Steinkreise. Im sich gern weltstädtisch gebenden Galway dagegen, der nächsten größeren Stadt, waren die Einwohner Mayos deshalb eher als Landeier verschrien. In diese Kategorie fiel der Ausdruck »Monroe aus Mayo«.

Fitz schenkte sich selbst gerade ein Glas Limonade ein, als eine größere Gruppe Franzosen den Pub betrat und sofort die Bar belagerte. Grace wollte den Moment nutzen, um sich zu verabschieden. Sie hatte eine SMS erhalten und rutschte vom Barhocker.

»Fitz …«

Doch Fitz war gerade dabei, nach Fiona zu rufen und die handgeschriebenen Speisekarten an die neuen Gäste auszuteilen. Fiona erschien in der Tür zur Küche. Eine sommersprossige Hünin mittleren Alters mit riesigen Kreolen an den Ohren. Als Grace sie das erste Mal hinter der Theke gesehen hatte, hatte sie sich gefragt, ob die Frau aus einem Traveller Clan stammte. Sie hatte schon viele der irischen Fahrenden kennengelernt, und fast alle ihre Frauen hatten eine unübersehbare Affinität für auffallenden Ohrschmuck gehabt. Gerade nahm Fiona breit lächelnd und in fließendem Französisch die Getränkebestellung an. Die Franzosen gaben sich ihr gegenüber sofort als keltische Bretonen zu erkennen und veranstalteten vor Begeisterung einen ohrenbetäubenden Lärm.

Fitz hatte sich wieder an Grace gewandt. »Ich vergaß völlig, dass du eine O'Malley bist. Euer Clan ist ja von dort.« Er sagte das eher beiläufig, aber Grace nahm ihm das nicht ganz ab.

Die O'Malleys waren nicht nur einer der ältesten und berühmtesten Clans des Nordwesten Irlands, sondern auch der mächtigste und einflussreichste. Die O'Malleys konnte man weder ignorieren noch »vergessen«. Grace schaute Fitz amüsiert an. Ihre Augen blitzten dabei.

»Soll das ein Kompliment sein, dass du das ›vergessen‹ hast?«

Er lächelte lediglich, drehte sich zur Getränkebatterie um und ignorierte ihre letzte Bemerkung.

Ihr Handy vibrierte in der Jackentasche. Diesmal hatte sie es auf lautlos gestellt. Sie musste heute Abend unbedingt den Klingelton wechseln. Der war eines der zahlreichen, witzig gemeinten Abschiedsgeschenke der dänischen Kollegen gewesen. Sie hatte sich die eingängige Melodie trotzdem nur widerstrebend auf ihr Handy herunterladen lassen. Mit diesem Lied hatte man sie immer auf nette Weise hochgenommen. Mittlerweile war ihr das Kinderlied fast ans Herz gewachsen. Dann hatte sie vergessen, es zu löschen, weil sie sich daran gewöhnt hatte.

Auf dem Weg nach draußen stieß Grace an der Tür mit einem älteren Mann zusammen, den sie, bevor sie ihn sah, schon hatte riechen können. Er war ihr bereits bei einem früheren Besuch aufgefallen. Anzüglich grinste er sie an und trat einen Schritt zur Seite, um ihr Platz zu machen. Mit der rechten Hand beschrieb er eine altmodische Verbeugung. Schnell schlüpfte sie durch die Eingangstür auf die Straße und rief den Anrufer zurück.

Es war Rory gewesen, der sich erkundigen wollte, ob man schon einen Hinweis auf die Identität der Toten hatte. Grace erzählte ihm von der wasserstoffblonden Carol. Auch er hatte etwas herausgefunden. Sie verabredeten sich für spätestens in zwei Stunden, und Grace kehrte zurück an die Bar. Sie hatte in der Eile vergessen zu zahlen.

Schon von Weitem sah sie, dass sich der unangenehme Alte mit den Zahnlücken auf dem Stuhl neben ihrem niedergelassen hatte. Sie fing einen Blick von Fitz auf. Plötzlich wirkte er angespannt. Sonst schien er die Lockerheit in Person zu sein. Das war eine der Eigenschaften, die sie an ihm mochte und die sie selbst gern besessen hätte. Sie empfand sich selten als locker und entspannt.

An der Bar ignorierte sie den Neuankömmling, der schon ein Glas Guinness vor sich stehen hatte. Während sie zahlte, fiel ihr Blick wieder auf den Bildschirm. Der blonde Kochengel hatte nun die Seezunge hübsch dekoriert auf einen Teller platziert und redete immer noch ohne Ton und Pause.

Die Stimmung erschien ihr auf einmal anders als noch vor ein paar Minuten. Das Banjo aus der Ecke klang nun eindeutig falsch. Die Bretonen-Gruppe prostete sich grölend zu. Der Lärm und die Enge waren Grace unangenehm. Fitz beugte sich zu ihr hinüber. Sie nahm den schwachen Geruch seines Aftershaves wahr, das sie von irgendwoher kannte. Sie wollte unbedingt etwas sagen, bevor er es tat.

»Ihr habt hier im Fernsehen also auch diese leidigen Kochsendungen?« Etwas anderes fiel ihr nicht ein. Sie wollte um keinen Preis über ihren Fall reden, schon gar nicht, wenn der stinkende Alte danebenhockte und immer näher zu rücken schien.

Fitz nickte zerstreut. »Wir haben sogar Kochsendungen auf Irisch, wie du siehst. Donal Joyce ist hier ein Star. Er kocht exklusiv für ein gälisches Publikum von schätzungsweise achthunderttausend, die täglich einschalten. Das ist Luxus pur, den man sich hier gönnt. Wäre vor zehn Jahren undenkbar gewesen. Aber warum nicht?«

Der zahnlose Mann neben ihr nuschelte etwas, lachte und zeigte auf den Bildschirm. Grace bemerkte seine dreckigen Fingernägel. Sie konnte ihn nicht verstehen, und Fitz ignorierte ihn. Grace beschloss, das Gleiche zu tun. Schließlich winkte sie Fitz zu.

»Danke und bis bald!«

»Viel Glück!«

Es war ohrenbetäubend laut, und sie bahnte sich so schnell es ging einen Weg durch die Menge Richtung Ausgang.

So hörte sie nicht mehr, wie der Alte im zerschlissenen Regenmantel Fitz zurief: »Das ist also der jüngste Spross der verfluchten O'Malleys! Zur Abwechslung mal gut aussehend und langbeinig. Könnte mit diesem Gesicht glatt nach Hollywood gehen. Jetzt wird es endlich interessant hier!« Dabei lachte er so laut und hässlich, dass sich alle im kleinen Schankraum nach ihm umdrehten.

Fitz musterte ihn kalt und ging in die Küche hinter der Bar. Fionas besorgten Blick übersah er.

4

Rory hatte diskret in der Nase gebohrt, während Grace noch mit dem Redakteur des Irish Independent telefonierte. Morgen früh sollten alle irischen Tageszeitungen und die Online-Ausgaben noch heute ein Foto der Toten veröffentlichen. Graces Assistentin hatte schon das Foto, das dafür in Frage kam, an den allgemeinen Verteiler von Garda gemailt. Kaum hatte Grace den Hörer aufgelegt, klingelte es wieder. Diesmal waren es die Kollegen aus Dalkey. Bevor sie antwortete, warf sie einen kurzen Blick auf Rory, der nun betont angestrengt in seinen Notizen blätterte. Rory und seine handschriftlichen Vermerke, Zettelchen und Heftchen bildeten anscheinend eine untrennbare Einheit. Er raschelte und kritzelte und zwinkerte ihr dabei fröhlich zu.

Grace grinste kurz zurück und meldete sich dann: »Ja, am Apparat.«

Sie wusste schon, dass es über Roisins Aufenthaltsort keine neuen Erkenntnisse gab. Das hatte sie am Morgen von ihrer Schwägerin erfahren. Der Besuch bei Father Anthony hatte wenig gebracht. Allerdings war sich Oonagh sicher, dass der Priester eine Ahnung hatte, wo sich das Mädchen aufhalten könnte. Da müsse man unbedingt noch einmal nachhaken. Außerdem wolle sie Declan, ihren Sohn, noch einmal gründlicher befragen, wenn er aus der Schule komme. Dara sei gestern Abend, weil das Kind schon geschlafen habe, sehr nachsichtig mit ihm umgegangen.

»Natürlich habe ich nichts gegen die Veröffentlichung eines Fotos«, beantwortete Grace die Frage des Kollegen. »Wann soll es denn über die Sender gehen?« Graces Stimme war fest, während sie einen unsicheren Blick auf

Rory warf, der ihrem Telefonat jedoch keine weitere Beachtung zu schenken schien.

»Wenn Sie meine Hilfe und Unterstützung benötigen, haben Sie ja auch meine Mobilnummer. Das wäre übrigens sicherer, als mich hier in der Zentrale anzurufen. Ich stecke mitten in einem Mordfall und bin viel unterwegs. Danke«.

Der Kollege aus Dalkey fügte offenbar noch etwas hinzu. Graces Gesichtsausdruck war bis zu diesem Moment neutral und verbindlich gewesen. Jetzt schien sich ihr ganzer Körper auf einmal zu versteifen, und ihre Gesichtszüge verhärteten sich. Ihre türkisgrauen, fast mandelförmigen Augen strahlten immer etwas Rätselhaftes, leicht Distanziertes aus. Die vollen Lippen und die sanft geschwungene, genau richtig große Nase verliehen ihrem Gesicht die Perfektion, um die sie viele Frauen beneideten. Trotzdem besaß es etwas Individuelles, Unverwechselbares, und wenn sie lächelte, und nur dann, zeigte sich auf ihrer rechten Wange ein kleines Grübchen, das sofort wieder verschwand, wenn sie ernst wurde. Grace wünschte sich oft, weniger ernst zu sein. Eigentlich liebte sie es, herumzualbern und zu lachen, doch gab es nicht viele Menschen, mit denen sie diese Leichtigkeit teilen konnte. Rory hatte sie in ihrer ersten Woche schon mehrmals zum Grinsen oder Schmunzeln gebracht. Das tat gut.

Jetzt allerdings schien er geradezu in seine Aufzeichnungen hineinkriechen zu wollen, füllte mit seiner kleinen Schrift in Windeseile ein ganzes Blatt und tat so, als hätte er die Anspannung seiner Kollegin nicht bemerkt.

»Madam, sind Sie noch da? Haben Sie gehört, was ich gesagt habe?« Der Polizist aus Dalkey schrie in den Hörer.

»Ich habe Sie durchaus verstanden. Aber ich wüsste

nicht, was es ändern würde, wenn ich zu Ihnen käme.« Graces Stimme klang hart und abweisend. Rory hob nun doch den Kopf und starrte sie verblüfft an.

»Roisins Pflegeeltern haben alle Vollmachten und wissen, was sie zu tun haben. Wir sind in ununterbrochenem Kontakt. Ich bin hier leider unabkömmlich, was Sie sich als Kollege sicher vorstellen können. Ich erwarte einen lückenlosen Informationsfluss von Garda Dalkey an mich. Guten Tag.« Sie legte auf. Nur mit Mühe hatte sie ihre Stimme noch unter Kontrolle bekommen.

Rory betrachtete seine Kollegin ein paar Sekunden nachdenklich. Als er nach einem tiefen Durchatmen etwas sagen wollte, wurde die Tür zu ihrem Büro ohne vorheriges Klopfen aufgerissen, und ein großer, kräftiger Mann, Ende fünfzig, mit Halbglatze und in einem schwarzen Anzug und ebensolcher Krawatte stürmte herein.

»Du hast eine Leiche, und ich weiß nichts davon?«, polterte er los und stemmte sich mit vollem Gewicht auf die Schreibtischplatte, dass diese knackte.

Grace schaute zu dem Besucher hoch, und augenblicklich schien ihre Ruhe zurückzukehren, die sie kurz zuvor so schmählich im Stich gelassen hatte. Sie verzog ihre vollen Lippen zu einem amüsierten Schmunzeln, das den Mann noch wütender zu machen schien. Seine Augen, die von kleinen roten Äderchen durchzogen waren, richteten sich herausfordernd auf sie. Seine Pupillen tanzten wie harte schwarze Gummibälle.

»Guten Tag, Onkel Jim. Ich habe keine Leiche. Aber es gibt tatsächlich eine. Was willst du hier?« Sie taxierte ihn kühl. In solchen Momenten dominierte das Schiefergrau ihrer Augen. Irritiert schaute er sie einen Moment an, drehte sich dann zu Rory und gab ihm, wie einem Bediensteten, mit einer Handbewegung zu verstehen, das Zimmer zu verlassen. Doch Grace reagierte blitzschnell.

»Guard Coyne bleibt. Wir sind mitten in einer wichtigen Besprechung, zu der du, da sie nicht öffentlich ist, nicht geladen bist, und ich würde dich bitten, wenn du ein privates Gespräch möchtest, einen Termin mit mir zu vereinbaren. Vor heute Abend um acht habe ich jedoch keine Zeit.«

Der Mann war sprachlos. Das nutzte Grace zu einem Nachschlag.

»Offenbar bist du ja bestens informiert, obwohl ich bis zu den Ein-Uhr-Nachrichten eine Nachrichtensperre verhängt habe. Im Moment kann ich nichts für dich tun. Du verstehst ja sicher, dass wir mit den laufenden Ermittlungen noch nicht an die Öffentlichkeit gehen können.« Sie hatte sich wieder ihrem Notebook zugewandt.

»Öffentlichkeit?« Ihr Onkel schwieg einen Moment perplex und musste sich offenbar sammeln. »Ich bin Vorsitzender der regierenden Partei unserer Grafschaft und muss darüber informiert sein, was hier passiert. Das begreifst du doch, mein liebes Mädchen?«, fuhr er in einem deutlich gemäßigteren Tonfall fort.

Rory tat keinen Mucks und beobachtete Grace konzentriert. Diese Situation war doch schneller eingetreten, als er erwartet hatte, obwohl die Uhr sofort nach Auffinden der Leiche zu ticken angefangen hatte. Aber dass er unmittelbar dabei sein durfte, hätte er sich nicht träumen lassen. Obwohl Rory im Stande war, durchaus einiges vorhersehen zu können.

»Lieber Onkel«, das war eindeutig die Replik auf das »liebe Mädchen«, »du wirst zur rechten Zeit genau das erfahren, was du als oberster Ratsherr unseres Sprengels wissen musst.« Sie lächelte ihn verbindlich an und wandte sich dann wieder ihrem Notebook zu.

Jim O'Malley nahm seine Hände vom Schreibtisch und runzelte einen Moment die Stirn. Er wirkte etwas ratlos. Grace schaute wieder auf und ihm direkt in die Augen. Die Gummibälle tanzten. Sie lächelte.

»Es sei denn, du bist hergekommen, um mir etwas zu sagen, was mit dem Mordfall zu tun haben könnte. Dann bist du natürlich höchst willkommen und darfst dich meiner und Kollege Coynes größter Aufmerksamkeit erfreuen.«

Jim O'Malley schaute sie an, als habe sie in einer ihm nicht bekannten Sprache gesprochen. Erst nach einigen Sekunden schien er zu begreifen.

»Ich, wieso ich? Was soll ich denn bitte über den Mordfall wissen?« Er wandte sich abrupt zum Gehen und verließ grußlos das Büro.

Rory hatte ihn fasziniert beobachtet. Der mächtigste Mann der Grafschaft Galway hatte erst einen bühnenreifen Auftritt und dann einen sehr verlegenen Abgang hingelegt. Darauf hatte Rory Jahre gewartet, und er genoss jede einzelne Sekunde.

Doch es war noch nicht vorbei. Ein paar Sekunden später überlegte es sich Jim O'Malley offenbar anders und kehrte noch einmal zurück. Schwer atmend stand er wieder in der Tür. Grace zwang sich, ein paar Sekunden verstreichen zu lassen, dann schaute sie nochmals auf.

»Ist noch etwas? … Onkel Jim?« Zwischen beiden Fragezeichen war eine Zäsur von genau zwei Sekunden.

»Großtante Mary wird in zwei Stunden auf dem Friedhof in Spiddal beerdigt. Wirst du auch da sein?«

Grace schüttelte den Kopf. »Nein. Tut mir leid. Ich habe wirklich keine Zeit, wie du siehst. Wir stecken in wichtigen Ermittlungen. Außerdem kannte ich sie so gut wie nicht.« Ihre Stimme hatte nichts Provozierendes an sich.

Rorys Blicke gingen wie bei einem Tennisspiel gebannt von einem zum anderen.

»Aber sie ist Familie, Grace. Allein das zählt. Vergiss das nicht.« Dann ging er endgültig mit festen Schritten davon. Rory und Grace schauten sich schweigend an.

Am Ende des langen Ganges traf Jim O'Malley auf einen Mann, den er sehr gut kannte. Es war Superintendent Robin Byrne, der oberste Chef des Garda Districts von Galway, Graces unmittelbarer Vorgesetzter. Der hochgewachsene Mann im traditionellen beigen Aran Pullover mit Zopfmuster und Jeans wollte sich sofort wieder umdrehen und in seinem Büro verschwinden, als er den bekannten Politiker auf sich zukommen sah. Aber O'Malley hatte ihn schon erspäht und stürzte sofort auf ihn zu.

»Warte mal, Rob! Was weißt du über die Leiche, die ihr heute Morgen gefunden habt?«

Byrne, in ähnlichem Alter wie O'Malley, aber wesentlich schlanker und drahtiger, schien kurz zu überlegen.

»Nichts, Jim. Und wenn ich was wüsste, könnte ich es dir nicht sagen.«

»Was soll das heißen?« Dem Polizisten gegenüber brauchte Jim O'Malley seine Wut nicht zu verstecken. Robin kannte ihn nur zu gut.

»Das heißt, wir haben eine Nachrichtensperre, die …«, er schaute kurz auf seine große Taucheruhr am rechten Handgelenk, »… in genau fünf Minuten abläuft.« Dann wollte er in der nächsten Tür verschwinden. Doch Jim hielt ihn an seinem grobmaschigen Pullover fest.

»Du machst Witze, Rob. Aber mir ist gerade überhaupt nicht zum Spaßen. Ich will wissen, was hier passiert, und zwar sofort. So, wie ich das gewöhnt bin.« In seinen Worten vermischten sich Trotz und Befehl.

Robin Byrne musterte ihn spöttisch. Dann drehte er die Augen in Richtung der schmutzig gelben Decke des langen Korridors, die dringend gestrichen werden müsste. »Tja …« Er zog das Wörtchen bedeutungsvoll in die Länge. »Dann hättest du dafür sorgen müssen, dass hier alles seinen gewohnten Gang geht, mein Lieber, so, wie du das gewöhnt bist. Deine Nichte, die du hier gegen den Rat anderer von außen hereingeholt hast, hat eine absolute Nachrichtensperre verhängt, und die gilt, darauf legt sie großen Wert, für alle. Sie hat eben, wie dir sicher bekannt ist, den berühmten O'Malley-Dickschädel. Nun müssen wir alle damit leben. Auch du. Guten Tag noch.«

Damit wandte er sich ab und verschwand schnell hinter der Tür seines Büros, damit O'Malley sein Lachen nicht mitbekam.

Wutschnaubend steuerte der Politiker nun Richtung Ausgang. Als er den dort wachhabenden Polizisten passierte, dem er kurz zunickte und der mit erhobener Hand zurückgrüßte, meldete sich sein Handy. Er fummelte es aus seiner schwarzen Jacketttasche, die bereits etwas zerknittert war. Jemand hatte ihm eine SMS geschickt. In der grellen Sonne musste er seine Hand schützend über das Display halten, bevor er die Nachricht lesen konnte. Er wurde blass, als er die Worte entziffert hatte: »Kennst du eine Annie McDoughall?«

5

Kurze Zeit später lief Grace über den Parkplatz. Die Sonne war wieder herausgekommen, und ein makellos blauer Himmel spannte sich über die Bucht und die Stadt.

Vom Atlantik her wehte eine stete sanfte Brise. Sie atmete tief durch. Die Luft hier war für sie immer noch wie ein Tonikum nach all den Jahren in der Stadt. Selbst wenn an regnerischen und nebligen Tagen der Hauch von Torffeuer die Luft zusätzlich sättigte, empfand sie das nicht als unangenehm.

Grace liebte diesen Geruch und sog ihn tief ein. Es war der Geruch ihrer Kindheit, wenn sie die Schulferien bei den Großeltern auf Achill Island verbrachte. Ganze Tage streifte sie über Wiesen und lief mit den Hunden die endlosen Sandstrände entlang. Wenn sie dann gegen Abend ins Dorf zurückkehrte, hing genau dieser Geruch in der feuchten nebligen Luft und lockte sie ins Haus.

Grace riss sich von ihren Erinnerungen los. Jetzt musste sie sich beeilen. Sie beschleunigte ihren Schritt. Auf der Straße stieß sie fast mit Fitz zusammen. Er hielt sie lachend fest. »Zu dir wollte ich gerade.«

Grace schaute ihn verwundert an, schüttelte jedoch nicht seine Hand ab, die immer noch auf ihrer Schulter ruhte.

»Mir ist etwas zu Carol eingefallen, was euch vielleicht weiterhilft.« Fitz hatte sich daran erinnert, dass Carol wohl einmal erwähnt hatte, dass sie im Bay Hotel an der Rezeption aushalf. Es konnte auch sein, dass sie dort fest angestellt war, aber aus irgendeinem Grund war er der Meinung, dass sie beruflich etwas anderes machte. »Die meisten Iren haben ja mittlerweile mindestens zwei Jobs, wie du weißt. Sonst kriegen wir unsere Schulden nicht weg«, grinste er.

»Danke, dass du gekommen bist. Ich sag Rory Bescheid, dass er sich darum kümmert. Ich muss noch schnell in die Forensik. Kommst du ein Stück mit?« Grace war schon weitergegangen, in der Annahme, dass er ihr folgen würde. Als er nicht antwortete, schaute sie sich um und bemerkte, dass er hinter ihr zurückgeblieben war. Fitz stand mitten auf dem Bürgersteig und rührte sich nicht.

»Fitz?« Besorgt ging sie zu ihm zurück. »Ist etwas?«

Er hatte seine Augen auf den Boden gerichtet und sich ein wenig nach unten geneigt, als suche er dort etwas. Plötzlich richtete er sich wieder auf und lächelte sie in seiner gewohnt freundlichen Art an. Doch auf seiner Stirn standen ein paar winzige Schweißperlen. Grace merkte, wie sehr er sich bemühte, fröhlich zu wirken. Etwas hatte ihn ganz offensichtlich erschreckt. Seltsam.

Warum wollen wir Iren immer als fröhlich erscheinen?, dachte sich Grace. Locker und spritzig, immer einen Witz auf den Lippen, auch wenn uns zum Heulen ist und wir uns lieber verkriechen würden? Unsere Traurigkeit und tiefe Sehnsucht verbannen wir in unsere Musik. Da ist sie sicher verpackt. Dort können wir Trauer auskosten und zelebrieren. Und damit auch noch Geld verdienen.

»… verbringe ich viel Zeit mit den Kindern.« Seine Stimme riss sie aus ihren Gedanken.

»Kinder?« Sie war nicht nur überrascht, sondern merkte, wie es ihr einen kleinen Stich versetzte. Wie kam er plötzlich auf Kinder? Hatte sie den Faden verloren oder war es einer dieser irischen Tricks, durch sprunghafte Monologe unangenehme Themen zu umschiffen und von ihnen abzulenken?

»Hab ich doch gerade gesagt. Meine zwei Neffen. Wir unternehmen oft etwas zusammen. Die Jungs angeln so gern, und dann fahren wir raus zum Eriff. Kennst du sicher.«

Natürlich kannte sie den schönsten Fluss Mayos. An wie vielen Nachmittagen hatte sie an seinen Ufern gespielt. Wie ein schmales silbernes Band schlängelte er sich durch die grün melierten Wiesen am Fuß der Sheaf

Mountains, ganz im Süden der Grafschaft, wo sich Galway und Mayo aneinanderrieben. In ihrer Kindheit war er noch voller wilder Lachse gewesen – lange bevor die Lachsfarmen der Nachbarschaft den Wildlachsbestand dezimiert hatten. Sie hatte in hohen Gummistiefeln, die ihr fast bis zum Po reichten, zusammen mit Shaun, ihrem angelverrückten Vater, im Wasser gestanden. Kindheitsbilder, die sie zu überrollen schienen. Sie sagte nichts, riss sich dann aber zusammen und versuchte, sich wieder auf das Gespräch zu konzentrieren.

»Ich dachte einen Moment, du sprichst von deinen Kindern?« Sie sah ihn fragend an.

»Ich? Nein. Ich habe keine Kinder. Nicht dass ich wüsste, zumindest.« Er grinste leicht anzüglich, was gar nicht zu ihm passte, wie sie fand. »Aber eine Familie zu haben, eine richtige Familie, das wäre schon etwas Wunderbares.« Das klang, als hätte ihre Frage längst verdrängte Sehnsüchte wieder hervorgeholt. Sie war etwas irritiert und wusste sich auf seinen abrupten Stimmungswechsel keinen Reim zu machen.

»Möchtest du mal Kinder, Grace?« Seine Frage kam so plötzlich und unvermittelt, dass sie keine Chance hatte, ihr auszuweichen. Sie schluckte.

»Ich habe bereits ein Kind. Eine Tochter.«

Seine Augen weiteten sich vor Erstaunen. »Und wo hast du sie ...«, er suchte nach dem richtigen Wort, das ihm aber nicht einfallen wollte, »... wo hast du sie versteckt?« Fitz merkte selbst, dass das eine unpassende Formulierung war, doch nun war es gesagt. Er grinste unbeholfen. Sofort verfinsterte sich Graces Miene.

»In Dalkey, wenn du es wirklich wissen willst.«

»In Dalkey? Warum in Dalkey und nicht hier?«

In ihr kämpften Verzweiflung und Ohnmacht. Zwei Möwen jagten sich kreischend über ihr am Himmel. Ihre

Antwort kam hart und schnell. »Schickes Ambiente, teures Pflaster. Gute Schulen. Hohe Einbruchrate, aber ansonsten ziemlich gewaltfrei. Ist doch was, oder? Sie lebt bei meinem älteren Bruder mit seiner Familie.« Sie versuchte, unbeteiligt zu klingen.

Er sah sie überrascht von der Seite an. Sie wollte sich umdrehen. Ihre langen Haare wurden ihr durch eine plötzliche Böe übers Gesicht geweht und verdeckten es halb.

»Und warum lebt sie bei deinem Bruder und nicht bei dir?« Grace ließ die Haare über ihr Gesicht streichen, ohne sie zu entfernen, als sie ihm antwortete. Der Haarschleier kam ihr gerade recht.

»So ist das doch immer gewesen bei den braven Iren, oder? Mädchen aus gutem Haus wird jung schwanger. Das Kind wächst weit weg von zu Hause bei Verwandten auf. Gesicht und Name gewahrt, alles bestens, und abgetrieben wurde auch nicht. Mindestens einen Cent für den Klingelbeutel und zehn Ave Marias frei. Nicht zu vergessen die Umschiffung des Fegefeuers. Mein Interesse an einer eigenen Familie tendiert, wie du dir vielleicht vorstellen kannst, gegen null.«

Sie drehte sich um, ließ ihn einfach stehen und gab ihm keine Chance, etwas auf ihre Wutrede zu erwidern. Grace hätte gar nicht sagen können, warum sie so heftig reagiert hatte, und, was ihr fast noch unverständlicher war, warum sie Fitz, den sie wirklich mochte, fast eine komplette Lüge über Roisin und sich aufgetischt hatte. Ja, sie war als Zwanzigjährige ungeplant schwanger geworden und konnte sich, so kurz nach dem Tod ihres Vaters, nicht zu einer Abtreibung entscheiden. Damals hatte sie geglaubt, dass das neue Leben die Trauer über den Verlust des Vaters etwas auffangen würde. Eigentlich hatte sich ihre Mutter erst einmal um das Baby kümmern wollen, doch das war dann durch deren Krankheit nicht möglich gewesen. Grace hatte gerade den begehrten Ausbildungsplatz bei Gardai bekommen, und so war das Angebot ihres Bruders und seiner Frau, die kleine Roisin zu sich zu nehmen, ein Glücksfall gewesen. Etwas später wurde Daras Sohn Declan geboren. Roisin hatte ein Brüderchen bekommen. Nun waren sie eine richtige Familie, die Grace nicht auseinanderreißen wollte. Was konnte eine ehrgeizige alleinerziehende junge Polizistin, der eine vielversprechende Karriere bevorstand, einem Kleinkind wirklich bieten? Sicherlich nicht ein beschauliches Familienleben und einen süßen Bruder. Als sie sich entschloss, nach einer Zusatzausbildung im europolizeilichen Dienst von London nach Dänemark zu gehen, war Roisin längst eingeschult und sah in ihr eher die junge Tante, bei der sie hin und wieder die Ferien verbrachte. Mutter war sie in dem Sinn nie für Roisin gewesen. In Irland war so etwas nach wie vor nichts Ungewöhnliches. Und bis zur Pubertät war eigentlich auch alles gut verlaufen. Aber auf einmal lief es nicht mehr so, wie es sich alle gewünscht hatten.

Grace überquerte gedankenverloren die Straße. Ein Auto bremste scharf, und sie schreckte auf. Fast wäre sie direkt in den Wagen gelaufen. Der Fahrer ließ die Scheibe herunter und beugte sich freundlich zu ihr. Er zeigte in den blauen Himmel.

»Toller Tag, heute! Passen Sie auf, dass es so bleibt!« Langsam fuhr er weiter und winkte ihr zu.

Sie war wirklich wieder in Irland.

6

Die Rezeption des Bay Hotels lag an diesem strahlenden frühen Nachmittag lichtdurchflutet und menschenverlassen da. Links vom Eingang der gläsernen Drehtüren stand in einer smaragdschimmernden hohen Bodenvase ein Strauß lachsfarbener Lilien, der einen betäubenden Duft verströmte. Als Rory an ihm vorbeiging, hielt er kurz an, inhalierte den Duft und schnupperte dann an den Blütenkelchen. Rory liebte alle Blumen, doch Lilien hatten es ihm besonders angetan, genau wie Pfingstrosen, die seine Frau mit Hingabe in ihrem Garten züchtete und für die sie in fast jedem Jahr auf der Galway Flower Show Preise einheimste.

Rory marschierte auf die lange Rezeption in der Lobby zu, ein modernes Holz- und Chromkonstrukt, das ihm nicht sonderlich gefiel. Es hätte ihn nicht verwundert, wenn es sein Designer großspurig »Connemara Future« getauft hätte, um seine Einfallslosigkeit zu überspielen. Ein ärgerliches Phänomen, das ihm immer häufiger begegnete. Dort angekommen, entdeckte er einen weißen Fussel auf seinem rechten Arm. Behutsam löste er ihn ab und steckte ihn in seine Tasche. Eine Schale aus nussbraunem Connemara Holz bot kleine rote Äpfel an. Rory bediente sich und polierte ihn mit einem karierten Taschentuch, das er aus der Uniformtasche zog. Es war weit und breit niemand zu sehen, deshalb drückte er auf die Portiersglocke, die gleich neben den Äpfeln zu finden war.

Das Luxushotel hatte 2008, im letzten Tigerjahr, seine Pforten geöffnet. Zu einem Zeitpunkt, als man die bevorstehende Krise schon riechen konnte, wenn der Wind ungünstig stand und aus isländischer Richtung pfiff. Die

»Tigerjahre« oder auch »der keltische Tiger« wie man hier den Wirtschaftsaufschwung seit Mitte der Neunzigerjahre nannte, hatte Irland einen nie zuvor gekannten Wohlstand beschert. Für einige zumindest. Galways Hotelbetten waren in den letzten zehn Jahren nicht nur zahlenmäßig explodiert, sondern hatten auch einen Imagewandel erfahren: von strapazierfähig, bügelfrei, langweilig zu individuell, anspruchsvoll mit irischem Leinen aus feinsten Produktionsstätten. Im Bay war es immerhin Doppelfaden aus ägyptischer Baumwolle gewesen. Mehr ging wirklich nicht.

Rory war erst einmal hier Gast gewesen. Das war im März um St. Patrick's herum, zur Abschlussfeier von Frank O'Neill, Graces Vorgänger im Amt. Nach fast vierzig Jahren bei Garda in Galway hatte man ihn endlich in den Ruhestand in ein gediegenes Cottage bei Clifden verabschiedet. Nun würde O'Neill angeln können, bis er schwarz wird, dachte Rory gehässig.

»Wie kann ich Ihnen helfen, Sir?« Der junge Mann im blauen Blazer mit dem Bay Hotel Emblem an der Brusttasche hörte sich an wie ein Dienstleister aus dem Callcenter einer Möbelkette im Dubliner Umland. Mit dieser feinen, wohldosierten Mischung aus ehrlichem Engagement und kompletter Teilnahmslosigkeit.

Rory hielt ihm ein Foto der Leiche hin und fragte, ob ihm diese Frau bekannt sei. Der junge Mann schaute es sich lange und aufmerksam an und erkundigte sich dann, ob er es den Kollegen zeigen könne, die schon länger hier arbeiteten. Rory zog begeistert die Augenbrauen hoch. So viel Eigeninitiative war heute rar, fand er, und musste unbedingt unterstützt werden.

»Das ist eine hervorragende Idee, Colin.« Der Vorname stand auf einem Namensschild unter dem Brusttaschenemblem.

Colin verschwand mit dem Foto in ein Büro hinter dem Empfang.

Rory wartete an der Rezeption und blieb während der ganzen Zeit der einzige Gast. Harte Zeiten für Hotels, ging es ihm durch den Kopf. Da hatten sich einige Investoren doch offenbar gründlich verkalkuliert. Sein Blick fiel auf eine imposante Infotafel, die die Raumverteilung für Konferenzen oder Tagungen in den zahlreichen Sälen verkünden sollte. Aber bis auf einen einzigen Hinweis herrschte auch dort gähnende Leere. Die »Blue Finn Company« tagte heute im Twelve Bens Room, las er. Nie gehört. Darunter standen interessanterweise chinesische oder japanische Schriftzeichen. Was mag ein Unternehmen wohl produzieren, wenn es sich »Blaue Flosse« nannte? Wohl kaum Ölsardinen.

Colin kehrte zurück. Noch bevor er wieder in Rorys Hörweite war, schüttelte der junge Mann schon bedauernd den Kopf.

»Tut mir leid, Guard, aber die kennt hier niemand.« Er gab ihm das Foto zurück.

»Tja, da kann man nichts machen. Noch eine Frage: Ist Ihnen eine gewisse Carol bekannt? Blond, jung. Sie hat anscheinend mal hier gearbeitet.«

Wieder überlegte der junge Mann ein paar Sekunden, bevor er auch das verneinte. Mit etwas Enttäuschung in der Stimme verabschiedete sich Rory.

Als er vor der Glastür des Hotels stand und überlegte, wo er als Nächstes hingehen sollte, spürte er plötzlich den Lufthauch der sich bewegenden Drehtür hinter sich. Ein hellblonder Bellboy wurde herausgespült in einer gut sitzenden roten Pagenuniform, das kecke Hütchen so schief es nur irgendwie ging auf dem Kopf. Wie hielt sich das Ding dort? Unsichtbar angeklebt? Der Page war kaum älter als sechzehn und blinzelte Rory herausfordernd an. Gab es tatsächlich noch diese aufgeweckten, windigen, wuseligen Jungs aus den Hollywood-Filmen der Fünfzigerjahre? Die waren oft mehr auf Zack als das Personal hinter der Rezeption, dem Diskretion erstes Gebot zu sein schien, auch Garda gegenüber.

»Sir? Können wir ein paar Schritte zusammen gehen, Sir, sodass wir nicht beobachtet werden von drinnen?« Er hatte offenbar viele Schwarz-Weiß-Filme gesehen. Schmunzelnd schlug Rory den Weg Richtung Eyre Square ein. Als sie außer Sichtweite des Hotels waren, blieb er stehen.

»Können wir jetzt?«

Der Junge klang offen und selbstbewusst. »Das Foto. Ich habe gesehen, wie Sie Colin ein Foto zeigten. Darf ich das auch mal sehen?«

Rory zog es aus seiner Tasche und hielt es ihm hin.

»Die Leiche aus dem Fernsehen. Hab ich recht?« Rory warf ihm einen scharfen Blick zu.

»Hab ich in den Ein-Uhr-Nachrichten gesehen. Sie haben sie in Salthill gefunden, richtig?«

»Zeugen mit deinem Erinnerungsvermögen könnten wir öfter gebrauchen.« Er sah ihn aufmunternd an. In seiner Stimme lag keinerlei Ironie. Der Junge leckte sich die Zähne unter den Oberlippen. Dann schaute er den Kommissar wieder an.

»Die hab ich schon ein paar Mal gesehen.«

»Und wo?«

»Im Hotel, nee, eher davor. Als ich Gästen in den Wagen half. Ich glaub nicht, dass sie in der Lobby war.«

Rory atmete tief durch. Das war doch etwas. »War sie ein Gast, oder was tat sie vor dem Eingang?«

»Sie wartete.«

»Wartete? Auf wen oder was wartete sie deiner Meinung nach? Und weißt du, wie sie hieß?«

Der Junge machte Rory nun darauf aufmerksam, dass mehr als eine Frage in einem Satz immer ungünstig sei, weil man nicht wisse, auf was man sich konzentrieren und auf was man antworten solle. Bei Verhören immer ein drastischer Fehler. Das müsse er doch wissen. Rory konnte sich das Grinsen gerade noch verkneifen, gab ihm aber völlig recht.

»Also, mein Junge, dann wählst du die Reihenfolge deiner Antworten. Für jemanden wie dich ein Kinderspiel. Dir entgeht nichts, da habe ich volles Vertrauen.«

Der Page lächelte ihn stolz an und zwirbelte seinen oberen Uniformknopf.

»Name weiß ich nicht. Aber sie wartete auf Carol. Das war wohl ihre Freundin von der Rezeption, und sie holte sie zweimal ab, während ich Dienst hatte.«

»Und wo finde ich Carol? Ist sie heute an der Rezeption? Da waren vorhin nur Männer.«

Statt einer Antwort lachte der Junge nun laut auf, als habe Rory gerade etwas ganz Falsches gesagt. Rory wartete geduldig. Er mochte junge Leute und hatte immer einen guten Draht zu ihnen.

»Nee, Carol ist schon lange nicht mehr hier. Die ist nach Weihnachten weg. Das Weihnachtsgeschäft hat sie noch mitgenommen, klar«, er zwinkerte Rory vielsagend zu, »aber dann hat sie sich nach was anderem umgesehen. Für sie war das nichts hier. Die wollte was Besseres. Und wie ich Carol kenne, kriegt sie das auch.«

Rory war hellhörig geworden.

»Wie gut kennst du sie denn, dass du das alles so genau weißt?«

»Wir kommen aus demselben Kaff. Cong, drüben über dem Lake Corrib. Da kenn ich sie her. Da kennt jeder jeden. Von daheim ist sie schon länger weg. Hier hab ich sie wieder getroffen. Auf dem Weg nach oben, sozusagen.« Er grinste, aber in dem Grinsen lag weder Arroganz noch Bosheit. Eine Spur jugendliche Selbstüberschätzung vielleicht, aber auch das fand Rory eher sympathisch und bei diesem aufgeweckten Burschen gar nicht mal unangebracht.

»Wie heißt Carol denn mit Nachnamen? Und wie heißt du?«

»Wieder zwei Fragen in einer, Guard. Ich heiße Fritz Fenton und Carol ist Carol. Nachnamen weiß man bei uns nicht so genau, weil man sich eh von Geburt an kennt. Meine Ma wüsste das wahrscheinlich. Und natürlich Mary, die im Hotel fürs Personal zuständig ist. Sie erkennen sie sofort an den teuren Zähnen, die sie sich vor Kurzem hat machen lassen. Jetzt sparen wir alle für ihre Hochzeit für neue Titten. Sollen wir zusammen zurückgehen?«

Rory nickte grinsend, und gemeinsam machten sie sich wieder auf den Weg Richtung Hotel.

»Dir ist es nicht unangenehm, dass sie dich jetzt mit mir zusammen sehen, Fritz?«

Der Bellboy machte eine wegwerfende Handbewegung. »Da steh ich drüber, Guard. Jetzt, wo wir uns kennen.«

Rory lachte laut los und hätte fast den Arm um den Jungen gelegt. Einen Sohn unter all seinen Mädels, von denen er nicht eine missen wollte, wäre auch nicht schlecht gewesen, dachte er sich.

7

»Sie hat wirklich nicht gesagt, wo sie hinwollte!« Declans Gesicht war feuerrot, und seine sorgfältig nach oben gegelten dunklen Haare wippten auf und ab. Seine Eltern ahnten, dass das keine Schamesröte war, weil er sie womöglich anlog, sondern weil er tatsächlich die Wahrheit sagte und verzweifelt darüber war, dass sie ihm nicht glauben wollten. Oonagh und Dara wussten, dass er sich nicht verstellte. Dafür kannten sie ihren Sohn zu gut.

»Declan«, Dara versuchte, die Hand seines Sohnes zu ergreifen, doch der zog sie so schnell weg, als hätte er aus Versehen Brennnesseln gestreift, »wir glauben dir, doch vielleicht fällt dir ja noch etwas ein, das du für gar nicht so wichtig hältst, das uns aber weiterhelfen könnte.«

Oonagh sah übernächtigt und ausgelaugt aus. Sie hatte ihr honigblondes Haar zu einem strengen Knoten zusammengesteckt, eine Frisur, die sie auch im Job gern trug, weil sie ihr diesen kleinen zusätzlichen Hauch von Strenge und Kompetenz verlieh, den sie gern ausstrahlte.

»Ich hab euch alles gesagt, was ich weiß. Sie wollte noch nach der Messe«, er hielt kurz inne und verdrehte genervt die Augen, »ein bisschen meditieren, wie sie es nennt, und das war alles. Ich war auch nur einmal in St. Joseph's mit dabei. Sie hat mich gezwungen, echt. Lausiger Schuppen, wenn ihr mich fragt. Ziemlich uncoole Typen, die da rumhängen.«

Dara seufzte, nahm die Tasse Tee, die vor ihm stand, und führte sie sehr vorsichtig zum Mund.

Oonagh schaute ihm einen Moment dabei zu. Dann lachte sie nervös und wandte sich wieder an ihren Sohn.

»Erzähl mir nicht, dass du dich zu einem Kirchenbesuch zwingen lässt, Declan, du warst einfach neugierig.«

»Okay, dann war ich eben neugierig. Roisin steht ja voll auf so abgedrehte Locations, und da dachte ich, eh, vielleicht ist ja was dran an der Kirche und dem Typen.«

»Welchem Typen?«

»Dad! Father Dingsbums, eh, müssen wir wirklich alles noch mal durchkauen?«

Erschöpft schüttelten alle drei die Köpfe.

»Aber ich hab ihr direkt gesagt, vergiss es, Roisin. Ich bin draußen. Wenn du darauf abfährst, zieh es durch, die ganze fucking Heiligennummer. Aber nicht mit mir. Ich mach's wie Tante Grace: Ich werde Hüter des Friedens – An Garda Síochána.«

Als habe er gerade etwas Entscheidendes verkündet, stand er auf und guckte kurz von einem zur anderen. »Was gibt's zum Abendessen?«

»Kannst später etwas bestellen. Pizza. Burger. Ich hatte keine Zeit, etwas zu kochen, Dec.«

Der Junge verschwand mit einem knappen Grunzen, und Oonagh schaute ihm hinterher. Dann wandte sie sich wieder ihrem Mann zu.

»Vielleicht macht sie ja gerade genau das?«

»Was?«

»Die ganze ›fucking Heiligennummer‹, wie Declan es genannt hat. Wir müssen uns noch mal mit St. Joseph's beschäftigen. Kannst du das gleich mal googeln?«

Dara verzog das Gesicht und stand auf, um in sein Arbeitszimmer zu gehen. Das Wohnzimmer hatte hohe Flügeltüren, die über eine großzügige Terrasse in den Garten hinausführten. Dahinter lag die Irische See. Ein Traumgrundstück, das auch noch nach dem Platzen der Immobilienblase auf der Grünen Insel unbezahlbar war. Man hatte einen spektakulären Blick über die ganze

Dublin Bay. An klaren Tagen wie heute konnte man im Süden bis zu den Bergen von Wicklow sehen und nördlich fast bis zur Halbinsel Howth, die vor Dublin lag.

Dara zögerte, den Raum zu verlassen, und räusperte sich. »Was, bitte, soll ich an einer Kirche googeln? Die Architektur?«

Nun stand auch seine Frau auf und räumte ungeduldig das Teegeschirr zusammen. »Quatsch. Wer dort alles predigt, wer im Aufsichtsgremium sitzt, welche Verbindungen es zu anderen kirchlichen Institutionen gibt, mein Gott, Dara, so schwer ist das doch nicht!« Sie klang eindeutig gereizt.

Dara wandte sich schnell wieder ab. »Na, dann googel du das doch. Du kannst das sowieso besser. Ich muss arbeiten, das Buch wartet.«

Oonagh stellte das kunstvoll geflochtene Tablett mit einem Knall wieder auf den Tisch, dass die Tassen klapperten, und funkelte ihn an. »Unsere Tochter verschwindet, und du hast nichts als deine absurden irischen Wasservögel im Kopf, auf die, nebenbei bemerkt, niemand, aber auch wirklich niemand wartet! Noch nicht einmal dein Verlag! Dein Buch ist denen so was von schnuppe!«

Sie war einen Schritt an ihn herangetreten und konnte das leichte Zittern um seine Mundwinkel erkennen. Sie kannte es seit fast zwanzig Jahren und wusste, was es bedeutete.

»Wie du meinst, Oonagh, wie du meinst. Immerhin besitzt meine Beschäftigung durchaus einen gewissen Sinn. Irische Wasservögel zu beschreiben und ihnen ihren berechtigten Platz in der modernen Zoologie einzuräumen, hat immerhin eine gewisse Bedeutung für die Wissenschaft, was man von deinen Wasservögeln nicht behaupten kann.« Ein nicht zu überhörender Triumph schwang in seiner Stimme.

Oonagh arbeitete dreimal die Woche im luxuriösesten und exklusivsten Wellnesstempel der Hauptstadt an der Rezeption und in der Verwaltung.

»Aber meine Wasservögel, wie du sie nennst, bringen wenigstens Geld ein. Geld, das wir dringend gebrauchen können, wie du sicherlich weißt.«

Dara wurde bleich. Oonagh kostete jeden Moment aus. Es war der übliche Schlagabtausch. Sie waren wirklich ein eingespieltes Team.

Wie sie es erwartet hatte, wandte er sich ihr mit einem süffisanten Lächeln wieder zu. »Da wollen wir doch mal nicht zu tief graben, um herauszufinden, auf welche kriminelle Art und Weise sich einige deiner Gäste die Kohle verdient haben, die sie dann bei euch lassen.«

Oonagh lief rot an, schnappte sich wieder das Tablett und rannte fast in Richtung Küche. Sie bebte. Sie wusste, dass sie noch in Hörweite, aber nicht mehr in Sichtweite für ihn war, als sie zum Schlussakkord dieser Auseinandersetzung ansetzte. »Das ist auch nicht schmutziger und krimineller als die Art und Weise, wie in den letzten zweihundert Jahren die O'Malleys ihr Vermögen anhäuften, Dara O'Malley. So ... so klebrig, so voller Dreck ... Triefend von Blut, dass es bis heute deine ach so geliebte und verehrte kleine Schwester gar nicht anrühren mag, so sehr ekelt es sie. Von eurem Herrenhaus auf Achill ganz zu schweigen! Das hat schon dein Vater abgelehnt!«

In diesem Moment fiel eine Tasse klirrend zu Boden, und er hörte Oonagh fluchen. Dann herrschte absolute Stille.

Müde hob Dara den Blick auf das Meer hinaus. Seine Augenlider waren schwer. Er war wieder in trauriger Stimmung. Eine Stimmung, die durchaus ihre Vorteile mit sich brachte, wie er fand. Melancholie hatte etwas.

Wenn Oonagh etwas von Depression faselte, redete sie von einem Zustand, den sie nicht verstehen konnte, nie verstehen würde.

»Die Fünf-Uhr-Fähre von Holyhead«, murmelte er leise, als er das große Schiff am Horizont erblickte. »Wie jeden Tag.«

8

Die Claddagh war der älteste Teil Galways, der einst von dem gälisch sprechenden Teil der Bevölkerung besiedelt wurde. Westlich des historischen Stadtkerns schoss der Fluss Corrib hinter einer alten grauen Steinbrücke in den Atlantik. Genau dort hatten sich die Nachfahren der Kelten angesiedelt. Ein Ort, den Bewegung, nicht Stillstand kennzeichnete. Den Kern Galways selbst hatten sich seit dem Mittelalter diverse Eroberer als Lebensmittelpunkt ausgewählt. Dort hatten sich erst die Briten niedergelassen, wenig später hatten sich Spanier dazugesellt. Es waren Überlebende der berühmten, scheinbar unbesiegbaren Armada, die hier in der großen Bucht gleich von zwei Flotten nacheinander angegriffen und aufgerieben wurde. Diesen tragischen, verzweifelten Kämpfern verdanken noch heute viele Galwegians, wie sich die Einwohner selbst nennen, ihre schwarzen Haare und den dunkleren Teint, der sie von der sehr hellen, sommersprossigen Haut der Keltennachfahren unterschied. Darüber hinaus ergänzte bis heute dunkles Haar die bleiche Haut der Nachfahren der gälischen Stämme und die roten Haare die sommersprossige Variante. Blaue Augen hatten alle beide. Die spanischen Galwegians blinzelten selbstverständlich aus dunkelbraunen Augen.

Grace besaß genau diese Mischung: dunkelbraune, fast schwarze Haare und die helle, nahezu transparente Haut und Augen von der Farbe frisch gebrochenen Schiefers. Welche Augenfarbe ihre bekannte Namensvetterin gehabt hat, Grace O'Malley, die berühmteste Piratin der damaligen Welt, die der Armada mit ihrer eigenen, geschickt operierenden Flotte den Todesstoß versetzte, war nicht bekannt. Sicher war allerdings, dass sie beide aus dem berühmten O'Malley-Clan der westirischen Provinz Connacht stammten und ihr Stammbaum sich mehr als nur einmal kreuzte. Ob es Grace gefiel oder nicht, tatsächlich zählte die illustre Dame zu ihren entfernten Vorfahren. Grace hatte ihren Namen solange sie denken konnte als Belastung empfunden. Als Kind hatte sie ihn regelrecht gehasst. Auf Irisch hieß er Graínne Ni Mháille. Schon in der Schule lachten alle sofort, pfiffen und johlten, wenn sie aufgerufen wurde. Kein irisches Geschichtsbuch ohne die stolze Piratenkönigin, die zeitweise die gesamte europäische Atlantikküste von Irland bis Portugal beherrscht hatte. Über die Jahre hatte Grace sich ein dickes Fell zugelegt, und nur in ganz seltenen Augenblicken war sie auch ein wenig stolz darauf, einen solchen Namen zu tragen. Dann verzieh sie ihren Eltern. Es war Shaun, ihr geliebter Vater, der ihn für seine Tochter ausgesucht hatte, und Liv, ihre dänische Mutter, war nicht nur damit einverstanden, sondern auch noch begeistert gewesen. Sie hatte es für ein gutes Omen gehalten und verteidigte heute immer noch diese Einstellung. Grace nahm es mittlerweile mit Humor.

Rory und Grace sahen sich um. Sie standen am Rand der Claddagh, auf der Avenue gleichen Namens. Eine schmale Straße mit fein restaurierten Cottages, dekoriert mit winzigen, gepflegten Vorgärten, die alle in Richtung Meer sahen.

In den frühen Dreißigerjahren des zwanzigsten Jahrhunderts hatte man die ursprüngliche keltische Siedlung abgerissen und ihre Bewohner, deren Familien dort seit Jahrhunderten zu Hause gewesen waren, einfach umgesiedelt. Hygienische Missstände, Überbevölkerung, dunkle, feuchte Katen, das alles musste verschwinden. Der junge irische Freistaat hatte damals nur das Beste gewollt und nahm, ohne es zu ahnen, den angestammten Bewohnern der Claddagh das Einzige, das sie überhaupt ihr eigen nennen konnten: einen Ort, der ihre Identität geprägt hatte. Bis heute erinnerte lediglich eine Rasenfläche, die von kleinen Cottages umsäumt wurde, an die frühere Zeit.

»Wenigstens haben sie in den Tigerjahren im allgemeinen Baurausch hier keine schicken Appartementblocks hochgezogen«, meinte Grace, als sie auf der Suche nach der Nummer 25 die Straße entlanggingen. Sie waren zu Fuß gegangen, die Garda-Zentrale lag nur ein paar Minuten entfernt auf der anderen Seite des Corrib.

»So nah an der Innenstadt und direkt am Meer muss das doch sehr begehrter Baugrund gewesen sein, denke ich mir.« Sie schaute sich um.

Rory kratzte sich am Kopf und nickte. »Es wurde, glaube ich, von der Stadtverwaltung auch versucht, aber das staatliche Amt für Denkmalschutz in Dublin hat sich quergestellt. Da, wo der rote Mini parkt, muss es sein.« Er schnaufte ein wenig und blieb kurz stehen, um Luft zu holen. »Mein Großvater hat die Claddagh noch selbst gesehen, kurz bevor man sie damals abriss. Er hat mir eine wundervolle Geschichte darüber erzählt.« Rory schaute seine Vorgesetzte einladend von der Seite an.

Grace musste lächeln. Rory hatte unzählige Geschichten auf Lager und konnte spannend und gut erzählen, deshalb tat sie ihm und sich den Gefallen, auf sein Angebot bereitwillig einzugehen.

»Erzähl sie mir, bitte«, forderte sie ihn auf. Sie liefen nun langsam weiter, und Grace war auf die Straße getreten, da hier kaum Autos fuhren.

»Also. Mein Großvater besuchte die Claddagh und hatte einen irischsprachigen Führer, um sich im Gewimmel der Häuser zurechtzufinden. Der Mann lebte dort und kannte sich bestens aus. So jemanden brauchte man unbedingt, sonst fand man sich in dem Labyrinth nicht zurecht. Es gab ja keine Straßennamen, es gab noch nicht einmal Straßen oder was man als Straße hätte bezeichnen können.« Hier hielt Rory inne, als erwartete er eine Reaktion von seiner Zuhörerin.

»Keine Straßen? Was gab es denn dann?« Grace hatte das richtige Stichwort geliefert, und Rory nickte erfreut. Sie waren inzwischen bei einem blank polierten roten Mini Cabrio stehen geblieben, das vor einem der hübschen Cottages geparkt war.

»Hier wohnt sie. Fünfundzwanzig. Sag ich doch.« Rory zeigte auf das kleine Messingschild, das neben der Haustür aus dunkelrotem Mahagoni prangte. »Sie erwartet uns.« Rory hatte hinter dem Erdgeschossfenster schon den laufenden Fernseher entdeckt, machte aber keine Anstalten, auf die Haustür zuzugehen, sondern blieb mit Grace auf dem Bürgersteig vor dem Cottage stehen.

»Also, wo war ich?«

»Es gab keine Straßen.« Auch Grace schien sich Zeit lassen zu wollen, um die Geschichte zu Ende zu hören. Aus den Augenwinkeln bemerkte sie trotzdem, wie sich die Gardine im Erdgeschoss leicht bewegte.

»Genau. Die Häuser waren klein und in sehr schlechtem Zustand, mit Stroh gedeckt und kaum verputzt. Meinem Großvater fiel auf, dass sie alle durcheinandergebaut waren. Jedes zeigte in eine andere Richtung. Normalerweise baut man an Straßen und Wegen entlang. Da fragte mein Großvater seinen keltischen Stadtführer verblüfft: ›Warum zeigen die Häuser nicht in dieselbe Richtung?‹«

Die Tür wurde nun geöffnet, und eine junge hellblonde Frau erschien im Eingang. Beide Polizisten drehten sich um, und die Frau lächelte sie freundlich, doch etwas unschlüssig an.

Rory winkte kurz, um zu signalisieren, dass sie sofort kommen würden. Vorher musste er jedoch noch die Pointe loswerden. »Also: Warum zeigen die Häuser nicht in dieselbe Richtung? Na?« Gespannt hielt Rory den Atem an und beobachtete Grace, der allerdings keine passende Antwort einzufallen schien. Schließlich räusperte er sich und sagte in gedämpftem Ton: »Der alte Kelte antwortete überrascht, aber freundlich: ›Warum zum Teufel sollten sie denn?‹«

Grace prustete los. Rory war zufrieden und freute sich. Er liebte diese Geschichte. Noch lachend, wandten sich die beiden Polizisten jetzt der Frau an der Tür zu. Sie kam ihnen einige Schritte entgegen und begrüßte sie: »Ich bin Carol Lonnigan. Guten Tag! Kommen Sie herein, ich habe Sie schon erwartet.«

Als sie ins Haus gingen, kam es Grace kurz in den Sinn, dass so eine Situation wie eben in Dänemark unmöglich gewesen wäre: Zwei Polizisten tauschen vor einer wichtigen Zeugin noch unbeschwert private Anekdoten aus, bevor sie sich der professionellen Befragung zuwenden. Hier schien sich keiner darüber zu wundern.

Die Frau war Ende zwanzig, schick, aber dezent gekleidet und fast ungeschminkt. Bei näherem Hinsehen bekam Grace den Eindruck, dass sie geweint hatte. Sie führte sie in einen größeren Raum, der Küche, Wohn- und Esszimmer in einem war. Als »Open plan living« wurde das in den Immobilienprospekten gepriesen, die Grace seit ihrer Rückkehr eifrig studierte. Offenbar waren es drei separate Räume gewesen, die im Zuge einer Modernisierung zu einem einzigen hellen großen Raum vereinigt worden waren. Fenster nach vorne und hinten bescherten der ursprünglichen Enge des Cottages eine neue Großzügigkeit. Hinter dem Haus prangte ein winziges, doch sehr hübsch gestaltetes, mediterran anmutendes Gärtchen. So würde ich auch gerne wohnen, dachte sich Grace.

Carol Lonnigans Haus war sparsam, doch mit einigen sehr schönen alten Möbeln eingerichtet, die sie geschmackvoll mit modernen Designerstücken ergänzt hatte, die eindeutig nicht in die Kategorie preiswert fielen. In diesem Haus gehört überhaupt nichts in diese Kategorie, notierte sich Grace in Gedanken.

Carol bot ihnen Tee und Gebäck an, das bereits auf dem Kirschholztisch vor der Sitzgruppe auf sie wartete. Rorys Blick registrierte jeden Krümel, wie Grace sofort bemerkte. Sie setzten sich, und wieder wunderte sich Grace, dass auch hier der Fernsehapparat tonlos lief.

»Schön, dass Sie sich so schnell nach dem Fernsehaufruf bei uns gemeldet haben«, begann Grace das Gespräch. Noch bevor Rory mit Carols Namen und der Adresse aus dem Bay Hotel zurückgekehrt war, war bei ihnen schon ihr Anruf eingegangen. Die Tote sei ihre Freundin Annie McDoughall, die sie seit Samstag nicht mehr gesehen habe.

»Sie war ja meine Freundin und Mitbewohnerin!« Carol hielt ihnen den Teller mit dem Gebäck einladend hin. Rory hustete verlegen und nahm sich eines der zarten Gebäckstücke. Er schaute die Gastgeberin mitfühlend an, nachdem er einen taxierenden Blick auf den Keks geworfen hatte, um ihn dann zügig in seinem Mund verschwinden zu lassen.

»Wieso haben Sie sie dann nicht schon am Sonntag als vermisst gemeldet?« Grace stellte die Frage ganz ruhig. Carol schnupfte und holte ein zerknülltes Taschentuch aus einer Tasche ihres minzfarbenen Cardigans. Sie schnäuzte sich fast lautlos.

»Annie fuhr regelmäßig übers Wochenende zu ihren Eltern und meldete sich nicht bei mir ab. Und so habe ich mir nichts dabei gedacht. Sie kam nie vor Montag zurück. Außerdem haben die Eltern auch kein Telefon, soweit ich weiß.«

»Aber Annie hatte sicher ein Handy?«

Einen Moment lang starrte Carol sie an, als habe sie die Frage nicht verstanden. »Selbstverständlich«, entgegnete sie dann nach ein paar Sekunden. »Sie hatte es allerdings nicht immer dabei, und es gab ja auch keinen Grund, sie zu kontaktieren. Als ich das Foto heute Mittag im Fernsehen sah, fiel ich natürlich aus allen Wolken.« Sie zögerte einen Moment. Dann schluckte sie, unsicher, ob sie die richtigen Worte gewählt hatte. Die Guards musterten sie und schwiegen.

»Fällt Ihnen etwas an mir auf?«, fragte Carol und lächelte unsicher.

Rory und Grace tauschten einen kurzen Blick aus. Dann schüttelte Grace den Kopf.

»Gut. Ich habe nämlich eine Beruhigungstablette nehmen müssen, nachdem ich von Annies Tod erfahren habe. Das mache ich normalerweise nie. Deswegen kann es sein, dass ich nicht so gut reden kann wie sonst.«

Rory schaute sie aufmunternd an und nickte verständnisvoll. Grace fand diese Auskunft mehr als merkwürdig.

»Seit wann sind Sie miteinander befreundet? Offenbar haben Sie ja schon länger engen Kontakt gepflegt, wenn ich das richtig verstanden habe?«, begann Rory wieder.

Sie hatten sich vor fast acht Jahren an der Universität Galway kennengelernt, studierten allerdings nicht dasselbe Fach. »Annie studierte Biologie und spezialisierte sich dann auf Meeresbiologie. Ich dagegen bin überhaupt keine Naturwissenschaftlerin. Ich habe Psychologie und Medienwissenschaften studiert bis zum Master. Wir haben uns bei einer ehrenamtlichen Studenteninitiative kennengelernt, die sich für Behinderte einsetzt.«

»Und was machte Annie?«

»Die schrieb an ihrer Promotion. Das Thema weiß ich leider nicht, das ist mir zu hoch gewesen.« Carol versuchte ein verständnisheischendes Lächeln.

»Seit wann hat sie hier gewohnt?«, fragte Grace weiter und schaute ihr Gegenüber konzentriert an.

Graces Fragestil gefiel Rory. Kurz und präzise, ohne Schnickschnack, dachte er. Irgendwie unkeltisch. Das mussten die Wikinger-Gene in ihr sein.

Carol lehnte sich auf dem Sofa zurück und schlug die Beine übereinander. Graces Blick fiel auf ihre Füße. Sie steckten in dunkelblauen weichen Ballerinas. Carol folgte ihrem Blick und zögerte einen Moment. Es schien ihr wichtig, ebenfalls präzise zu antworten.

»Sie zog vor etwas über einem Jahr hier ein, denke ich. Ich war froh darüber, es gibt ja genügend Platz, und wegen der Hypothek … na ja, da konnte ich eine Mitbewohnerin gut gebrauchen.« Sie lächelte die beiden an und tupfte sich wieder die Wange ab.

Grace hatte keine Tränen entdecken können. »Von was lebte Annie? Jobbte sie? Trotz ihrer Doktorarbeit? Wie hat sie die Miete zahlen können?«

Wieder entstand eine kleine Pause, ein kurzes Zögern. Carol hatte ihren Blick auf ein großes Aquarell an der Wand gegenüber geheftet. Es zeigte den Lake Corrib, einen der größten und schönsten Seen Irlands vor den Toren von Galway. »Soweit ich weiß, hatte sie verschiedene Putzstellen, die ganz gut bezahlt waren.«

Rory hob fast unmerklich die Augenbrauen. Graces Stimme blieb unbeteiligt. »Putzstellen? Eine interessante Jobwahl.«

»Das ist unter Studenten nicht so selten, wie Sie vielleicht glauben. Das ließ ihr genügend Zeit für die eigene Arbeit, und Annie störte sich nicht daran. Ich auch nicht. Machen heute viele Akademiker, als Zweitstelle, um das Geld für Extras zu verdienen.«

»Wissen Sie, für wen sie putzte?«

»Also«, Carol streckte den Daumen ihrer rechten Hand hoch, als müsse sie sich beim Zählen konzentrieren, »zunächst mal für …« Sie hielt einen Moment lang inne, schien sich dann durchzuringen und sagte schließlich mit matter Stimme: »Für Ihren Onkel, James O'Malley.«

Rory, der sich Notizen machte, schaute abrupt auf und warf einen raschen Blick zu Grace hinüber. Die war, für einen Außenstehenden allerdings kaum wahrnehmbar, bleich geworden. Als sie weitersprach, klang ihre Stimme völlig neutral: »Für wen noch? Sie sprachen eben von mehreren gut bezahlten Putzstellen.«

»Da war noch Donal Joyce.«

Irgendetwas in Carols Stimme war auf einmal anders. War sie eine Spur heiserer? Sie hatte in Graces Ohren einen kurzen Moment lang brüchig geklungen, als sei ihre Stimme aus einer Rille gesprungen. Vielleicht täuschte sich Grace auch, dennoch schaute sie wie zur Bestätigung zu Rory hinüber, der sich aber schon wieder seinen Notizen widmete und nichts Ungewöhnliches bemerkt zu haben schien.

»Ja, und? Was wissen Sie über Donal Joyce?«

Einen Moment lang lächelte Carol etwas irritiert. Sie besaß ein nettes, frisches Gesicht, volle Lippen und große rehbraune Augen. Ihr kinnlanges Haar war leicht gewellt und sehr blond. An ihren Ohrläppchen steckten Ohrringe mit winzigen dunkelgrünen Steinchen. Eine hübsche Frau, deren Züge nicht so glatt und gefällig waren wie die vieler anderer junger Frauen heutzutage.

»Sie kennen Donal Joyce nicht?«, fragte Carol etwas ungläubig, fast enttäuscht. Rory klärte Grace auf, während er seelenruhig weiterschrieb.

»Er kocht im Fernsehen. Auf Irisch. Und gar nicht schlecht, meint Mrs. Coyne. Seine Rezepte, nicht sein Irisch. Das ist passabel.«

»Der blonde Kochengel?« Jetzt wusste Grace ihn einzuordnen. Der blonde Lockenkopf mit der Seezunge.

»Kochengel? Er ist der irische Jamie Oliver. Jedes Kind kennt ihn!« Diesmal klang Carol sogar empört.

»Sag ich doch: der Kochengel. Ich hab ihn heute zum ersten Mal in Aktion gesehen. Die letzten Jahre war mir das nicht vergönnt, da ich im Ausland gelebt habe«, antwortete Grace fast entschuldigend. Rory schmunzelte.

»Sonst noch wer?«

»Ja, dann war da noch Murphy. Ich komme im Moment nicht auf seinen Vornamen. Älterer Herr, Wissenschaftler. Aber fragen Sie mich nicht, was er genau macht. Auf jeden Fall forscht er in dem norwegischen Institut, dem PC.«

Wieder warf Grace Rory einen fragenden Blick zu. Der nickte und machte eine entsprechende Handbewegung, die so viel bedeutete wie »Das erkläre ich dir später«.

»Das waren alle?«

Carol nickte, dann schnäuzte sie sich wieder.

»Putzte sie nur für Männer?«

Rory blickte von seinen Notizen hoch und schaute Grace amüsiert an.

»Wie bitte?« Auch Carol schien über diese Frage überrascht.

Grace wiederholte ihre Frage und legte abwartend die gefalteten Hände in den Schoß.

»Jetzt, wo Sie es sagen ... das ist mir gar nicht aufgefallen, obwohl ...« Carol brach den Satz abrupt ab und strich sich mit einer Hand die Haare nach hinten, als sei sie erschöpft. Sie schloss die Augen.

»Ja?«, hakte Grace ungerührt nach.

Carol hustete. »Sie hat früher mal für eine Familie geputzt, das ist allerdings schon länger her, bevor sie zu mir zog. Die Leute sind weggezogen.«

»Wohin?«

Carol überlegte wieder einen Moment und schien etwas abzuwägen. »Oughterard oder Moycullen, glaube ich. Ich weiß es nicht genau«. Das klang vage und eine Spur unwillig.

Rory war aufgestanden und stand nun vor dem großen Aquarell. Er betrachtete es interessiert und sagte eher zu sich als zu Carol: »Outherard ist doch mittlerweile fast ein Vorort von Galway, und Moycullen ist wirklich einer. Unter ›Wegziehen‹ versteht man eigentlich etwas anderes. Sie haben übrigens ein sehr schönes Bild vom See, Carol.«

Carol strahlte. Sie stand sofort auf und strich sich den kurzen Rock glatt. »Das hat ein bekannter französischer Künstler gemalt, François Moillant.«

»Oho, nicht billig«, brummte Rory.

Carol schien ganz in ihrem Element zu sein. »Es zeigt

den Teil vom Corrib, aus dem ich stamme«, setzte sie erklärend hinzu und schenkte Tee nach.

»Das ist ganz in der Nähe von Cong.«

Carol nickte. Rory seufzte leicht, drehte sich wieder um und blickte zu Grace. Er beherrschte ausschließlich die irische Variante höherer Verhörkunst. Die, allerdings, hatte er perfektioniert. Grace staunte und war beeindruckt.

»Können wir bitte eine Liste der Namen der Menschen von Ihnen haben, für die Annie arbeitete? Wenn es geht, mit deren Adressen.« Grace war nun auch aufgestanden. Sie war etwas größer als Carol.

»Wo Murphy wohnt, weiß ich leider nicht, aber ich weiß, wo er arbeitet.«

»Und die Familie aus Oughterad?«

Carol zuckte mit den Schultern.

»Auch keinen Namen?«

Sie schüttelte entschieden den Kopf.

»Das war vor Annies Zeit hier, und wir waren damals noch nicht so eng befreundet. Irgendwie hatte der Name etwas mit Oscar Wilde zu tun, meine ich mich zu entsinnen.« Sie lächelte wieder und begann, das Teegeschirr zusammenzuräumen. Offenbar hielt sie die Unterhaltung für beendet.

»Oscar Wilde?« Rory nahm sich schnell und verstohlen noch ein Gebäckstück mit Schokoladenglasur. »Vielleicht Gray?« Als niemand antwortete, ergänzte er: »Wie in Dorian, meine ich.« Er verschluckte sich an einem Krümel und musste husten.

»Aber wo der gälische Kochengel wohnt, das wissen Sie?« Grace versuchte, von Rorys Hustenanfall abzulenken, konnte aber ein Grinsen kaum unterdrücken.

Carol nickte und schaute an ihr vorbei und fuhr sich gedankenverloren durchs Haar.

»Hatte Annie Familie oder einen Freund?«

Von einem Freund wisse sie nichts, sagte Carol. Annies Familie lebe im Norden Mayos bei Ballina, gut drei Stunden entfernt. Sie werde den Namen und die Adresse mit auf die Liste schreiben. Annie habe sie einmal auf den Hof der Eltern mitgenommen. Aber nur ein einziges Mal.

»Wann genau haben Sie Annie McDoughall das letzte Mal gesehen?«, schaltete sich Rory wieder ein, nachdem er seinen Husten wieder unter Kontrolle hatte.

Das sei, wie sie schon am Telefon gesagt habe, am Samstag gewesen, am frühen Abend. Annie habe wohl ausgehen wollen, und da hätten sie noch kurz miteinander gesprochen, herumgealbert und gelacht. Dann sei sie weggegangen, wohin, habe sie nicht gesagt. Sie sei weder bedrückt noch irgendwie anders gewesen als sonst.

»Wissen Sie noch, was sie anhatte?«

Carols Augen verengten sich einen kurzen Augenblick, ob aus Konzentration oder aus Unsicherheit konnte Grace nicht sagen.

»Nein, nicht genau. Ich glaube, sie sah recht schick aus, aber ich weiß es wirklich nicht mehr genau.«

»Das würde dann aber nicht zu einem Besuch auf dem Hof der Eltern im entfernten Norden der nächsten Grafschaft passen, oder?«

Graces Stimme besaß plötzlich eine Schärfe, die Carol sofort aus der Fassung brachte. Sie begann unvermittelt zu weinen und setzte sich wieder auf das Sofa. Als im selben Moment ihr Handy klingelte, drückte Carol den Anruf weg, ohne auf das Display zu schauen.

»Ich habe gerade meine beste Freundin verloren, und Sie fragen mich nach ihrem Outfit!«

Rory und Grace wechselten rasch die Blicke, ignorierten aber den Vorwurf. Grace wollte nun noch Annies

Zimmer sehen. Ihr Kollege Guard Coyne würde sie in der Zwischenzeit weiter befragen.

»Was denn noch?« Carol klang kläglich.

Rory lächelte sein offenes Rory-Lächeln.

»Na, wo Sie zum Beispiel am Samstag selbst gewesen sind, nachdem sich Annie verabschiedet hatte? Reine Routine, das verstehen Sie doch, Carol, oder?«

Er ließ sich neben sie auf das Sofa nieder und wartete, bis Grace im ersten Stock verschwunden war. Es sei die erste Tür rechts, hatte Carol sie noch angewiesen, bevor sie sich zu Rory umdrehte und wieder tapfer lächelte.

Annies Zimmer war nicht sehr geräumig und in höchstem Maße aufgeräumt. Vielleicht eine Spur zu aufgeräumt, schien es Grace. Sie schaute sich um. Es war in warmen Rosentönen gehalten, und in der Fensternische stand ein Kingsize-Bett aus bronzefarbenem Metall mit einer mattvioletten Tagesdecke. Alles wirkte geschmackvoll.

Auf dem Nachttisch lehnte ein großes silbern gerahmtes Foto eines Mädchens in ähnlichem Alter wie Roisin. Grace trat näher an die Fotografie heran und musterte sie. Das Mädchen sah Annie zwar ähnlich, in seinem Gesicht war jedoch ein eigentümlicher Ausdruck, den Grace nicht zu deuten vermochte. Sie steckte die gerahmte Fotografie erst in einen Beutel und dann in ihre große rote Tasche. Den Laptop auf dem Schreibtisch nahm sie ebenfalls mit. Sie konnte weder Unterlagen aus Papier noch irgendwelche Akten oder Aufzeichnungen entdecken. Das war merkwürdig für jemanden, der intensiv an seiner Doktorarbeit saß. Allerdings standen etliche Fachbücher im Regal, die sich mit Meeresbiologie beschäftigten. Die Spurensicherung musste hier noch alles genau durchkämmen. Grace war in wenigen Minuten fertig gewesen. Es hatte nicht viel zu sehen gegeben. Der Kleiderschrank war nicht übermäßig gut bestückt, und die Kleidungsstücke darin waren unspektakulär und stammten meist von einer britischen Kaufhauskette, die verlässlich Bekanntes produzierte. Annies Kleidungsstil und Geschmack unterschieden sich offenbar doch sehr von ihrer Freundin Carol, die einen eindeutig teureren Stil bevorzugte.

Als sie gerade dabei war, die Tür zu versiegeln, kam ihr ein Gedanke. Es hatte keinerlei Schuhe in dem Zimmer gegeben. Auch das war ungewöhnlich. Sie betrat noch einmal den Raum und schaute unter das Bett. Ganz hinten an der Wand konnte sie etwas Helles ausmachen. Grace musste fast unter das ganze Bett kriechen, um es hervorzuziehen. Als sie wieder aufstand, hielt sie ein Paar halbhohe weiße Sandaletten in den Händen. Seltsamerweise war sie überhaupt nicht staubig geworden bei dieser Aktion, was in neun von zehn Fällen wohl normal gewesen wäre. Entweder hatte Annie auch bei sich selbst hingebungsvoll geputzt, oder jemand hatte erst kürzlich hier alles gründlich sauber gemacht. Unschlüssig betrachtete Grace die Schuhe. Sie hatten Größe 4, die weibliche Standardgröße auf der Grünen Insel, zwei Größen kleiner als die Stilettos der Toten. Das hatte sie geahnt. Sie packte sie zu den anderen Sachen.

»Welche Schuhgröße haben Sie, Ms Lonnigan?« Noch während Grace die Treppe hinunterging, hatte sie Carol die Frage gestellt. Doch statt auf deren Antwort zu achten, starrte sie plötzlich unverwandt auf den Flachbildschirm, der hinter Carol an der Wand hing. Es liefen gerade die Abendnachrichten. Carol drehte sich um, um zu schauen, wohin die Polizistin so gebannt blickte. Auch Rory konzentrierte sich jetzt auf den Fernseher, wo gerade das Bild eines jungen Mädchens tonlos über den Schirm flimmerte. Es war das Foto, das Grace bei sich auf dem Nachttisch stehen hatte.

Niemand sagte ein Wort. Schließlich brach Carol die gespenstische Stille. »Kennen Sie sie?«

Grace antwortete nicht und hatte immer noch ihren Blick unverwandt auf das Foto ihrer Tochter geheftet.

»Kennen Sie das Mädchen, Detective?«, wiederholte Carol ihre Frage.

Grace riss sich vom Bildschirm los, schaute der blonden Frau kurz in die Augen und sagte dann mit fester Stimme: »Nein.«

9

Es war Dienstagmorgen, und es gab immer noch keine Neuigkeiten von Roisin. Grace hatte am Abend, nachdem das Foto von ihr über alle Sender gegangen war, lange mit ihrem Bruder und ihrer Schwägerin gesprochen und ihnen dann auch von dem Mordfall berichtet. Natürlich hatten sie schon davon gehört und begriffen, dass es ihr im Moment nicht möglich war, zu ihnen herüberzukommen. Oonagh verstand zwar, dass sich Grace, genau wie sie und Dara, größte Sorgen machte, aber es gab nichts Neues, was die örtliche Polizei nicht schon mit ihnen durchgegangen war. Oonagh wollte noch mal bei der Gemeinde in Dublin, zu der Roisin Kontakt hatte, nachhaken. Sie hatte da ein paar interessante Punkte im Internet gefunden.

Auch in dieser Nacht hatte Grace kaum geschlafen. Sie war immer wieder aufgewacht, wälzte die Gedanken hin und her und hatte dann, weit nach Mitternacht, zwei verzweifelte SMS an Roisin geschickt.

Jetzt merkte sie, dass sie fahrig und unkonzentriert war. Sie war auf dem Weg zu Vincent Murphy, dem Wissenschaftler, bei dem Annie laut Aussage ihrer Freundin Carol geputzt hatte. Seine Adresse hatte Rory über seinen Arbeitsplatz erfahren können. Sie parkte vor einem gepflegten Einfamilienhaus in einer gehobenen Wohngegend Galways. Die kleine Straße war von Bäumen und überschaubaren, gepflegten Vorgärten gesäumt. Sie klingelte und musste kurz warten, bis die Tür geöffnet wurde. Ein Mann mittleren Alters hielt ihr freundlich die Eingangstür auf und winkte sie herein. Er hatte sie schon erwartet.

»Hier entlang, bitte kommen Sie.« Der Mann mit dem vollen silbernen Haarschopf ging ins Wohnzimmer voraus. Sein Gang war auffallend aufrecht.

»Setzen Sie sich, bitte.« Die angenehme Ausstrahlung des Wissenschaftlers fand Grace sofort sympathisch. Sie ließ sich ihm gegenüber in einen mit blaugrünem Tweed bezogenen Sessel fallen. Ihre Erschöpfung konnte sie in jeder Muskelfaser spüren.

»Was kann ich für die Polizei tun?«

Grace fiel auf, dass er von Polizei sprach, nicht von Gardai. Sehr ungewöhnlich für einen Iren. Sie selbst hatte sich daran auch noch nicht gewöhnt.

»Es geht um Annie, wie Sie wissen.«

Murphy räusperte sich, als suche er nach den richtigen Worten. »Mir tut es unendlich leid zu hören, dass sie ... umgebracht wurde. Schrecklich, ganz schrecklich.« Seine Betroffenheit hörte sich aufrichtig an. Er sah sich einen Moment hilfesuchend im Zimmer um. Grace nickte zustimmend und schaute ihn abwartend an.

»Sie hat für mich geputzt. Ich bin da etwas ungeübt,

wissen Sie, und habe auch, rein beruflich gesehen, wenig Zeit dafür. Und das Haus …«, er machte eine ausladende Handbewegung, »… und der Garten machen ganz schön viel Arbeit.« Er lächelte, als müsse er seine Unfähigkeit im Haushalt ihr gegenüber entschuldigend erklären.

Grace musterte Vincent Murphy. Ein gut erhaltener Mitt- bis Endfünfziger, mittelgroß mit passabler Figur und gebräuntem Gesicht, was vermutlich von regelmäßiger Arbeit an der frischen, feuchten irischen Luft herrührte. Sie konnte sich nicht vorstellen, dass der Wissenschaftler, wie sonst bei vielen sonnenhungrigen Iren üblich, häufig den Aufenthalt auf einer Sonnenbank suchte. Das machte ihn Grace noch sympathischer. Sie musste aufpassen, dass sie ihre Unvoreingenommenheit nicht verlor. Nur Rory konnte sich erlauben, persönlicher und subjektiver vorzugehen und trotzdem effizient zu sein, das war ihr schon aufgefallen.

»Was machen Sie beruflich und für wen genau arbeiten Sie?«

»Ich bin Meeresbiologe«, antwortete er rasch. »Ich bin in Dublin aufgewachsen, aber wir stammen ursprünglich aus Wexford. Zum Studium bin ich dann nach Cambridge gegangen, wo ich auch promoviert habe.«

»Eine unirische Wahl, auch wenn es rein akademisch eine erste Adresse ist.«

Murphy schaute sie kurz an und ignorierte ihre Anspielung auf die offenbare Tatsache, dass er im katholischen Irland kein Katholik war.

»Danach bin ich direkt in die Forschung, erst in die Staaten und dann nach Indien. Das Herumvagabundieren ist ja eine sehr irische Eigenschaft.«

Grace fiel auf, dass in Irland immer sofort die Familie und deren Herkunft erwähnt werden. Als wäre das so eine Art Gütesiegel. In Dänemark würde niemand auf die Idee kommen, sich so bei jemandem vorzustellen. Bei dem Gedanken musste sie ein Grinsen unterdrücken.

»Das ist interessant, Mr Murphy, aber ich wollte von Ihnen eigentlich wissen, wo Sie aktuell in welcher Funktion arbeiten.«

Murphy lehnte sich zurück, faltete die Hände über seinem nicht sehr prominent hervortretenden Bauch und lächelte sie wieder an.

»Ich verstehe. Ich arbeite seit etwas über fünf Jahren hier in Galway für das IBRPC. Als Meeresbiologe. Wie ich ja schon sagte.«

Grace erwiderte sein Lächeln. Sie war fasziniert von Murphys dichtem Haarschopf, der auf der rechten Seite gescheitelt war, ihm bei raschen Bewegungen jedoch, wie bei einem großen Jungen, immer wieder ins Gesicht fiel. Murphy strich die Haare dann jedes Mal mit einer routinierten Handbewegung wieder zurück.

»Das IBRPC. Das International Biological Resources Protection Centre. Ich habe davon gehört.« Rory hatte ihr nach der Vernehmung von Carol gestern Abend noch etwas über das PC erzählt, wie es hier jeder nannte. Ein norwegisch-irisches Forschungsinstitut, das sich der weltweiten Erforschung biologischer Ressourcen widmete und gleichzeitig um deren Schutz vor Ausbeutung bemüht war. Die Zentrale war in Oslo angesiedelt, die zweitgrößte Außenstelle saß in Galway.

»Und ich war überrascht, dass es in Irland so etwas politisch Korrektes überhaupt gibt.«

Murphy schmunzelte. »Es sind die Norweger, die gern politisch korrekt sind.«

Grace pflichtete ihm bei. »Die stecken eine Menge Geld in so etwas, Gott sei Dank. Damit gehen sie den Dänen, bei denen ich die letzten Jahre leben durfte, manchmal ganz schön auf die Nerven.«

Murphy hob kurz die Augenbrauen. »Sie haben in Dänemark gelebt?«

Grace nickte.

»Und dann sind Sie jetzt wieder hier?« Murphy klang eine Spur überrascht. Einen Moment lang wusste Grace nicht, was sie darauf entgegnen sollte. »Sie sind doch auch wieder hier«, meinte sie schließlich, »obwohl der Ire so gern herumvagabundiert, wie Sie vorhin anmerkten.« Einvernehmlich lachten sie, und Grace war froh, dass er nicht weiter nachhakte.

»Sie arbeiten also für das PC. Witzigerweise die gleiche Abkürzung wie für ›political correctness‹.«

»Unsere Feinde behaupten, der Name stände genau dafür.«

»Sie haben Feinde? Ich meine, Ihr Institut hat Feinde?«

Murphy war mit einem Mal ernst geworden. »Sicher, und das ist gut so. Sonst würde etwas mit unserer Arbeit nicht stimmen.«

»Erklären Sie es mir?«

Er warf ihr einen raschen Blick zu und stand auf. Langsam ging er zu der geschlossenen Glastür, die auf eine gepflegte Terrasse führte. Er blickte nach draußen in die strahlende Sonne, die an einem leuchtend blauen Himmel stand. Als er weitersprach, kehrte er Grace immer noch den Rücken zu, als würde er zu sich alleine sprechen.

»Es gibt immer noch Forscher, wenn auch nicht viele, die mit ihrer Arbeit nicht nur den Profit der Multis erhöhen wollen, sondern die sich ethischen und moralischen Grundsätzen verpflichtet fühlen. Das PC hat auch solche Wissenschaftler. Sie werden gern angefeindet, und es gibt nicht wenige, die ihnen am liebsten die Arbeit verbieten würden.«

Als er geendet hatte, war es für einen Moment sehr still.

Als Rory Grace über das PC informiert hatte, hatte er auch kurz den Begriff Biopiraterie genannt. War es das, was Murphy eben angedeutet hatte?

Grace stand auf. »Ich habe gehört, dass man Ihre Arbeit versucht zu behindern oder zumindest, sie zu erschweren.«

Vincent Murphy drehte sich zu ihr um und lächelte wieder. Er überlegte einen Augenblick. »Zumindest wird es versucht. Das sind wir gewöhnt. Damit können wir leben. Wesentlich schwieriger ist, dass sie versuchen, an unsere Forschungsergebnisse zu gelangen.« Seine tiefe Stimme klang auf einmal eine Spur unsicher.

»Sie meinen, illegal?«

Er antwortete nicht gleich und ließ seinen Blick über den frisch gemähten Rasen schweifen. »Legal wie illegal. Entscheidend ist, dass sie unsere Forschungsergebnisse für ihre eigenen Belange nutzen wollen, oder, was noch schlimmer ist ...« Er brach abrupt ab.

Grace starrte ihn gebannt an. Dann beendete sie seinen Satz: »... oder um Ihre Ergebnisse verschwinden zu lassen. Für immer. Oder für eine ausreichend lange Zeit. Das betrifft Ihre Arbeit im Bereich der Biopiraterie. Hab ich recht?«

Er nickte vage.

Das Klingeln von Graces Handy unterbrach die angespannte Atmosphäre. Murphy lachte auf und drehte sich weg. Offenbar hatte ihn die Melodie amüsiert. Grace lief rot an und entschuldigte sich. Schnell bat sie ihn um ein Glas Wasser, und er verschwand umgehend in der Küche.

Es war Rory. Er hatte versucht, den Koch zu erreichen, was ihm bisher noch nicht gelungen war. Offenbar hielt der sich auf Inis Meáin auf, der mittleren der drei Aran Inseln in der Bucht vor Galway, und antwortete nicht auf die Nachrichten, die Rory hinterlassen hatte. Die Familie, für die Annie wohl mal geputzt hatte, hieß Cadogan und lebte in Oughterard. Nun sei er auf dem Weg zu Annies Familie in Mayo. Er werde sich wieder melden.

Murphy kehrte mit zwei Weingläsern zurück, in die er Wasser gefüllt hatte. Der Mann hat Stil, dachte Grace. Er reichte ihr eines, und Grace schlug vor, bei dem schönen Wetter doch auf die Terrasse zu gehen, um dort das Gespräch fortzusetzen. Er stimmte sofort zu und ging zur Terrassentür, wo er umständlich herumhantierte. Sie hörte ihn leise fluchen.

»Stimmt etwas nicht?«, fragte Grace und ging ebenfalls zur Tür.

»Das Ding scheint zu klemmen. Das macht es ab und zu.«

»Darf ich mal?«, fragte Grace. Es war auf den ersten Blick nicht erkennbar, ob es sich um einen neueren Schnapp-Schiebe-Mechanismus oder um das althergebrachte System des Drehknaufs handelte. Grace entschied sich für das Schnapp-Schiebe-System und schob ein paar Sekunden später die Tür spielend auf.

»Ist daran etwas verändert worden?«, fragte sie. Murphy schaute überrascht. »Ich glaube nicht. Sprechen Sie von Einbrechern?«

Grace nickte. Der Wissenschaftler schüttelte ungläubig den Kopf.

»Nein, das glaube ich nicht, da sind doch keine Einbruchspuren zu sehen, und bei mir ist auch nichts gestohlen worden. Ich bin nur schusselig und, wie gesagt, manchmal klemmt sie auch.« Er bot ihr einen Platz auf der Terrasse an, und Grace versuchte, den Gesprächsfaden wieder aufzunehmen.

»Kommen wir zu Annie. Wie lange putzte sie für Sie?«

Vincent Murphy überlegte nun länger. »Ungefähr seit einem Jahr, genau weiß ich das aber nicht mehr. Für solche Dinge habe ich einfach kein Gedächtnis.«

Grace überlegte kurz, ob er mit seiner Ignoranz kokettierte, doch sie verwarf den Gedanken gleich wieder. Murphy schien ihr zu direkt und zu korrekt zu sein. »Wussten Sie, was ihr eigentlicher Beruf war? Das Putzen war ja nur ein Nebenjob.«

Murphy zögerte, verneinte aber schließlich.

»Sie war Meeresbiologin wie Sie, hatte einen erstklassigen Abschluss und promovierte gerade.«

Murphy nickte langsam. »Ach ja, jetzt, wo Sie es sagen ... das hatte ich ganz vergessen.«

Das war seltsam, dachte sich Grace, die Putzfrau entpuppt sich ebenfalls als Meeresbiologin, und so etwas vergisst der Herr Doktor wieder? So viel Weltfremdheit nahm sie ihm dann doch nicht ab.

»War sie in letzter Zeit anders als sonst? Ist Ihnen etwas an ihr aufgefallen?«

Murphy schüttelte den Kopf und verscheuchte mit der linken Hand eine Biene, die sich am Rand seines Glases niederlassen wollte. »Ich habe sie eigentlich selten gesehen. Sie kam mittwochs und immer tagsüber, wenn ich arbeitete. Sie hatte ja den Schlüssel und konnte kommen und gehen, wann sie wollte. Das Geld habe ich ihr immer hingelegt. Selbstverständlich kam sie nur zur verabredeten Zeit.«

Der letzte Satz war zu viel gewesen, dachte Grace. »Wann haben Sie sie zuletzt gesehen?«

Murphy zuckte mit den Schultern. Das müsse ein, zwei Wochen her sein. Genau wisse er es nicht mehr. »Wann wurde sie denn ...?« Er stockte.

»Vergangenen Sonntag.« Sie beobachtete ihn aufmerksam.

»Vergangenen Sonntag?« Warum klang seine Rückfrage ehrlich überrascht? Grace nickte bestätigend.

»Da war ich nicht hier, sondern in Belfast. Auf einem Kongress. Seit Samstag.«

Er hatte etwas beantwortet, was sie noch gar nicht gefragt hatte.

»Seit wann genau waren Sie dort?«

»Seit Samstagabend, gegen sechs.« Das kam mehr als zügig. Es schien, als habe er diese Information dringend loswerden wollen. Nun drehte er sein Glas vor sich. Es war leer.

»Der Kongress begann am Samstagabend mit einem Essen. Ich hielt meinen Vortrag am Sonntagmorgen, und das Ganze dauerte bis Montag, also bis gestern Mittag. Gestern Abend bin ich aus Belfast mit dem Wagen zurückgekehrt.«

Grace beobachtete ihn, ohne etwas zu sagen. Er wich ihrem Blick nicht aus. Schließlich ergriff sie wieder das Wort. »Wie lange braucht man dafür in etwa?«

»Kommt drauf an. Die Straßen oben sind ja besser. Drei bis vier Stunden.«

»Das heißt, Sie sind wann am Samstag losgefahren?«

»Kurz vor drei. Ja, gegen drei.« Er schaute nach unten auf das Glas. Seine Stimme hörte sich eher an, als sei es ihm peinlich, ihr das alles sagen zu müssen. Grace bedankte sich und stand etwas unvermittelt auf, um sich zu verabschieden.

»Falls Ihnen noch etwas einfällt, rufen Sie mich bitte an.« Sie gab ihm ihre Karte, und er hielt sie fest, ohne sie zu lesen. Er nickte und schien fast erleichtert zu sein.

Als Grace kurz darauf das Wohnzimmer in Richtung Ausgang durchquerte, bemerkte sie, dass der Fernseher, der in der Ecke stand, nicht eingeschaltet war. Plötzlich fiel ihr noch etwas ein, und sie drehte sich zu ihm herum.

»Wer hat Ihnen Annie als Putzhilfe empfohlen?«

Sein Gesicht drückte Unverständnis und völlige Leere aus.

»Jemand muss sie Ihnen doch empfohlen haben. Oder haben Sie eine Anzeige aufgegeben?«

Wieder lag Unsicherheit in seiner Stimme. »Das weiß ich nicht mehr. Wahrscheinlich war es ein Kollege im Institut, der sie mir empfohlen hat.« Vincent Murphy schaute sie treuherzig an.

»Wer?«

»Tut mir leid, Detective, solche Dinge verschwinden sofort von meiner Festplatte.« Zur Verdeutlichung tippte er sich mit dem Zeigefinger an die Stirn und grinste lausbubenhaft. Dann lachte er wieder sein ansteckendes Lachen.

»Der zerstreute Professor«, meinte Grace nun, »wie er im Buche steht.«

Schelmisch nickte Murphy und wischte sich hastig mit der linken Hand die Haarsträhne aus dem Gesicht. In dem Moment sah er unglaublich jung aus.

»Ich sag Ihnen Bescheid, wenn es mir einfallen sollte. Ich werde auch mal bei den Kollegen nachfragen, bestimmt.« Er nahm Graces Hand und drückte sie kurz und angenehm fest.

»Apropos Kollegen. Wer ist ihr unmittelbarer Chef, Dr. Murphy? Das wüsste ich noch gern.« Grace hatte dabei schon ihr Handy herausgeholt und wollte den Namen eintippen. Aber Murphy antwortete nicht. Als sie aufschaute, entdeckte sie in seinem Gesicht eine gewisse Beunruhigung, wenn nicht sogar Angst. Das irritierte sie. Warum reagierte er auf eine simple, unverfängliche Frage, auf die sie jederzeit vom Institut selbst eine nachprüfbare Antwort hätte bekommen können, so heftig?

»Grønmo«, presste er schließlich heraus. »Trygve Grønmo.«

»Ein Norweger?«

Murphy nickte. »Meistens sitzt er in Oslo.«

Sie lächelte ihn an, steckte das Handy in ihre Jackentasche und hob die Hand zum Abschied. »Danke.«

10

»Und nun passt auf: Hier kommt die Frage der Woche, und ich hoffe, dass sie euch da draußen Glück bringt!« Der muntere Radiomoderator überschlug sich fast vor Begeisterung.

Rory bog kurz hinter Castlebar auf die Nebenstraße Richtung Ballina ab und zerknüllte erwartungsvoll seinen leeren Pappteebecher. Die Stimme seines Navis meldete sich: »Folgen Sie der Straße auf zehn Kilometer.«

Rory hasste Navis. »Sag ich doch.«

Er warf die zerknüllte Pappe auf den Beifahrersitz, mitten auf den Stapel mit den fünf irischen Tageszeitungen und der neuesten Ausgabe der regionalen Mayo News, und sofort floss noch ein Rest rostbrauner Flüssigkeit auf das Papier und sickerte ein. Ein dunkler Fleck breitete sich auf dem Zeitungsberg aus.

Rory war äußerst guter Laune und pfiff leise vor sich hin.

»Und nun die Frage! Ihr könnt wie jede Woche mal wieder einen supertollen Gewinn mit nach Hause nehmen. Diesmal hat ihn die Firma Brian O'Reilly aus Athlone gestiftet, der Spezialist für alles, was sendet, empfängt, leuchtet und vibriert. Ein brandneues, schickes Smartphone, wahlweise in Seegrün oder Grau.«

»Wir nehmen seegrün«, murmelte Rory, »das ist für Brenda, die hat noch keins.«

In diesem abgelegenen Teil des Nordwestens der Insel war kaum jemand auf der Straße unterwegs, und die hügelige Landschaft war lediglich von langhaarigen zotteligen Schafen bevölkert, die an mageren Grasbüscheln knabberten. Beide, Landschaft wie Schafe, boten für das Auge wenig Abwechslung. Am Horizont dagegen konnte man schon die hohen Bergzüge Sligos erkennen. Rory seufzte verträumt. Die Grafschaft Sligo war zwar klein, aber majestätisch.

Nach der Musik meldete sich wieder der Moderator mit seiner unangenehm piepsigen Stimme zu Wort. Warum die so jemanden beim Radio genommen hatten, war Rory ein Rätsel.

»Aufgepasst! Diesmal etwas für Freunde der Literatur«!

»Sehr gut!« Rory drehte das Autoradio lauter.

»Sind wir das nicht alle? Aber keine Bange, für die Antwort muss man nicht auf die Universität gegangen sein!«

Rory verzog gequält sein Gesicht und schaute in den Rückspiegel.

»An welcher Krankheit litten sowohl Luke Kelly als auch der Schriftsteller, der mit dem Titel seiner berühmtesten Kurzgeschichte Luke die Idee für den Namen seiner Band lieferte?«

Rory seufzte wieder. »Seegrün, sag ich doch.« Er hielt sein Handy schon parat, um sofort auf die Nummer des Senders, die er schon gespeichert hatte, zu drücken. Sie war besetzt. Rory fluchte laut.

»Nie kommt man da durch, das gibt es doch nicht!«

In dem Moment fuhr er durch ein tiefes Schlagloch, dem er nicht mehr ausweichen konnte. Das Geräusch war beängstigend, der Wagen schlingerte leicht. Unbeeindruckt brachte Rory das Auto wieder unter Kontrolle und drückte sofort auf Wahlwiederholung. Besetzt.

»Und hier haben wir den ersten möglichen Gewinner«, meldete sich die Piepsstimme.

»Hi, hier ist Finbar.«

»Und von wo rufst du an, Finbar?«

»Aus Ballymunion im County Leitrim.«

»Mein Gott, aus Leitrim.« Rory wurde mitfühlend. Armer Kerl, dachte er.

Der Sprecher schien ähnlich zu denken. »Na ja, auch da muss schließlich einer wohnen«, kommentierte das der Moderator gut gelaunt, »sonst hätte Irland ja keine zweiunddreißig Grafschaften, da muss man sich schon mal opfern.«

Rory kicherte.

»Und wie ist deine Antwort, Finbar?«

»Also, Luke Kelly war ja der Kopf der Dubliner, und James Joyce hat die Kurzgeschichte ›Dubliner‹ geschrieben und Luke damit zu dem Bandnamen inspiriert.«

»Super, Finbar, genauso war es! Und nun deine Antwort.«

»Wie?«

»Na, deine Antwort.« Es entstand eine Pause, und Rory fuhr langsamer, um alles genau mitzubekommen.

»Unter welcher Krankheit litten beide, Kelly und Joyce?«

Finbar zögerte, und Rory platzte fast vor Wut. »Da ruft der Typ einfach an und weiß nichts, aber auch gar nichts! Und unsereins, der es weiß, kommt einfach nicht durch!« Er nahm die nächste Kurve viel zu schnell und musste energisch gegensteuern.

»Äh, beide waren Dubliner!«

Rory prustete laut los vor Lachen und verschluckte sich fast. »Nicht zu fassen!«

Der Moderator hatte für einen Moment geschwiegen, bevor er sich, offenbar auch etwas ungläubig, wieder zu Wort meldete.

»Das stimmt, Finbar, super, obwohl Joyce ursprünglich aus Cork stammte, aber lassen wir das, er lebte in Dublin. Aber das ist keine Krankheit, auch wenn der eine oder andere, der nicht aus unserer schönen Hauptstadt stammt, es genauso sehen würde wie du, Finbar. Haha! War nur ein Witz.«

»Äh?«

»Nach dreihundert Metern biegen Sie rechts ab.«

»Tut mir leid, Finbar, die Leitung ist ab jetzt wieder freigegeben. Hört ihr, da draußen? Es gibt eine neue Chance, unser tolles Smartphone, gestiftet von den netten O'Reillys aus Athlone, zu gewinnen. Ran an eure Handys!«

Rory hatte schon längst die Wahlwiederholung gedrückt und wartete gespannt. Diesmal hörte er den Rufton und jauchzte innerlich. Seine Tochter Brenda hatte sich schon so lange ein Smartphone gewünscht. In dem Augenblick klingelte sein zweites Handy, von dem nur wenige die Nummer hatten und das irgendwo im teegetränkten Zeitungsstapel lag. Sollte er es ignorieren? Er setzte den Blinker, fuhr links ran und hielt an einer Steinmauer. Als er das Handy hervorgewühlt hatte, erkannte er Graces Nummer. Im selben Augenblick tönte es aus der Freisprechanlage: »Radio Galway Wizzquiz, wen haben wir am Apparat? Und wo bist du gerade?«, wollte der Moderator wissen.

»Nicht im County Leitrim«, erwiderte Rory resigniert und drückte bei Handy Nummer 2 auf Empfang.

»Oh, das ist ja nicht weiter schlimm, aber wer bist du, der du nicht im County Leitrim weilst?«

Rory war eine Sekunde lang verwirrt, doch dann dämmerte ihm, dass er gemeint war. Offenbar war er auf Sendung!

»Bist du schon angekommen, Rory?«, ertönte da Graces Stimme aus dem anderen Gerät. Als sie keine Antwort erhielt, fragte sie noch einmal lauter nach: »Rory?«

»Ach, du heißt Rory. Super, Rory! War das eben deine Frau, die dich uns vorgestellt hat. Hört sie gerade mit?«

Rory riss sich zusammen und unterdrückte mühsam den Drang, in unkontrolliertes Lachen auszubrechen. Er schluckte, um sich zu konzentrieren. Das seegrüne Smartphone für Brenda blinkte am Horizont.

»Beide waren Alkoholiker«, sagte er laut und deutlich.

»Wie bitte?« Graces Stimme aus Handy Nummer 2 klang ungläubig.

Rory seufzte und drückte entnervt auf das rote Symbol des Handys, das ihn gerade noch mit dem Sender verbunden hatte. Er war ausgestiegen. Multitasking lag ihm einfach nicht.

»Schon gut, Grace. Das war die richtige Antwort im Radio Quiz dieser Woche. Und ich wusste sie und bin scheinbar gerade durchgekommen, als du anriefst.«

»Oh«, sie schwieg einen Moment. »Ja und, hast du nun gewonnen?«

»Glaub ich nicht. Wie ich schon sagte, da kam gerade dein Anruf und ich habe das andere Gespräch weggedrückt. Ist schon in Ordnung, ein andermal. Was wolltest du mir sagen?« Rory hatte das Handy in die Hand genommen und war ausgestiegen. Er wischte sich über die Stirn.

»Ich flieg gleich nach Inis Meáin, um den Koch dort zu vernehmen. Als du angerufen hast, war ich grad bei Vincent Murphy, und wenn ich zurück bin, kommt Onkel Jim dran.Wo bist du?«

Rory schaute sich um und merkte, dass er keinen

Schimmer hatte, wo er sich befand. »Keine Ahnung, ich muss mich verfahren haben.«

»Mit Navi?« Grace klang erstaunt.

»Ich misstraue den Dingern, Grace, besonders hier oben, am Rande der uns bekannten Welt, in Nordmayo. Hier können die nichts mehr ausrichten. Das ist alles völlig unerfasst. Schwarze Navilöcher. Sag ich doch.«

»Kannst du auf dem Rückweg noch bei der Familie in Oughterard vorbeischauen? Das liegt ja quasi auf dem Weg.«

»Na ja, so richtig liegt es ja nicht auf dem Weg, aber ich fahre gern vorbei. Wie heißen die noch mal?«

»Cadogan.«

»Ich weiß schon«, unterbrach er sie. »Wie das Hotel, in dem Oscar Wilde …« Er brach ab. »Ich erledige das, Grace. Alles klar.«

Sie wollte sich gerade von ihm verabschieden, da räusperte er sich. »Du, wie geht es deiner Tochter? Hast du schon etwas Neues gehört?«

Sie antwortete nicht.

»Bist du noch dran, Grace?«

»Ja.«

Wieder herrschte Stille zwischen ihnen. »Woher weißt du, dass ich eine Tochter habe?«

Rory wurde die Situation hörbar unangenehm. Sie hatte Roisin bisher ihm gegenüber tatsächlich nicht erwähnt.

»Kollegen aus Dalkey haben bei uns angerufen und nach dir gefragt, und sie baten mich, dir auszurichten, dass es nichts Neues gibt. Tut mir leid, Grace.«

Grace war einen Moment sprachlos. Dann klang sie verzweifelt und müde.

»Das ist sehr lieb von dir.«

»Ich wollte nur …« Wieder zögerte er einen Moment, als ob er mit sich kämpfen müsste.

»Ja?«

Er nahm noch einen Anlauf. »Ich habe mir überlegt, ob ich dir vielleicht helfen könnte.«

»Wie denn? Sie ist seit vorgestern verschwunden, und niemand weiß, wo sie steckt, Rory. Ihr Foto ging gestern Abend raus. Aber O'Malley heißen viele.«

»Deshalb dachte ich …« Er merkte, wie er schwitzte, und angelte sein blaues Taschentuch aus seiner Uniformjacke, mit dem er sich das Gesicht abtupfte.

»Was hast du?« Nun war sie neugierig geworden, und das ermunterte ihn. Er räusperte sich mutig.

»Ich hab den keltischen Fluch vom lieben Gott auferlegt bekommen und könnte mich gern, wenn du es willst, versuchsweise auf deine Tochter konzentrieren. Wie heißt sie übrigens?«

»Roisin. Was ist dir auferlegt worden?«

»Ich sehe manchmal Dinge oder Ereignisse. Frag mich nicht, wie das funktioniert. Es ist einfach so.« Und er erzählte ihr, dass er in der Vergangenheit schon etlichen Menschen habe helfen können, jemanden wiederzufinden. Sie solle drüber nachdenken, aber sein Angebot stehe.

Grace war verwirrt. »Du hast das zweite Gesicht?«

»Ja, so nennt man das wohl.«

In ihrer Kindheit auf dem Land, so wusste Grace, war diese Gabe relativ weit verbreitet gewesen, zumindest war ihr das damals so vorgekommen. Menschen, die das zweite Gesicht besaßen, konnten Ereignisse in der Zukunft vorhersehen, aber auch Verborgenes aufdecken oder Verschwundenes wiederfinden. Ihre Mutter hatte immer betont, dass das Phänomen besonders in Irland auftreten würde. Später, in Dublin, war es Grace kaum noch begegnet, und im nüchternen Skandinavien hatte sie es in all den Jahren komplett vergessen. Und nun das! So richtig wusste sie nicht, was sie davon halten sollte.

»Ich danke dir, Rory. Ich denke darüber nach und komme eventuell auf dein großzügiges Angebot zurück.«

»Dann bräuchte ich aber ein Foto von Roisin und ein persönliches Kleidungsstück.«

Grace versprach es, und sie beendeten das Gespräch. Rory stieg wieder ins Auto und schaltete sofort das Radio ein. Er holte die Straßenkarte aus dem Handschuhfach und faltete sie auf.

»Tja, liebe Hörer, das hatten wir schon lange nicht mehr, dass uns unser Tagessieger abhandenkommt. Noch einmal da draußen: Rory, bitte melde dich! Du hast das Smartphone gewonnen! Nur warst du plötzlich aus der Leitung! Ruf uns an unter der bekannten Nummer.«

Es folgte ein schneller Jig der Dubliner.

Rory blieb erst wie vom Donner gerührt sitzen, dann ließ er den Motor an. Er schrie und gab seinem Armaturenbrett ein paar freundliche Klapse.

»Jippieh! Brenda wir haben es!«

Dann warf er einen Blick in den Rückspiegel und sah, wie sich ein Traktor von hinten näherte. Mit quietschenden Reifen bog er blitzschnell auf die Straße ein und beschleunigte rasant, um dem langsamen Gefährt zuvorzukommen. Rory fuhr zumindest auf irischen Landstraßen einen, wie alle Kollegen bestätigen konnten, äußerst schnellen Reifen, was ganz im Gegensatz zu seinem eher bedächtigen Temperament stand.

Jetzt meldete sich wieder der Moderator. Rory stellte ihn auf laut.

»Joyce und Kelly hatten nicht beide einen Gehirntumor, den hatte nur Kelly«, quiekte der Mann, »es war auch kein Magengeschwür, das hatte nur James Joyce. Nein, die richtige Antwort lautete, und Rory hatte vollkommen recht: Beide waren alkoholkrank!«

»Sag ich doch«, rief Rory. Er würde sie bei seinem nächsten Stopp in Ruhe anrufen. Es konnte nicht mehr weit sein. Auf einmal hatte er ein gutes Gefühl. Er fing an zu pfeifen.

11

Eine halbe Stunde später schaute Rory durch die kleine Fensterscheibe, die über die ganze Diagonale gesprungen war. Vor ihm standen eine Kanne Tee, eine Tasse, Zucker und Milchkännchen, alles in weißem Porzellan mit blauem Rosenmuster und Goldrand. Daneben hatte jemand einen kleinen Teller mit vier akkurat geschnittenen, dreieckigen, dünnen Weißbrotscheiben gestellt. Die Kruste war sauber abgetrennt.

»Greifen Sie zu, Guard. Es ist eine lange Fahrt von Galway, und Sie müssen hungrig sein.«

»Danke, Mrs McDoughall, das ist sehr aufmerksam von Ihnen. Ich habe wirklich ein wenig Appetit.« Rory griff nach einem Käsebrot und biss hinein. Sofort hellte sich sein Gesicht auf, und ein Lächeln machte sich auf seinem Gesicht breit. »Das ist ja Galtee Käse!« Er schnupperte an dem Käse, an dem es eigentlich nichts zu schnuppern gab, denn er war komplett geschmacks- und geruchsfrei. In seinem typischen Dottergelb, verpackt in silbernes Stanniolpapier, hatte er schon in Rorys Kindertagen in den Kolonialwarenläden gelegen, in denen die ländliche Bevölkerung Irlands alles Notwendige zum Leben kaufte. Seitdem Irland in den letzten zwei Jahrzehnten mit anspruchsvollen kleinen Käsereien selbst den Franzosen Konkurrenz machte, war Rory dem künstlichen Plastikkäse seiner Kindheit nie mehr begegnet. Er hatte ihn für ausgestorben gehalten.

Umso größer war jetzt die Wiedersehensfreude. Rory biss verzückt in sein Brot.

In dem Moment ertönte ein Schrei aus dem ersten Stock. Mrs McDoughall sprang sofort auf und hastete aus dem Zimmer. Fragend richtete Rory seinen Blick auf Annies Vater, der in einem Sessel am Fenster saß und sich bis jetzt nicht gerührt hatte.

»Das ist Beatrice. Sie braucht etwas. Mrs McDoughall wird gleich zurück sein.« Er starrte weiter aus dem Fenster.

»Wer ist Beatrice?«

»Annies kleine Schwester. Sie liegt im Bett.«

»Ist sie krank?«

»Ja.«

»Oh. Standen sich die Schwestern nahe?«

Mr McDoughall nickte, drehte sich aber immer noch nicht zu ihm um. Rory räusperte sich. »Wie viele Kinder haben Sie?«

»Nur Annie und Beatrice.«

Nun hörte man Mrs McDoughall wieder die Holztreppe hinunterkommen. Kurz darauf betrat sie das Wohnzimmer und setzte sich wieder auf das gute, mit Deckchen versehene Sofa, genau Rory gegenüber. Sie schwieg, obwohl Rory sie auffordernd und erwartungsvoll ansah. Rory wischte sich mit einer zierlichen hauchdünnen Papierserviette, die auch ein Relikt aus seiner Kindheit war, den Mund ab und kündigte entschuldigend noch ein paar Fragen an, die er ihnen leider stellen müsse, auch wenn es schwerfallen würde. Das Ehepaar nickte gefasst. Rory bemerkte, dass die beiden bis jetzt keinen einzigen Blick miteinander gewechselt hatten, was sich bei der dann folgenden Frage sofort ändern sollte: »Wann war Annie das letzte Mal hier?«

»Das muss um Ostern herum gewesen sein«, antwortete Mrs McDoughall. Sie war eine dieser scheinbar alterslosen Irinnen, die nie richtig jung gewesen waren und bei denen man schon als Teenager sehen konnte, wie sie in drei Jahrzehnten aussehen würden. Gerechterweise veränderten solche Menschen ab Mitte vierzig ihr Aussehen nur noch wenig. Dafür war das Alter schon immer allgegenwärtig gewesen.

»Also vor sieben, acht Wochen?« Rory schrieb eifrig mit.

»Ja.«

»Und hatten Sie danach noch Kontakt mit ihr, telefonisch zum Beispiel?«

Nun schüttelten beide gleichzeitig den Kopf. »Das funktioniert schon länger nicht mehr.«

Rory vermutete, dass sie vom Telefon sprachen. Offensichtlich wurde es abgestellt. »Und per Handy?«

Nach ein paar Sekunden der Stille antwortete der Vater.

»So etwas haben wir nicht.«

»Wissen Sie, was genau Ihre Annie beruflich in Galway machte?«

Wieder wechselten die beiden Blicke, und es war die Mutter, die schließlich antwortete.

»Sie arbeitete an ihrer Doktorarbeit, Guard.«

»Ja, aber von was bestritt sie ihren Lebensunterhalt? Sie bekam ja kein Stipendium mehr. Das war vor mehr als einem Jahr ausgelaufen.«

Die Mutter schaute ihren Mann ratlos an. »Hatte sie nicht mal erzählt, ihre Freundin hätte eine nette Beschäftigung für sie gefunden, Derek?« Ihr Mann zuckte unbeteiligt mit den Schultern.

»Doch, doch! Galway boomt ja, und da wird es sicher nicht schwer gewesen sein, einen guten Job zu finden.«

Rory entschied, für sich zu behalten, dass in Galway nichts mehr boomte, nirgendwo in Irland. Nun hörte er wieder gedämpftes Schreien über ihm. Sofort sprang Annies Mutter auf.

»Tut mir leid, Guard, ich habe Beatrice zwar erzählt, dass wir Besuch von Garda haben und dass ich beschäftigt bin, aber nun muss ich doch noch einmal nachschauen, entschuldigen Sie mich.« Schon war sie wieder weg.

Rory nahm sich noch ein Sandwich mit dem Käse seiner Kindheit. Wunderbar! Er leckte sich die Finger ab und benutzte danach wieder eine dieser hauchdünnen Papierservietten, um sich den Mund abzutupfen. Auch sie hatte er seit Jahrzehnten nicht mehr gesehen.

»Hat Annie Ihnen nie von ihren Putzstellen erzählt?«, wandte er sich wieder an Annies Vater.

Überrascht hob Derek McDoughall die Brauen und schluckte. »Nein.«

»Sie hat für mehrere wohlhabende Menschen in Galway geputzt und ziemlich gut damit verdient.«

McDoughall starrte ihn ein paar Sekunden an, als habe er ihm gerade etwas Widersinniges, ja, Abstoßendes offenbart. Nun wurde er auf einmal gesprächig, als wolle er die Abwesenheit seiner Frau nutzen. »Davon haben wir nichts gewusst, Guard. Annie war immer die Beste in der Schule gewesen, und wir waren so stolz auf sie!«

»Das können Sie auch sein, Mr McDoughall, das wollte ich nicht damit sagen.«

Rory merkte zu spät, dass er mit der harmlosen Information über Annies Putzjob gerade das Heiligenbild der ermordeten Tochter beschädigt hatte.

»Sie hatte während der ganzen Zeit ein Begabtenstipendium, sonst wäre das ja nicht gegangen. Alles, alles, hat sie für uns und für ihre Schwester getan! Schauen Sie sich um!«

Das hatte Rory schon ausführlich getan. Als er auf dem Hof angekommen war, war ihm sofort aufgefallen, dass hier wohl keine einzige der angeblich so reichlich sprudelnden EU-Subventionen gelandet war, von denen alle immer redeten. Der Hof war alt, was nicht zwangsläufig mit vernachlässigt und heruntergekommen gleichzusetzen war. Doch genau das war bei dem Hof der McDoughalls der Fall. Das Dach auf den Ställen war an einigen Stellen undicht und in Teilen sogar eingefallen. Der Putz des Wohnhauses war fleckig und abgebröckelt. Es gab niemanden, der sich um den Garten gekümmert hätte. Das gesamte Anwesen machte einen tristen und deprimierenden Eindruck.

Im Haus selbst war es arm, aber ordentlich, wie es in Rorys Kindheit immer hieß. Das hatte seine Mutter gerne über weniger wohlhabende Leute gesagt. Rory und sein Bruder waren als Halbwaisen in einem kleinbürgerlichen Haushalt aufgewachsen. Der Vater war in den frühen Sechzigerjahren, als die Jungs noch sehr klein waren, als Vorarbeiter auf einer der großen Baustellen in Nordengland tödlich verunglückt. Die Mutter hatte zu Hause mit Geigenunterricht die Witwenrente aufbessern können. Sie stammte aus einer Dynastie irischer Fiedler. Rory und seinem Bruder ging leider jegliches musikalisches Talent ab.

Auf dem Kaminsims der McDoughalls entdeckte Rory jetzt zwei Fotos in Silberrahmen. Neben einem Hochzeitsfoto von Annies Eltern auf dem, wie früher üblich, alle furchtbar ernst und verschreckt guckten, stand nur noch ein Foto von Annie im schwarzen Talar der Universität. Stolz hielt sie ihr Diplom in der Hand und lächelte, mit dem traditionellen Barett auf dem Kopf, in die Kamera. Von Beatrice war kein Foto zu entdecken.

»Wissen Sie, Mr McDoughall, ich habe sechs Töchter, und sie stehen alle aufgereiht auf dem Kaminsims. Sie haben doch auch zwei Kinder. Wo ist denn das Foto von ihrer jüngeren Tochter?« Rory versuchte, munter zu klingen, und benutzte den Rest seines Käsebrots als Zeigefinger.

Doch der Mann schaute nicht auf, als er mit dumpfer Stimme antwortete:

»Das andere Foto ist Mrs McDoughall neulich beim Putzen heruntergefallen, und das Glas ist zerbrochen. Wir müssen einen neuen Rahmen finden. Auf dem Bild sind beide Töchter drauf.«

Da hörten sie Annies Mutter wieder die Treppe hinunterkommen. Derek McDoughall drehte sich abrupt zu Rory und beugte sich sogar vertraulich zu ihm herüber. Rory war abgelenkt, denn er überlegte gerade, ob er sich ein drittes Brot genehmigen könnte. Sie waren ja sehr zierlich, redete er sich ein. Annies Vater beugte sich noch weiter zu ihm.

»Bitte erwähnen Sie Mrs. McDoughall gegenüber nichts von Annies Putzstellen, Guard. Seit Annie von uns gegangen ist, geht es uns beiden nicht sehr gut, und sie leidet besonders. Dass sie putzen musste, würde sie noch mehr bedrücken. So kann sie Annie wenigstens in guter Erinnerung behalten, als unsere geliebte Tochter, auf die wir so stolz sein konnten.«

Rory nickte ihm beruhigend zu, doch bevor er noch etwas entgegnen konnte, betrat Annies Mutter wieder den Raum, in dem es Rory auf einmal fröstelte.

Sie blieb stehen. »Darf ich Ihnen noch eine Tasse Tee machen, Guard?«

Rory schüttelte den Kopf und stand auf. »Ich muss los, denn ich habe noch ein paar Termine auf dem Weg.« Er war aufgestanden und streckte Annies Mutter die Hand hin, die sie dankbar nahm. »Ganz herzlichen Dank an Sie beide. Und nochmals mein größtes Mitgefühl.«

Die McDoughalls nickten gleichzeitig.

Als Rory ein paar Minuten später in sein Auto stieg, gingen ihm etliche Dinge durch den Kopf. Die Stunde auf dem Hof hatte ihn auf ganz eigentümliche Art berührt. Hier hatte sich seit Jahrzehnten nichts geändert. Weder technische Errungenschaften noch der Wohlstand zur Hochzeit des Finanzbooms hatten diese Welt erreicht. Alles auf dem Hof floss langsam und unveränderlich wie seit Generationen. Es war das Irland seiner Kindheit, der Fünfziger- und Sechzigerjahre. Das schmeckte er nicht nur am Galtee Käse.

Rory spielte mit dem Zündschlüssel. Die McDoughalls beobachteten ihn hinter der Gardine ihres besten Zimmers. Das wusste er.

Ein ganz besonderer Geruch hing hier über allem und durchdrang jede Pore der Wände und der Menschen, die in ihnen lebten. Jetzt wusste er auch, was es war. Er kannte den Geruch aus eigener Erfahrung nur zu gut: Es war der bittere Geruch von Geheimnissen. Auch die McDoughalls hüteten die ihrigen sorgfältig, verbargen und begruben sie, schwiegen sie tot. Man sprach nicht darüber. Mit niemandem. Niemals.

12

Grace krallte beide Hände in die gelbe Plastikhaut ihres Sitzes. Das kleine Flugzeug schaukelte hin und her, und sie suchte mit den Augen Halt an der grün melierten Decke über ihr. Als es auf der schmalen Piste aufsetzte, wackelte es ein paar Sekunden beängstigend, bis es endlich ruhiger wurde. Grace entspannte langsam ihre Hände und packte ihre Tasche und Jacke zusammen, nachdem die kleine Maschine endgültig zum Stehen gekommen war. Außer ihr war nur noch eine ältere Frau mit an Bord, die sie zuvor mit einem Kopfnicken gegrüßt hatte. Jetzt winkte sie beim Aussteigen dem Piloten freundlich zu und rief etwas auf Irisch. Der lachte und hob seine linke Hand zum Abschied.

»Ich bring Sie nach Tygh na Raidh!« Der Pilot zeigte auf den Geländewagen der Fluglinie, der bereitstand. Dankbar nahm Grace das Angebot an.

Inis Meáin war die mittlere der drei Aran Inseln. Wie Trittsteine für einen Riesen ragten sie in der Bucht von Galway aus dem Atlantik heraus. »Kleine Geschenke, mit denen niemand gerechnet hatte.« So hatte ihr Vater die drei steinigen Enklaven vor der Küste beschrieben, auf denen bis heute fast ausschließlich Irisch gesprochen wurde. Inis Oirr, was wörtlich »die kleine Insel« bedeutete, lag der Küste des County Clare am nächsten. Sie sei wie ein Ostergeschenk, hatte Shaun behauptet. Ein wenig wie ein Ei geformt, übersichtlich und fruchtbar. Inis Mór, »die Große«, sei dagegen ein Hochzeitsgeschenk. Sie mache etwas her mit ihrer Steinfestung Dun Aengus, die in grauer Vorzeit neunzig Meter über dem Meeresspiegel von den Kelten errichtet worden war. Bis heute gab sie den vielen Besuchern Rätsel auf. Und dann gab es noch »die Mittlere«. Sie war wie ein Talisman, den man im Herzen überallhin mitnehmen konnte.

Grace konnte sich nicht erinnern, wann sie das letzte Mal auf Inis Meáin gewesen war. Sie wusste noch, dass die Insel zwar nicht groß war, dass es aber trotzdem fast unmöglich war, sie zu umwandern. Steine, Milliarden von Steinen, aufgeschichtet zu endlosen Wällen, von der Natur zu glatten, glitschigen Platten zusammengeschoben, waren das Einzige, was es hier zu bestaunen gab. Sie waren nicht unbedingt eine Orientierungshilfe für den Besucher, der vergeblich nach einer Trennungslinie zwischen grauem Boden, grauem Himmel und grauem Meer suchte. Wo fing Inis Meáin an und wo hörte es auf? Inis Meáin war überall. Und nirgends.

Seit Neuestem, so hatte Grace in Erfahrung gebracht, soll die Insel ein Refugium für sehr reiche Menschen geworden sein, die für die Exklusivität ihrer Privatsphäre den Fluch des Steins gern in Kauf nahmen. Denen eine Südseeinsel zu weit oder zu gewöhnlich geworden war. Grace runzelte die Stirn, als sie sich dem Dorf näherten.

»Sie schauen skeptisch. Warum?« Der Pilot hatte sich kurz zu ihr umgedreht. Langsam fuhren sie die leicht ansteigende Hauptstraße zum Ortskern hinauf.

»Ich versuche zu begreifen, was ich gerade erfahren habe: Inis Meáin ist ein VIP Nest geworden?«

Der junge Mann grinste. »Das halte ich für stark übertrieben. Es kommen mittlerweile schon, sagen wir mal, privilegierte Leute her, die früher nie einen Fuß auf diese Insel gesetzt hätten. Aber die überlaufen die Insel sicher nicht. Es gibt außer den wenigen Bed & Breakfasts, die es schon immer hier gab, nur zwei exklusivere kleine Häuser, in denen man unterkommen kann. Und wir haben nach wie vor nur einen richtigen Pub. Und der steht wie seit jeher hier!«

Er hielt vor einem reetgedeckten Haus an und sprang aus dem Auto. Grace folgte ihm.

»Sehen Sie, das hier ist Patties Schulhaus! Da kommt ja gerade Pete raus. Hi, Pete!« Er winkte einem gut aussehenden dunkelhaarigen Mann zu, der auf die schmale Straße getreten war und nun auf sie zukam.

Damit hätte sie natürlich rechnen müssen, ihm hier zu begegnen. Grace versuchte, ihre Unsicherheit zu überspielen. Peter Burke war nur noch wenige Schritte von ihnen entfernt, als er sie erkannte und abrupt stehen blieb.

»Graínne?«

Sie lächelte kurz und ging dann forsch auf ihn zu. Er streckte seine Hand aus, die sie flüchtig nahm und kaum drückte.

»Hallo, Peter. Schön, dich zu sehen. Wie geht es dir? Ist deine Mutter zu Hause?« Sie bemerkte, dass er auch unsicher war und anscheinend nicht wusste, wie er sich ihr gegenüber verhalten sollte.

»Ihr kennt euch?«

Gott sei Dank gab es noch den Piloten, dachte Grace. Peter nickte. »Wir stammen aus dem gleichen Dorf in Mayo und kannten uns schon als Kinder.«

»Wir kannten uns *nur* als Kinder«, berichtigte sie ihn. »Das letzte Mal, haben wir uns, glaube ich … ach, das ist schon so lange her. Nicht wahr, Peter?«

Er nickte, ohne ein Wort zu sagen. Eigentlich starrte er sie ziemlich unverhohlen an, fand sie.

»Das ist also das exklusive Bed & Breakfast deiner Mum?« Grace ging ein paar Schritte auf das graue Schulhaus zu, das auch reetgedeckt war und aus einem Fotobildband über Irland zu stammen schien. Hinter der hauchzarten Gardine im Erkerzimmer des ersten Stocks hatte Grace eine Bewegung bemerkt.

Peter nickte und wandte sich dem Piloten zu. Er wirkte unschlüssig, und Grace merkte, wie er an seiner Unterlippe kaute. »Kann ich mit dir zurückfliegen?«

Der Pilot nickte. »Klar, aber sie bestimmt, wann wir fliegen.« Mit dem Kopf wies er in Graces Richtung.

»Auch gut. Dann können wir ja solange in den Pub.« Er hob kurz die Hand und ging in Richtung des kleinen Gartens des Pubs, in dem vier Tische unter Sonnenschirmen standen, die alle einladend aufgespannt waren. Sonne gab es hier auf den Inseln reichlicher als auf dem nahen Festland, wo erst einmal hohe Berge auf die Regenwolken vom Atlantik warteten, um sie genussvoll aufzureißen. Peter hielt plötzlich inne und drehte sich noch einmal zu Grace.

»Was führt dich hierher, ich meine, zu meiner Mutter? Sie hat hoffentlich keine Probleme mit Gardai?« Sein Gesicht verriet keine Regung.

»Nein, hat sie nicht.« Grace betonte ihre Antwort fast wie eine Frage. Als von ihm keine weitere Entgegnung kam, fuhr sie fort. »Man sagte mir, ich könne hier den bekannten irischen Koch Donal Joyce antreffen. Ich hoffe, die Information stimmt. Der Herr scheint flüchtiger zu sein als die Schwaden seiner reduzierten Essenzen.«

Peter nickte. »Der war eben noch in der Küche.« Dann verschwand er umgehend im Pub.

Irritiert schaute sie ihm einen Moment hinterher. Grace fühlte, dass sie beobachtet wurde, als sie durch den Vorgarten auf das Haus zuging. Noch bevor sie sie erreicht hatte, öffnete sich die Tür. Eine attraktive Frau mit dichtem schwarzem Bubikopf, der auf der linken Seite des geraden Scheitels eine hauchzarte silbrige Strähne aufwies, strahlte sie an. Pattie Burkes Alter war schwer zu schätzen. Irgendwo zwischen Anfang fünfzig und Mitte sechzig, überlegte Grace. Sie sah sicherlich jünger aus, als sie war.

»Ich kann es nicht fassen! Die kleine Grainne! Komm herein!« Einladend hielt sie ihr die Tür auf.

»Guten Tag, Pattie. Ja, es ist schon eine Weile her.« Grace registrierte das elegante Ambiente des Entrées. Der Hauch eines sicherlich sündhaft teuren Parfums streifte sie, als sie an Pattie vorbei ins Haus ging. Es roch ganz leicht nach Tuberose. Sie wurde in den Salon geführt, der mit Chesterfieldmöbeln aus Leder und bunten Samtsesseln bestückt war. Obwohl es Mai war, loderte im Kamin ein Torffeuer. Üppige Sträuße aus Pfingstrosen und Iris steckten in schlichten milchigen Glasvasen und sahen so altmodisch aus wie auf den Stillleben alter englischer Meister. Der Raum strahlte eine angenehme Mischung aus Eleganz, Luxus und Gemütlichkeit aus. Grace blickte sich um. Schließlich lächelte sie.

»So also lebt es sich im dritten Jahrtausend auf Inis Meáin. Gratuliere, Pattie.« Sie sagte es anerkennend und ehrlich, ganz ohne Ironie.

Pattie Burke bat Grace, Platz zu nehmen. Pattie war salopp gekleidet. Über einer weich fließenden graphitgrauen Hose trug sie eine hellgraue Tunika, die raffiniert geschnitten und gewickelt war. Graces Blick fiel auf ihre Füße. Sie trug knallrote marokkanische Hausschuhe aus weichem Leder wie aus Tausendundeiner Nacht, die vorne spitz zuliefen.

»Ja, ich hab mir gedacht, nicht kleckern, du weißt schon. Und es hat sich ausgezahlt.« Sie rief etwas auf Irisch in den Flur und setzte sich Grace gegenüber.

»Wie hat es sich ausgezahlt?«

»Nun, als ich mich vor ein paar Jahren entschloss, die alte Schule zu übernehmen, fragte ich mich, was heutzutage wirklich kostbar ist, und ich kam auf zwei Dinge.«

Pattie hatte die merkwürdige Angewohnheit, durch einen Menschen hindurchzuschauen, während sie mit ihm sprach. Grace war das unangenehm, weil man nie wusste, wo ihr Gegenüber wirklich hinschaute.

»Das erste ist Zeit. Das gilt für uns alle«, fuhr Pattie redselig fort. »Arm wie reich. Das zweite ist die perfekte Kombination aus Ruhe und geschützter Privatsphäre.« Ihre dunkle Stimme klang fast triumphierend. »Und das genau biete ich hier. Und zwar ausschließlich für Wohlhabende, ich meine wirklich Wohlhabende.« Sie hatte das Wort ›wirklich‹ tatsächlich einen Hauch stärker betont.

Grace nickte. »Du sprichst von denen, die man in der Regenbogenpresse gerne mal als ›Promis‹ bezeichnet.«

»Ja, das könnte man so sagen, obwohl der Begriff natürlich vulgär klingt.«

Grace nickte zustimmend und fuhr unvermittelt und direkt fort: »Ich arbeite in der vulgären Welt, Pattie. Bei uns Guards bleibt das nicht aus.« Wieder lächelte sie und strich sich mit der rechten Hand kurz das Haar aus der Stirn.

Auf einmal starrte Pattie sie unverhohlen an, als wäre sie eine Erscheinung. Was war geschehen? Grace fühlte ein unangenehmes Gefühl in sich hochkriechen. »Pattie?«

Pattie schüttelte sich, als wolle sie etwas abschütteln. »Tja, und auf Inis Meáin ist es ideal. Die Insel ist überschaubar. Keiner kommt auf die Insel oder von ihr herunter, ohne dass es registriert werden kann. Kein Baum, kein Strauch, nur Steine, hinter denen sich kein Paparazzi auf Dauer verbergen kann. Mein Haus liegt zwar nicht versteckt, aber dennoch abseits, sehr abseits. Womit kann ich dir helfen?«

»Donal Joyce. Ich hatte mich angekündigt. Ich muss dringend mit ihm sprechen.«

Pattie erhob sich, verkündete, der Tee sei auch gleich fertig, und verschwand. Nur wenige Augenblicke später ging die Tür auf und ein blonder hochgewachsener junger Mann erschien. Der Kochengel, wie Grace ihn heimlich nannte, sah wesentlich besser als im Fernsehen aus. Er trug eine alte Jeans und ein rot-schwarz geringeltes T-Shirt. Offenbar liebte er Ringel und Kringel. Erfreut streckte er Grace seine Hand hin. Sie begrüßten sich, und dann ließ er sich ins weiche Sofa plumpsen. Donal strahlte sie über das ganze Gesicht an.

»Toll, dass ich Sie endlich kennenlerne. Ich hab schon so viel von Ihnen gehört!« Er steckte beide Hände zwischen seine Knie und drückte sie.

»Von mir?« Grace schaute ihn schmunzelnd an.

»Die berühmte Grace O'Malley, die Zweite. Nach fünfhundert Jahren endlich ist sie wieder da und mischt ganz Galway auf! Super!«

Grace entschied sich, Donals Begeisterung für ihren Namen zu ignorieren.

»Seit wann arbeitete Annie McDoughall für Sie, Donal?«

Er überlegte einen Augenblick, dann lachte er wieder.

»Seit zehn Monaten.«

»Das wissen Sie so genau?«

Er nickte.

»Ist Ihnen in dieser Zeit etwas an ihr aufgefallen?«

»Ich hab sie ja nicht so oft gesehen, aber etwas fand ich schon komisch, Guard.«

»Was?« Grace war ein Stück nach vorne gerutscht und beobachtete ihn genau.

»Sie konnte nicht kochen.« Der Koch klang nicht entrüstet.

»Ja, und?« Nun klang Grace überrascht.

»Na ja, obwohl sie nicht kochen konnte und auch keine

Lust hatte, es zu lernen, wie sie mir mal versicherte, habe ich sie mehrmals dabei überrascht, wie sie in meinen Notizen schnüffelte. Das ist doch komisch, oder?«

Joyce fand sich interessant, das merkte man sofort. Auf eine nicht uncharmante Art war der Sunnyboy ziemlich eitel. Deshalb wunderte sich Grace über seine genaue Beobachtungsgabe. »Und was haben Sie daraus geschlossen?«

»Na ja, mag unbedeutend gewesen sein, keine Ahnung. Ich dachte nur, ich erzähl es Ihnen. Ich bin ja viel unterwegs und hab sie, wie gesagt, nicht oft persönlich angetroffen. Es tut mir leid um sie, armes Ding. Annie hat super geputzt. Alles immer topp!« Wieder strahlte Donal.

»Was machen Sie hier?«

Sein Lachen erstarb. »Hier bei Pattie, meinen Sie?« Es hatte ein paar Sekunden zu lang gedauert, bis er die Frage hervorgebracht hatte. Donal spielte auf Zeit, das war klar. Grace schaute ihn abwartend an. Schließlich ergriff sie das Wort.

»Kochen Sie hier?«

Erleichtert nickte er, und Grace hatte das Gefühl, mit dieser Frage einen Fehler begangen zu haben.

»Ja, ab und zu, nur so wegen alter Zeiten. Sie wissen schon. Pattie, Peter und ich stammen aus demselben Dorf.« Seine Stimme, die eh nicht sehr tief war, blieb oben, als schwebte sie. Aufmerksam schaute sie der blonde Mann an, als habe er einen Köder ausgeworfen. Es herrschte Stille. Donal schien auf ihre Reaktion zu warten. Die kam nicht. Grace schwieg beharrlich.

»Hören Sie, Grace, wir kommen alle aus denselben Käffern in Mayo, die Burkes, die Joyces, die O'Malleys. Sie sind auch von dort. Das weiß doch jeder.« Donal sah jetzt aus wie ein Kartenspieler, der ein verdammt gutes Blatt in der Hand hielt. Nun lehnte er sich genüsslich zurück, schlug die Beine übereinander und ließ ein Lächeln um seine Mundwinkel spielen.

»Da täuschen Sie sich.« Sie klang freundlich. »Ich bin zwar in Mayo geboren, in dem Kaff auf Achill, wo Sie anscheinend auch herstammen, doch bin ich nicht von dort. Das ist ein großer Unterschied. Ich bin in Dublin groß geworden. Meine Mutter ist Dänin und ...«

Donals lautes Lachen unterbrach sie.

»Grainne O'Malley! Sie sind aber wirklich süß! Sie sind und bleiben eine O'Malley, was immer sie sich auch einbilden mögen! Einmal eine O'Malley, immer eine! Das ist nun mal so! Ist ja auch wirklich nicht schlimm, oder?« Er zwinkerte ihr zu.

Grace schaute ihn irritiert an. »So, wie Sie es formulieren, hört es sich eindeutig nach einem Fluch an.« Sie vernahmen ein kurzes Klopfen, und dann trug Pattie Burke auf einem schwarz gelackten, japanisch anmutenden Tablett Tee mit hauchdünnen Lachssandwich-Dreiecken herein. Mit einem flüchtigen, leicht besorgten Blick auf den Koch zog sie sich schnell wieder zurück. Donal war, wie Grace registriert hatte, ihrem Blick ausgewichen.

»Wo waren Sie am letzten Sonntag, Donal?«

Er kräuselte die Stirn, als müsse er angestrengt überlegen.

»Wahrscheinlich war ich zu Hause in Galway.« Wieder das Strahlen.

»Wie wahrscheinlich?«

»Ich war zu Hause, den ganzen Tag, jetzt weiß ich es wieder. Habe mal rumgebummelt, das passiert auch nicht so oft. Ausschlafen ...«

»Zeugen?«, unterbrach sie ihn knapp.

Seine scheinbar gute Laune hatte sich nachdrücklich in sein Gesicht gegraben. Er schien sie an- und ausknipsen zu können, je nach Bedarf.

»Vielleicht eine Freundin?«

»Ich habe keine im Moment seit ...«

»Seit?«

»Seit meine letzte Beziehung vor ein paar Wochen in die Brüche gegangen ist. Das hat mir erst mal gereicht.«

Es schien in ihm zu arbeiten. Als wäre er in seiner Erinnerung für ein paar Sekunden in etwas sehr Hässliches eingetaucht. Schließlich wagte Grace einen Vorstoß. »Wollen Sie mir etwas erzählen? Etwas, das mit Annie und nicht mit ihrer Beziehung zu tun hat?«

Fast verlegen griff er rasch zu einem Sandwich und biss hinein. »Gott, ist dieser Lachs ein Traum. Ich habe ihn selbst gefangen und geräuchert.«

Grace griff ebenfalls zu, ließ ihn aber nicht aus den Augen. Sie wartete.

»Also gut«, er rang ganz offensichtlich mit sich. »Ich weiß wirklich nicht, ob es wichtig ist ... Als ich Annie das letzte Mal gesehen habe ...« Wieder brach er ab.

»Da Sie mir ja mindestens so viel zutrauen wie meiner illustren Vorfahrin, sollten Sie mich testen. Wann also haben Sie Annie das letzte Mal gesprochen?«

Der Koch schaute verwirrt hoch. »Am Freitag, als sie bei mir putzte.«

»Und?«

»Nichts und. Das war wie immer.«

Grace seufzte leise. »Aber Sie sagten doch gerade, es könnte wichtig sein.«

Nun blitzte sie der junge Mann fast wütend an. »Ich sagte: ›Als ich sie das letzte Mal gesehen habe‹, nicht ›als ich mit ihr geredet habe‹. Das ist etwas völlig anderes!« Er bebte und Grace schaute ihn verwundert an. Ein Choleriker getarnt im Ringelhemd, dachte sie sich. Grace war es nie schwergefallen, gelassen zu bleiben, wenn sich Zeugen bei Verhören aufregten.

Ihr Blick fiel auf ein Ölgemälde, das ihr vorher nicht aufgefallen war. Es zeigte drei Männer, die den traditionellen Curragh, das schwarz geteerte Fischerboot der Aran Inseln, trugen. Von ihnen waren nur die sechs Beine zu sehen. Ihre Köpfe und Oberkörper steckten im Rumpf des Bootes, das sie umgedreht trugen. Ein weltbekanntes Motiv, das auf Karten und T-Shirts prangte, doch dieser Künstler hatte es auf sehr subjektive Weise neu eingefangen. Grace war fasziniert, und sie erkannte zum ersten Mal die Botschaft, die sich dahinter verbarg: Man sah immer nur die Hälfte der Wahrheit.

Joyce hatte sich wieder etwas beruhigt und redete weiter: »Am Freitag habe ich mit ihr geredet, aber am Samstagabend habe ich sie noch einmal gesehen, allerdings nur von Weitem. Ich bin sicher, dass sie mich nicht gesehen hat.«

Grace wusste im selben Augenblick, dass diese Information, wenn sie denn stimmte, für ihre Ermittlung wirklich wichtig war. »Wann war das und wo genau?« Grace war elektrisiert. Endlich. Das war ein Schritt nach vorn. Nun lächelte sie ihn auch an.

Er hatte allerdings sein Lächeln ausgeknipst. Der Starkoch schien beleidigt. »Das muss so gegen fünf Uhr abends gewesen sein. Ich kam gerade aus dem Büro meines Agenten in der Harcourt Road. Da sah ich sie ein Stück weiter aus einem Taxi steigen. Sie war allein.«

Die Harcourt Road lag nur zwei Minuten von Murphys Haus entfernt, das wusste sie. Das Taxi sei noch ein ganzes Stück entfernt von ihm gewesen. Deshalb sei er sich auch sicher, dass sie ihn nicht gesehen habe. Danach sei sie in die entgegengesetzte Richtung gelaufen.

»War das alles?«

Joyce nickte heftig. Zu heftig, wie es ihr schien.

»Wenn Ihnen noch etwas einfällt, dann melden Sie

sich bitte umgehend bei mir.« Sie gab ihm ihre Karte, die er sofort einsteckte.

Dann verabschiedete sie sich. Pattie, die anscheinend in der Küche gewesen war, brachte Grace an die Tür und begleitete sie noch ein paar Schritte durch den prächtig blühenden Vorgarten. Grace schaute sich um. »Wunderschön haben Sie es hier. Ein kleines Paradies! Hier müsste man mal ausspannen.«

Pattie lächelte und hielt ihr die Hand hin. Grace verabschiedete sich und steuerte unmittelbar auf den Pub schräg gegenüber von Patties Haus zu. Sie hatte sehr wohl registriert, dass die geschäftstüchtige, scheinbar so gastfreundliche Pattie Burke sie nicht aufgefordert hatte, bei ihr ein paar Tage Urlaub zu machen.

13

Peter Burke saß schon auf seinem Platz, als Grace die kleine Maschine bestieg. Sie setzte sich in die Reihe vor ihn, nickte ihm kurz zu und vertiefte sich dann sofort in ihre Notizen auf dem Tablet, wie um ihm zu signalisieren, dass sie nicht mit ihm reden mochte. Was sollte er davon halten?

Das Leichtflugzeug rollte auf die kurze Startbahn. Außer ihm und Grace saßen noch zwei Geschäftsleute in der letzten Reihe, die sich angeregt unterhielten und ihnen keine Beachtung schenkten. Als sie abhoben, konnte er gut das kleine Dorf am nördlichen Rand von Inis Meáin erkennen, und gleich neben dem Pub sah er das Schulhaus seiner Mutter. Der großzügige Garten war schon jetzt ein einziges Blütenmeer, obwohl der

Sommer noch gar nicht richtig angefangen hatte. Eingerahmt wurde er von einer undurchdringlichen Eibenhecke. Als das Flugzeug höher stieg, konnte Peter im Garten zwei Menschen in einer anscheinend heftigen Auseinandersetzung ausmachen. Es waren seine Mutter und Donal Joyce. Dann drehte das Flugzeug ab und nahm Kurs über das Meer.

Peter hatte ein sehr enges und liebevolles Verhältnis zu seiner Mutter. Er war allein mit ihr aufgewachsen, da sein Vater schon gestorben war, bevor er sich noch an ihn hätte erinnern können. Seine Mutter hatte ihm nur wenig von ihm erzählt, und obwohl die Verbindung zwischen ihm und seiner Mutter immer sehr eng gewesen war, hatte sie nie geklammert und ihn an sich binden wollen, als er alt genug war, seine eigenen Wege zu gehen. Pattie hatte allerdings auch immer ihr eigenes Leben gelebt, und sie besaß, wie es ihm seit einiger Zeit aufgefallen war, auch ihre eigenen Geheimnisse. Was ging dort auf der Insel vor sich? Wenn Peter ihr, selten genug, vage Fragen zu ihren Einkünften gestellt hatte, waren ihre Antworten noch viel vager ausgefallen. Leicht dahingesprochene Phrasen, wie immer bei ihr, charmant und witzig formuliert.

Peter runzelte die Stirn und schaute zu Grace. Auch sie hatte aus dem Fenster geschaut und wohl die unschöne Szene im Garten beobachten können. Kurzentschlossen stand er auf und wechselte die Reihe. Ohne zu fragen, setzte er sich auf den leeren Sitz neben sie am Gang. »Ich hoffe, ich störe nicht?«

Grace blickte auf.

Er hätte sie jederzeit wiedererkannt, auch wenn es mindestens zwanzig Jahre her war, dass er sie in seinem Heimatdorf auf Achill das letzte Mal gesehen hatte. Schon als Junge hatte er sie heimlich aus der Ferne angehimmelt. Auch damals war sie ihm unnahbar erschienen. Rätselhaft und faszinierend in ihrer Art, den Menschen um sie herum stets etwas distanziert und abschätzend zu begegnen. In anderen Momenten konnte sie dann durchaus aufgeschlossen und gesprächig sein. Ihre Ironie, die Selbstironie mit einschloss, war erfrischend gewesen und bei Mädchen, wie er fand, selten anzutreffen. Das hatte ihn damals schon angezogen. Nun war sie plötzlich wieder da. War in die Stadt gezogen, in der er seit vielen Jahren lebte, in der er auch nach dem Scheitern seiner Ehe vor drei Jahren geblieben war. Er wollte so gerne auf sie zugehen. Er musste nur einen Weg finden, seine Unsicherheit ihr gegenüber zu überwinden.

»Schön, dass du wieder da bist, Grainne.« Er versuchte, unbeschwert und selbstverständlich zu klingen. Sie lächelte ihn an. Er fand sie schöner denn je.

»Ich bin eigentlich nie hier gewesen, nicht wirklich.« Sie drehte eine Strähne ihres Haars um den kleinen rechten Finger.

»Ich spreche von unserer Kindheit. Im Westen. Auf Achill.«

»Zählt das?« Wieder schwang in ihrer Stimme dieses leicht Belustigte mit, das ihn schon als Junge verrückt gemacht hatte. Er drehte sich etwas von ihr ab und seufzte.

»Ich erzähle dir mal was: Donal Joyce und ich sind, wie du vielleicht weißt, auf dieselbe Schule gegangen. Wir waren damals unzertrennlich. Dann verloren wir uns aus den Augen. Als wir uns als Erwachsene vor ein paar Jahren in Galway wieder über den Weg liefen, hatten wir uns nichts mehr zu sagen. Er kocht und ich …«

»Was machst du, Peter? Offenbar kochst du nicht.« Die kleine Maschine ruckelte einen Moment stark und sackte ein Stück nach unten. Sie ignorierten die Turbulenz.

»Nein, aber ich schnüffle ganz brauchbar.«

Sie hörte aufmerksam zu, unterbrach ihn jedoch nicht.

»Ich habe eine gut gehende, aber unbedeutende Detektei in der Stadt. Schon seit über zehn Jahren.«

»Dann haben wir durchaus Gemeinsamkeiten. Fürs Schnüffeln braucht man eine gute Nase, und man muss sich einen ausgeprägten und scharfen Blick bewahren, um in unserer schwierigen Branche erfolgreich zu sein.«

Ihre eismeergrünen Augen ruhten leicht spöttisch auf seinem Gesicht. Peter konnte gerade noch leicht verwirrt nicken, als sie fortfuhr: »Steckst du deine Nase in alles?«

Die Anschnallzeichen blinkten matt über ihnen auf, und sie registrierten das veränderte Motorengeräusch beim Anflug auf Rossaveel.

»Mein Gebiet sind halb legale und illegale Geschäftsbewegungen, Firmenspionage, Schmuggelaktivitäten, Steuerkriminalität. Ein weites und, für einen gelernten Ökonomen wie mich, ein äußerst spannendes und lukratives Feld, in dem es immer wieder verblüffend Neues und Hässliches zu entdecken gibt.«

»Das glaube ich sofort. Was man so mitbekommt, ist das ein Bereich, in dem geballte kriminelle Energie nur so sprudelt und in dem Gardai in der Zukunft noch einiges erwarten darf.«

»Vor zwanzig Jahren, vor dem Boom, hätte ich von meinem Beruf niemals leben können. Aber mit dem keltischen Tiger kroch die Gier und das Böse auch in unsere kleine Welt. Jetzt, da dem Tiger die Luft ausgegangen ist, kommt vieles an die Oberfläche. Wenn das Geld ausbleibt, schärfen selbst ganz kleine Ratten die Krallen und werden richtig gemein.« Grace nickte nachdenklich.

Peter nahm sich ein Herz. »Ich habe in der Vergangenheit öfter mit der Gardai zusammengearbeitet, und es würde mich freuen, wenn es auch in Zukunft dazu käme.«

Grace blickte ihn unverwandt von der Seite an. Sie wirkte auf einmal abweisend.

»Wir werden sehen«, entgegnete sie kühl. »Wenn es sich ergibt. Ich vermute jedoch, dass es auch in unseren Reihen Wirtschaftsexperten gibt.«

Peter schluckte. »Natürlich, Graínne, es war auch nur ein Angebot.« Er wollte aufstehen, doch dafür war es jetzt zu spät. Der Pilot setzte zur Landung auf der kurzen Bahn an. Sie schwebten nur noch wenige Meter über dem Boden. Peter schwieg. Er ärgerte sich über sich selbst und auch über Grace. Wieso kanzelte sie ihn so ab? Grace schien seine Verstimmung gar nicht wahrzunehmen, denn sie wechselte mit gelassener Stimme zu einem anderen Thema.

»Was weißt du über Biopiraterie? Sagt dir das was?«

Unwillig schaute er sie an und seufzte. »Du sprichst von der Arbeit des PC?«

Sie nickte.

»Wenig. Es ist ein ziemlich neues Gebiet mit einer Menge Möglichkeiten.« Er war wieder etwas besänftigt. »Wenn du magst, mache ich mich schlau.«

Aber sie ging nicht auf sein Angebot ein. Stattdessen wechselte sie wieder abrupt das Thema. »Von was lebt deine Mutter eigentlich?«

»Wie meinst du das? Du hast doch ihr Bed & Breakfast gerade besucht.«

»Deshalb frage ich ja. Wie kann sich so etwas Exklusives auf einer Insel wie Inis Meáin halten?«

Peter strich sich seine schwarzen Haare zurück und überlegte einen Moment. Es war ihr also aufgefallen. In dem Moment setzte das Flugzeug hart auf der Landebahn auf und wackelte noch ein Stück die Piste entlang. Als Peter antwortete, hielt er den Blick starr geradeaus gerichtet und sah Grace nicht an. Seine Stimme klang hart. »Pattie kennt Gott und die Welt. Hier geht eben vieles, wenn man gut vernetzt ist.« Jetzt drehte er sich zu Grace um und schaute ihr in die Augen. »Aber das musst du ja am besten wissen.«

Grace zog die Augenbrauen hoch und schwieg. Die kleine Maschine hatte scharf gebremst und stand nun still. Nach ein paar Sekunden löste Peter den Gurt und erhob sich. Als er seine Tasche gegriffen hatte und kurz einen Blick zurückwarf, hatte sich Grace bereits zum Fenster gedreht und blickte angestrengt hinaus.

»Bis später, man sieht sich!« Er zögerte und ging dann rasch Richtung Tür.

Sie blickte nicht auf.

14

Die schiefergrau glänzenden Felsen am Küstenstreifen zwischen Rossaveel und Spiddal sahen in der Dämmerung wie überdimensionierte ungeschliffene Halbedelsteine aus, die einst ein Goldschmied aus dem sagenhaften Stamm der Túatha Dé Danann, der keltischen Riesen, vergessen haben mochte. Peter sah sie nicht. Nur mühsam konnte er sich auf den Verkehr auf der Landstraße 372 Richtung Galway konzentrieren. In ihm brodelte es. Was bildete sie sich ein?

Sie war schön, zugegeben, und sie war intelligent. Aber hatte sie dadurch das Recht, ihn wie einen kleinen Jungen abzufertigen? Ihre Arroganz hatte ihn maßlos geärgert.

Die ersten Lichter von Spiddal tauchten auf. Die erste Ampel im Ort war rot. In Peters Kopf arbeitete es weiter.

War Graínne tatsächlich arrogant? Vielleicht tat er ihr nur aus verletztem Stolz unrecht? Wenn er ehrlich war, konnte er sie nur schwer einordnen. Ihre Distanziertheit mochte eher eine Mischung aus Unsicherheit und Eigenwilligkeit sein. Das war ihm schon damals aufgefallen, als ihre beiden Großeltern kurz hintereinander gestorben waren. Beim Begräbnis der Großmutter hatte er Grace das letzte Mal gesehen, wenn er sich recht erinnerte. Damals hatte er nicht gewagt, sie anzusprechen. Umgeben vom ganzen Clan der O'Malleys, hatte sie dennoch einsam und allein am Grab gestanden. Mit Dara hatte er sich später im Pub unterhalten, während Graínne stumm und abweisend zwischen den trauernden Dorfbewohnern und ihren Familienangehörigen saß, wie eine Gefangene in einem Glaskasten.

Pattie war als Einzige im Dorf nicht zur Beerdigung gekommen. Als ihn ein Nachbar darauf angesprochen hatte, erfuhr er, dass Pattie und Graínnes Vater, Shaun O'Malley, einst ganz offiziell liiert gewesen waren. Sie hatten sogar als heimlich verlobt gegolten. Er konnte sich noch erinnern, wie bestürzt er darüber gewesen war. Bestürzt, weil er es nie gewusst hatte.

Die Ampel wechselte auf Grün und Peter gab Gas. Das Meer zu seiner Rechten hatte sich weit zurückgezogen, und in der Ferne konnte er am Ende der großen Bucht, in Halbmondform aufgereiht, die schimmernden Lichter der Stadt erkennen. Einige unverdrossene Angler hatten am grauen Kai von Barna ihre Angeln an die Mauer gelehnt und warteten geduldig auf die Flut, die sich noch lange nicht einstellen würde.

Peter wusste noch, dass es Wochen gedauert hatte, bis er seinen ganzen Mut zusammengenommen hatte und seine Mutter nach dem Grund ihres Fernbleibens vom Begräbnis gefragt hatte. Immerhin war ein Mitglied der wichtigsten Familie im Dorf beerdigt worden, und eine Nichtteilnahme an einer Beisetzung war eigentlich nur durch eigene Krankheit oder Hinfälligkeit entschuldbar. Oder man war ausgewandert.

Zunächst war Pattie seiner Frage ausgewichen. Als er sie schließlich sehr direkt und pubertär undiplomatisch mit seinen Kenntnissen über ihre frühere Beziehung zu Shaun O'Malley konfrontierte, hatte sie ihn angebrüllt und war außer sich gewesen. Nie zuvor und nie wieder danach hatte er seine Mutter so erlebt. Fortan rührte er dieses Thema nicht mehr an und zog es vor, seine Neugierde über auskunftsfreudige Dorfbewohner zu befriedigen. So hatte er herausgefunden, dass die Beziehung vor vielen Jahren ganz plötzlich und unerwartet in die Brüche gegangen war und niemand im Dorf den wahren Grund wusste. Sicher war jedoch, dass die Dänin, Graínnes Mutter, zu diesem Zeitpunkt noch nicht ins Leben des ältesten Sohns der einflussreichen O'Malleys getreten war. Sie erschien erst kurze Zeit später, auf der Suche nach dem Haus, in dem ein skandinavischer Schriftsteller in den Fünfziger- und Sechzigerjahren gelebt und geschrieben hatte. Shaun hatte ihr wohl bei den Nachforschungen geholfen, und so verliebten sich die beiden und heirateten bald darauf. Die Tatsache, dass beide nach der Hochzeit nicht auf Achill blieben, sondern in die Hauptstadt Dublin zogen, hatte im Dorf für Überraschung und einige hochgezogene Augenbrauen gesorgt, nicht zuletzt, als der Grund dafür bekannt wurde: Die Skandinavierin hatte nämlich am feinen Dubliner Trinity College eine Dozentenstelle inne. Und da moderne Ausländerinnen, im Gegensatz zu den meisten Irinnen, auf Berufstätigkeit größten Wert legten, war ihr der frisch angetraute Ehemann in die Stadt gefolgt. In den Augen der westirischen Dorfbewohner eigentlich ein

Skandal. Peter erinnerte sich noch vage an die allgemeine Empörung, nur Pattie war darüber erleichtert gewesen. So schien es ihm zumindest.

Der Abendverkehr war immer dichter geworden, und Peter musste sich zunehmend konzentrieren. In Salthill war für die Vorsaison viel los. Junge Leute zogen in Gruppen lachend mit großen Plastikbeuteln in den Händen über die Strandpromenade, auf der Suche nach einem trockenen, geschützten Partyplatz auf dem feinsandigen Strand. Links von ihm lag der Vergnügungspark des Badeorts, und Peter konnte das rhythmische Wummern der Musik sogar durch das geschlossene Fenster seines Wagens spüren. Da drüben bei der Geisterbahn hatten sie die Leiche des Mädchens gefunden.

Plötzlich kam ihm ein Wagen entgegen, und Peter riss abrupt das Steuer herum, um ihm auszuweichen. Der andere hupte laut, und die Leute am Straßenrand blieben stehen und hoben erschrocken die Arme. Jemand schrie. Noch einmal gut gegangen. Erschrocken merkte er, dass er es gewesen war, der auf die falsche Spur geraten war. Er atmete tief durch und richtete jetzt seine Aufmerksamkeit voll und ganz auf das Straßengeschehen. Langsam arbeitete er sich zu den Docks vor, wo er eine kleine Wohnung über seinem Büro hatte. Er war erschöpft und müde und freute sich darauf, endlich sein kleines Reihenhaus aufschließen zu können. Hatte er das Licht im Büro angelassen? Er konnte sich nicht erinnern. Müde fuhr er sich über die Augen bevor er den Schlüssel ins Schloss der dunkelgrünen Haustür steckte.

15

»Na, wer seid denn ihr?«

Liebevoll hatte sich Rory zu den drei Hunden gebeugt, die ihn, nachdem er in der Einfahrt der schmucken Villa geparkt hatte und ausgestiegen war, freundlich umringten und beschnüffelten. Bei zwei von ihnen brauchte er sich nicht nennenswert zu bücken, um ihnen den Hals zu kraulen. Es waren Irish Wolfhounds, die es spielend zu einer Schulterhöhe von einem guten Meter schafften. Der dritte im Bunde, ein schwarz-weißer Jack Russel Terrier, steckte gerade schwanzwedelnd seine Schnauze in Rorys Socken. Höher würde er bei seiner geringen Größe nicht kommen.

»Du bist hier aber der Boss! Das merke ich sofort«, sagte Rory zu dem kleinen Hund und machte sich dann zusammen mit dem freudig bellenden Rudel auf den Weg durch den Garten zum Haus. Der Rasen war übersät von Kinderspielzeug, was Rory sofort gefiel. Gärten und Rasen waren für Kinder zum Toben da. So hielten es die Coynes auch. Allerdings war ihr Haus am Stadtrand von Galway sehr viel bescheidener als dieses großzügige Anwesen im feinen Oughterard.

»Ein Guard, ein Guard!«

Auf einmal standen ein Mädchen und ein Junge vor ihm, nahmen ihn wie selbstverständlich an der Hand und führten ihn auf die leicht erhöht liegende, überdachte Terrasse, die von cremefarbenen halbhohen Callas und einem Meer rosafarbener Kletterrosen eingerahmt wurde.

In dem Moment trat eine gut aussehende Frau, Mitte dreißig mit langem blondem Haar, auf die Terrasse. Sie hatte ein Handy am Ohr und winkte Rory freundlich zu, näher zu kommen.

»Daddy ist in London, nur Mummy ist da.« Es war der etwa zehnjährige Junge, der Rory ungefragt diese Information gegeben hatte. Rory lachte. »Danke, mein Junge. Du weißt, worauf es ankommt, wenn Garda im Anmarsch ist. Wie heißt du denn?«

»Colm.«

»Und du?«, wandte er sich an das jüngere Mädchen. Auch sie antwortete wie aus der Pistole geschossen. »Laura und ich bin sieben.«

»So heißt auch eine meiner Töchter. Ein schöner Name.« Rory schaute sich nach einem Sitzplatz um. Die blonde Frau wedelte einladend mit der freien Hand und forderte ihn damit auf, in der Sitzecke Platz zu nehmen. Es war ein gemütliches Ensemble aus altmodischen, aber neuen Korbstühlen. Rory hob einen kleinen Stapel von Zeitungen und Magazinen vom Sessel auf, legte ihn sorgfältig auf den Beistelltisch neben sich und setzte sich dann. Sein Blick fiel auf die Zeitung von heute. Auf der ersten Seite war ein Beitrag über den Leichenfund in Galway zu sehen mit dem Hinweis auf Seite fünf. Er hatte den Artikel mit Annies Bild in der Irish Times am Morgen kurz überflogen. Als er aufschaute, blickte er in fünf Paar erwartungsvoll dreinblickende Hunde- und Kinderaugen. Der Terrier nahm kurz Maß und sprang dann auf seinen Schoß. Rory streichelte ihn lächelnd. Die Dame des Hauses hatte jetzt ihr Telefonat beendet und begrüßte Rory freundlich.

»Entschuldigen Sie, Guard, aber es ging nicht schneller. Darf ich Ihnen etwas anbieten? Kekse, Tee?« Rory zögerte einen Augenblick, aber da die Abendbrotzeit und damit ein leckeres Kaninchenragout von seiner Frau in überschaubare Nähe gerückt war, blieb er standhaft und lehnte dankend ab.

»Was kann ich für Sie tun? Ich habe Sie noch nie hier

in Oughterard gesehen. Ich bin übrigens Maggie Cadogan.« Freundlich streckte sie ihm die Hand hin.

»Ich komme aus Galway, Sergeant Coyne, und …«, er zögerte. »Kinder, wer bringt mir zuerst fünf verschiedene Blüten, deren Namen alle unterschiedliche Anfangsbuchstaben haben? Laura, du brauchst nur drei, weil du noch jünger bist.« Mit einem Schrei der Begeisterung stoben die beiden Kinder davon, gefolgt von den Hunden.

Maggie lachte laut auf. »Das ist aber mal eine super Idee, Guard, Kompliment.«

»Ich hoffe, ich ruiniere mit meiner Idee nicht den Garten.«

Maggie schüttelte den Kopf. »Kein Problem. Hier regieren die Kinder!«

»Sag ich doch, ich habe selbst sechs Kinder, und obwohl sie schon etwas älter sind, bin ich noch gut im Training.« Er schwieg einen Moment, und Maggie wiederholte ihre Frage.

»Bitte entschuldigen Sie, ich wollte nicht, dass die Kinder das mitbekommen. Es geht um Annie McDoughall.«

Das Gesicht der blonden Frau blieb ohne Reaktion. »Tut mir leid, aber der Name sagt mir nichts.«

Einen Augenblick lang war Rory überrascht, versuchte aber, das nicht zu zeigen. »Sie putzte bei Ihnen. Soweit wir wissen.«

Da hellte sich Maggies Gesicht auf. »Ach die Annie! Tut mir leid, dass es nicht sofort bei mir geklingelt hat. Ich hab mich wirklich nicht an ihren Nachnamen erinnern können. Für uns war sie einfach nur Annie.«

Rory nickte und schaute sie aufmerksam an. Von Weitem hörte man die Kinder aufgeregt bei ihrer Suche, die Hunde bellten dazu.

»Sie hatte über ein Jahr für uns geputzt, als wir noch in Galway wohnten, und da wir nun schon gute acht

Monate hier draußen leben, haben wir sie seitdem nicht mehr gesehen.«

»So weit ist es doch gar nicht von Galway«, warf Rory ein. Maggie nickte eifrig, als stimme sie voll und ganz zu.

»Aber Annie wollte nicht so weit mit dem Bus fahren, das hätte sich für sie nicht gelohnt. Das war letztlich auch der Grund, warum sie das Arbeitsverhältnis damals beendet hat. Mein Mann und ich, aber besonders die Kinder haben das sehr bedauert.«

»Verstehe.«

Die Kinder hockten auf dem Rasen und stritten anscheinend über das, was sie dem Guard gleich präsentieren wollten.

»Haben Sie jemand anderes gefunden?«, hakte Rory nach.

Maggie Cadogan nickte.

»Ja, das schon, aber an Annie reicht sie leider nicht heran. Warum fragen Sie nach Annie?«

Rory wartete einen Moment, bevor er ihr antwortete, als müsse er abwägen, wie er es formulieren sollte. »Annie McDoughall ist ermordet worden.« Er hatte sich für die direkte Variante entschieden und blickte Maggie Cadogan dabei unmittelbar ins Gesicht.

Ihre Augen weiteten sich vor Unglauben. »Wann?«, fragte sie mit heiserer Stimme.

Rory wunderte sich etwas darüber, dass sie sofort nach dem Wann und nicht nach dem Wie fragte, was normaler gewesen wäre. Aber er berichtete ihr knapp, was er erzählen durfte. Mrs Cadogan war sichtbar bedrückt und den Tränen nah. In dem Moment kehrten die Kinder mitsamt Hunderudel zurück. In der Hand hielten sie jeweils ein Blütensträußchen, denen sich Rory erleichtert widmete. Nach wenigen Sekunden erklärte er beide Kinder zu Siegern.

»Mummy, warum weinst du?« Laura war auf den Schoß der Mutter geklettert und schlang beide Arme um ihren Hals. Maggie lächelte sie an und schnäuzte sich dann in ein Papiertaschentuch, das sie aus ihren Jeans gefischt hatte.

»Ich bin nur traurig, weil es Annie nicht gut geht, Schatz. Du erinnerst dich doch noch an Annie, die uns in Galway immer geholfen hat und auch so toll mit euch gespielt hat?« Die Kleine nickte heftig.

»Annie ist ermordet worden. Ich hab's gelesen.« Fast verächtlich streifte Colm seine Mutter mit den Augen.

Rory zog die Augenbrauen hoch, und Maggie warf ihm über den Rücken ihrer Tochter hinweg einen hilflosen Blick zu. Rory stand daraufhin auf und beugte sich zu dem Jungen, während er gleichzeitig einen der beiden riesigen Wolfhounds kraulte.

»Du hast es schon gewusst?« Der Junge nickte.

Maggie setzte Laura ab. »Der Guard muss jetzt gehen, Kinder.«

Rory wusste nicht recht, was er jetzt tun sollte, denn die Frau wollte offenbar ihre Kinder nicht noch weiter mit dem heiklen Thema belasten. Als Vater konnte er das gut verstehen, als Polizist hätte er gerne noch einige Fragen beantwortet bekommen. Das musste er wohl verschieben. »Leider muss ich jetzt wirklich gehen. Kommt ihr noch mit zum Auto, Kinder?« Er zwinkerte Maggie zu, und alle anwesenden Zwei- und Vierbeiner marschierten durch den Garten zurück zu Rorys Auto. Maggie reichte ihm zum Abschied die Hand, und er drückte sie. Ihm gefiel diese Familie.

»Tut mir wirklich leid, Guard, dass ich Ihnen nicht weiterhelfen konnte. Mein Mann ist geschäftlich in London, aber er hätte auch nichts anderes gewusst. Wir haben Annie ja schon seit Monaten nicht mehr gesehen.«

»Stimmt doch gar nicht!« Colm warf seiner Mutter einen vorwurfsvollen Blick zu.

Rory hatte schon die Tür zu seinem Wagen geöffnet, hielt dann aber inne. Maggie schaute ihren Sohn ungeduldig an und trommelte mit den Fingern an die Autotür. »Was noch, Colm? Geht das wieder los?«

Der Junge ignorierte die Bemerkung seiner Mutter und stellte sich nahe zu Rory. »Sie war noch einmal hier, ich hab es genau gesehen!«

Maggie strich ihrem Sohn beruhigend über das Haar. »Da hast du dich getäuscht, Colm.«

Der Junge schien empört. »Hab ich nicht! Es war schon dunkel, und ich hab von oben gesehen, wie sie kam, aber ihr habt mich nicht gesehen!«

Rory blickte zunächst auf das Kind, dann schaute er fragend die Mutter an, als erwarte er eine Erklärung.

»Ach, das meinst du!« Maggie klang nun erleichtert. »Das war Siobhan, die große Tochter von Seamus, unserem Nachbarn. Sie hat uns etwas gebracht. Ja, Colm, du hast ganz recht, da war es schon dunkel. Sie sieht Annie von Weitem tatsächlich etwas ähnlich. Du bist ja auf Zack, Colm! Vor dir kann man absolut nichts verheimlichen!«

Sie lachte und strubbelte ihm liebevoll durch sein Haar, während ihr Sohn immer noch wütend guckte.

»Vielleicht solltest du zu Garda gehen, Colm!«, lachte ihn Rory an. Doch der Junge hatte sich schon wortlos umgedreht und trottete in Begleitung der Hunde zurück zum Haus. Rory schaute ihm nach. Seltsam, der Junge wirkte irgendwie verloren.

Zwei Minuten später bog Rory von dem kleinen Weg auf die Hauptstraße nach Galway ab, und Maggie und Laura winkten ihm hinterher.

Es war kurz nach der Ortsausfahrt, als Rory den Blinker setzte und abrupt links an einer Bushaltestelle hielt. Er stellte den Motor ab und versuchte, sich zu konzentrieren. Dazu notierte er sich ein paar Stichwörter auf dem halb zerknüllten Zettel, den er aus dem Handschuhfach geangelt hatte. Dann konnte er die Fahrt ins zwanzig Kilometer entfernte Galway beruhigt fortsetzen. Gott sei Dank fuhr er antizyklisch, da zum Feierabend alle aus der Stadt strömten.

Kurz vor der Ampel des neuen Technologieparks durchzuckte es ihn ohne Vorankündigung. Fast hätte er die rote Ampel an dieser belebten Kreuzung überfahren. Man hatte ihn belogen! Rory war sich absolut sicher. Nur wer und was war es gewesen? An diesem Tag hatte er Annies Familie im verlassenen Nordmayo und dann die Familie Cadogan im exklusiven Oughterard besucht. Zwei Familien, die unterschiedlicher nicht hätten sein können. Die eine gefangen in einer tristen irischen Vergangenheit, die andere das erfolgreiche, kosmopolitisch liberale, unstete Irland der Boomjahre verkörpernd. Bei beiden stimmte etwas nicht, das spürte Rory. Und jemand hatte ihm Lügen aufgetischt. Er wusste nur noch nicht wer, was und warum. Er kramte in seinen Erinnerungen, ließ die Gespräche noch mal Revue passieren. Aber er kam nicht drauf. Es hatte etwas damit zu tun, was er zufällig gehört oder beobachtet hatte. Rory fluchte, als er in die Einfahrt seines Hauses einbog. Er war sich hundertprozentig sicher, dass ihn jemand belogen hatte: frech, schamlos, hinterhältig, gefährlich.

16

Nach ihrer Rückkehr von Inis Meáin hatte Grace vergeblich versucht, ihren Bruder zu erreichen. War das ein gutes oder ein schlechtes Zeichen? Dara hatte auch keine Nachricht auf ihr Handy geschickt. Grace bemerkte auf einmal, dass sie hungrig war, doch sie wollte nicht allein mit ihrer Sorge um Roisin zu Hause essen. Sie beschloss, ins Spaniard's Head zu gehen. Fitz' Küche war exzellent, außerdem hatte sie das Bedürfnis, ihr unmögliches Verhalten ihm gegenüber am Morgen zu entschuldigen. Sie mochte ihn, und ihr kindisches Benehmen tat ihr leid.

Grace warf sich ihre Jacke über und schlug den Weg Richtung Innenstadt ein. Als sie in die Shop Street einbog, die enge Fußgängerzone der alten Hafenstadt, versuchte sie, Rory anzurufen, doch er nahm nicht ab. Einer spontanen Eingebung folgend, rief sie bei Garda in Dalkey an, und tatsächlich: Es gab Neuigkeiten. Roisin O' Malley war wohlbehalten im Kloster Merciful Heart of Mary in der Grafschaft Westmeath unweit von Dublin aufgetaucht, und es ging ihr angeblich gut. Die Eltern waren schon benachrichtigt worden. Grace war so erleichtert, dass sie darauf verzichtete, den Kollegen darauf hinzuweisen, dass sie als leibliche Mutter auch ein Anrecht auf eine Benachrichtigung gehabt hätte. Der Kollege wünschte ihr noch »God bless« und legte auf.

Neben der Erleichterung bahnten sich dann schließlich doch wieder Wut und Empörung in Grace den Weg. Dara hätte sie umgehend anrufen müssen! Was fiel ihm eigentlich ein, sie so außen vor zu lassen? Er hatte doch gewusst, dass sie sich Sorgen machte. Wütend stieß sie die Tür zum Pub auf, den sie inzwischen erreicht hatte. Fitz war jetzt genau der richtige Mensch, den sie zu sehen hoffte. Er stand tatsächlich hinter dem Tresen und unterhielt sich angeregt mit einem Gast, der ihr den Rücken zugekehrt hatte. Trotzdem erkannte sie ihn sofort. Es war Peter Burke.

Ohne zu zögern, drehte sich Grace um und verließ den Pub.

17

»Es geht ihr gut, glauben Sie mir, nur hält es Ihre Tochter für sinnvoll, mit niemandem … aus der Familie zu reden, bis sie sich erholt hat. Eine, wie ich denke, sehr reife Entscheidung.«

Die Äbtissin des Klosters Merciful Heart of Mary klang entspannt und vertrauenerweckend.

»Sie ist erst vierzehn, Mutter Oberin, das dürfen Sie nicht vergessen.«

»Genau aus diesem Grund habe ich ja Gardai verständigt, als wir ihr Foto im Fernsehen sahen. Roisin hat sich bei uns mit falschem Namen und falscher Altersangabe vorgestellt. Sie muss recht verzweifelt gewesen sein, denn sie macht mir nicht den Eindruck, als neige sie zu unüberlegten Handlungen.«

»Das ist sicher richtig, doch sie ist und bleibt noch ein Kind. Hat sie Ihnen gesagt, wann sie uns sehen will?«

»Sie hat den starken Wunsch geäußert, in das dem Kloster angeschlossene Internat für Mädchen zu gehen. Eine fabelhafte Idee, die mir sehr vernünftig erscheint und ihr endlich eine verlässliche, stabile Umgebung geben würde. Familiär wie schulisch.«

Grace atmete tief durch und ballte die freie Hand. Mit

der anderen umklammerte sie den Hörer. Doch ihre Stimme blieb ruhig, fast freundlich, wie beim Verhör schwieriger Zeugen.

»Die stabile familiäre Umgebung genießt sie von Geburt an, Mutter Oberin, und es gibt nicht die geringste Veranlassung, diesen festen Familienverband aufzugeben. Sie hat Ihnen vermutlich auch mitgeteilt, dass sie zu den zehn besten Schülerinnen ihres Jahrgangs in St. Hilda gehört. Also auch schulisch betrachtet bedarf es keiner Verbesserung.«

Grace konnte die Überraschung auf der anderen Seite förmlich hören, als sie den Namen der renommiertesten privaten Mädchenschule Irlands fallen ließ. Sie registrierte diesen Treffer mit Genugtuung.

»Mein Bruder und meine Schwägerin, die, wie Sie vielleicht wissen, neben mir die Vormundschaft haben, kommen morgen früh zu Ihnen. Roisin wird mit ihnen nach Hause zurückkehren.«

»Kommen Sie, als ihre leibliche Mutter, ebenfalls?« Die Äbtissin hatte ›leiblich‹ eine Spur zu stark betont, bemerkte Grace.

»Das ist mir aufgrund meiner beruflichen Verpflichtungen im Morddezernat hier in Galway leider im Moment nicht möglich. Doch möchte ich Sie um etwas bitten, Mutter Oberin.«

»Ich helfe gerne, das versichere ich Ihnen, Miss O'Malley.«

Hatte sie das »Miss« bewusst benutzt? Mit Sicherheit.

»Bitten Sie Roisin, mich heute noch anzurufen. Egal wann. Sie hat ja ihr Handy dabei.«

Es entstand eine kurze Pause am anderen Ende.

»Das würde ich wirklich sehr gern tun, aber Roisin hat das Handy selbstverständlich sofort abgegeben, weil sie es hier ja nicht braucht. Und Schwester Bridget, die unsere Gäste in Empfang nimmt, ist bereits auf ihrem Zimmer. Wir werden sehen, was sich morgen früh tun lässt.«

Grace hätte schreien können. Während sie noch überlegte, ob sie die Äbtissin zwingen sollte, Roisin jetzt ans Festnetz zu holen, ertönte wieder die sanfte Stimme der Kirchenfrau an ihrem Ohr.

»Und was die Rückkehr Ihrer Tochter mit ihren Pflegeeltern betrifft, behalten wir uns verständlicherweise vor, das von einem gemeinsamen Gespräch mit allen anwesenden Beteiligten abhängig zu machen. Es ist sehr bedauerlich, dass Sie nicht daran teilnehmen können. Aber Sie wissen sicherlich am besten, wo Sie Ihre Prioritäten zu setzen haben. Roisin hat sich schließlich an uns um Hilfe gewandt, und das können wir nicht ignorieren. Schon rein seelsorgerisch betrachtet. Guten Abend, Miss O'Malley.«

18

»So, und du glaubst also wirklich, mein Einfluss ist so groß, dass ich bei der Besetzung eines Top-Postens bei Gardai entscheiden kann, wer ihn bekommt? Ich fühle mich äußerst geschmeichelt, Graínne.«

Grace nickte. Sie war sich mittlerweile sicher, dass es ihr Onkel gewesen war, der dafür gesorgt hatte, dass der wichtige Posten an sie ging und dass der bis dahin aussichtsreichste Kandidat, der sich mühsam hochgediente Kevin Day, übergangen wurde. Seit ihrer Ankunft war ihr Day demonstrativ aus dem Weg gegangen und hatte sie bei gemeinsamen Besprechungen mit dem obersten Chef Byrne entweder komplett ignoriert oder sie mit sarkastischen Spitzen, gerne knapp unter der Gürtellinie, zu treffen versucht. Letzteres hatte Byrne geflissentlich überhört, doch Rory war jedes Mal vor Wut rot angelaufen. Grace gab sich Day gegenüber nach außen hin gleichmütig distanziert, doch innerlich war sie aufgewühlt und litt unter der Situation.

Bis sie ihre Stelle angetreten hatte, war Grace der festen Meinung gewesen, ihre überdurchschnittlichen Qualifikationen und internationalen Erfahrungen, ihre beruflichen Erfolge und ihr selbstbewusster Auftritt beim Einstellungsgespräch vor einem Dutzend Gardai-Spitzen aus dem ganzen Land hätten ihr diesen Job beschert. Doch nun ahnte sie, dass es Jim O'Malley gewesen war, der das Ganze geschickt lanciert hatte. Aus welchem Grund blieb ihr schleierhaft. Sie war die eigenwillige Tochter von Jim O'Malleys ältestem Bruder, der während der letzten Jahre seines Lebens den Kontakt mit ihm komplett abgebrochen hatte. Auch sie hatte keine Verbindung zu ihrem Onkel gepflegt, seit sie damals gemeinsam am Grab der Großmutter gestanden hatten. Bei der Beerdigung ihres eigenen Vaters war der Onkel zum Glück krank gewesen oder hatte zumindest Krankheit vorgeschützt. Alle waren damals darüber erleichtert gewesen. Er musste wissen, dass sie ihn verachtete.

»Hast du etwas Neues von Roisin gehört?« O'Malley versuchte, das Thema zu wechseln, und sein Blick schien warm und einfühlsam. Doch Grace nahm ihm keine noch so winzige Gefühlsregung als ehrlich oder aufrichtig ab.

»Reden wir lieber von Annie McDoughall, Onkel.«

Jim lehnte sich in seinem Schreibtischstuhl zurück, bis dieser bedenklich knackte. »Sie konnte hervorragend putzen. Es tut mir wirklich leid um das Mädel. Obwohl, ihre eigentliche Stärke war ja die Physik, wenn ich mich recht erinnere.«

»Die Biologie, genauer gesagt, die Meeresbiologie«, korrigierte ihn Grace. »Wann hast du sie zuletzt gesehen oder gesprochen?«

Statt einer Antwort knipste Jim O'Malley sein kleines Taschennotebook an und scrollte mit dem fleischigen Zeigefinger die Einträge entlang.

»Das muss schon ein paar Wochen her sein. Weißt du, meist habe ich ihr den Hunderter hingelegt, ich war ja immer unterwegs.«

Grace zog die Augenbrauen hoch. »Du hast ihr einhundert Euro für den ganzen Tag gezahlt?«

Jim warf ihr einen unsicheren Blick zu. »War das zu wenig? Sie brauchte nicht den ganzen Tag. Ich habe hier in der Stadt nur dieses kleine Appartement, zweieinhalb Zimmer. Am Wochenende bin ich ja immer auf Achill bei Mary. Wieso interessierst du dich dafür?«

Grace wunderte sich, dass er sich so schnell von ihr in die Defensive drängen ließ. Das musste einen Grund haben. »Ich finde hundert Euro für drei, vier Stunden sehr großzügig.« Sie grinste komplizenhaft.

Er starrte sie einen Moment lang an, als habe er sie nicht verstanden. Dann polterte er los. »Was meinst du, wie schwer es für mich in meiner Position ist, jemanden zu finden, dem ich vertrauen kann! Das lass ich mir schon was kosten! Schau dich doch mal um, das Wohnzimmer hier ist auch mein Arbeitszimmer! Und dieser Arbeitsplatz hier ist genau genommen noch wichtiger als mein Büro in der Parteizentrale. Hier beschäftige ich mich mit Vorgängen, die …« Er brach ganz plötzlich ab und suchte nach den richtigen Worten.

»Die sensibel sind, meinst du?« Grace strahlte nun über das ganze Gesicht, was ihren Onkel vollends verwirrte. Dann nuschelte er etwas und tippte hektisch in sein Notebook.

»Von wem hast du Annie empfohlen bekommen?«

»Von wem?«

Grace nickte ihm aufmunternd zu. Der mächtige Jim O'Malley erinnerte sie auf einmal an ein eingeschüchtertes Kind, das etwas ausgefressen zu haben schien und mit allen Mitteln versuchte, ohne Strafe davonzukommen. Sie wusste ja, dass es Carol gewesen war, die Annie weiterempfohlen hatte. Aber sie wollte es gerne aus dem Mund des Onkels hören. Grace half ihm etwas auf die Sprünge. »War es Carol Lonnigan?«

Jim nickte, fast erleichtert. »Eine sehr patente junge Frau aus Cong, die vor einiger Zeit bei mir in der Parteizentrale als Praktikantin gearbeitet hat. Ich hätte sie gern behalten, sie war sehr engagiert und begabt, aber leider hat es damals keine Stelle für sie gegeben. Aber man sieht sich ja in Galway immer wieder, das wirst du auch noch merken.«

Grace seufzte innerlich. In der kurzen Zeit, in der sie in der Stadt war, hatte sie es schon zur Genüge erfahren.

»Was hatte Carol denn deiner Meinung nach für eine Begabung, Onkel?«

Nun schien ein Ruck durch den massigen Körper des Mannes zu gehen. »Ist das ein Verhör?«

Als Grace nickte, sprang O'Malley wütend auf. »Das verbitte ich mir!«

»Ach, Onkel Jim, mach es uns doch nicht schwerer, als es eh ist.« Ihre Stimme klang nach ehrlichem Bedauern. »Ich muss mit allen reden, für die Annie arbeitete. Ich täte dir keinen Gefallen, wenn ich dich übergehen würde, da kannst du sicher sein. Es wäre ein gefundenes Fressen für die Presse.«

»Von wem sollte die das denn erfahren?«

Grace lächelte ihn als Antwort nur an.

O'Malley zögerte einen Moment und setzte sich dann

wieder. Etwas ruhiger fragte er: »Was willst du noch wissen? Mein Alibi für die Tatzeit?«

Grace nickte ernst. Von der Pathologin hatten sie erfahren, dass das Hämatom an Annies Hinterkopf zwar ein Schädelhirntrauma verursacht und aller Wahrscheinlichkeit nach zur Bewusstlosigkeit geführt hatte, dass es jedoch nicht die Todesursache gewesen war. Das waren die tiefen Schnittwunden am Hals gewesen, die ihr mehrere Stunden später beigebracht worden waren. Außer einem starken Schlafmittel in Annies Magen gab es keinerlei Einwirkungen von Gewalt, weder sexuellen Missbrauch noch Kampf- oder Folterspuren. DNA-Spuren gab es zahlreiche, aber sie waren noch nicht identifiziert. Die Schuhe, die sie trug, waren ihr tatsächlich zwei Nummern zu groß und wurden noch untersucht.

Grace fragte ihren Onkel also nach seinem Alibi für den gesamten Zeitraum von Samstag bis Sonntag.

»Ich war das ganze Wochenende zu Hause. Und damit meine ich Achill Island, welches auch dein Zuhause war, wenn ich dich daran erinnern darf. Da du die Straßen kennst, weißt du, dass man dafür ungefähr drei Stunden braucht. Ich bin am Freitagabend rausgefahren, wie immer. Als Mary im letzten Sommer länger krank war, hatte ich Annie auch gebeten, dort zwei-, dreimal die Woche nach dem Rechten zu sehen. Als ich mit ihr das Benzin abrechnete, sagte sie, sie brauche im Schnitt auch drei Stunden für eine Strecke.«

»Wie ist sie denn dahingekommen?«

Jim schaute sie verständnislos an. »Mit ihrem Auto natürlich. Womit denn sonst? Also, den ganzen Samstag bis Sonntagnachmittag war ich mit Mary, deiner Cousine und meinen drei Enkeln dort zusammen. Dafür gibt es, lass mich mal nachzählen …« Er unterbrach sich und begann, seine Finger beim Zählen zu spreizen.

»Schon gut, Onkel Jim. Lassen wir es im Moment dabei. Hast du deinen Schlüssel zurückbekommen?«

»Welchen Schlüssel?«

»Den, den du vermutlich Annie gegeben hattest, damit sie zum Putzen reinkommen kann.«

Grace merkte, wie das Gesicht ihres Onkels auf einmal aschfahl wurde.

Wortlos schüttelte er den Kopf und wischte sich den Schweiß von der Stirn. »Danke, Grainne.« Er war jetzt aufgestanden. »Ich werde mich drum kümmern und bei Carol vorbeischauen. Der Schlüssel muss ja da sein.«

»Schön, dass du weißt, wo sie wohnt. Dann brauchst du dir ja keine Gedanken zu machen.«

Er überhörte ihren Sarkasmus.

»Ich muss jetzt.«

»Und Roisin?« Jims Stimme klang belegt.

»Was ist mit Roisin? Du kennst sie ja nicht einmal.«

»Aber sie ist Familie, Grainne.« Einen Moment lang sah sie ihn an und wollte etwas sagen. Dann verabschiedete sie sich und ging.

19

»Ich habe es einfach ›Die Witwe Malone‹ genannt.«

»Die Witwe Malone?«

»Na ja, irgendwie musste ich die Tatsache, dass ich das zweite Gesicht habe, doch akzeptieren. Ich war ja noch so jung, und meine Gabe, Dinge oder Personen zu sehen, machte mir anfangs Angst. Ich habe zwar lange versucht, es zu ignorieren, aber irgendwann ging es einfach nicht mehr. Und so habe ich dem keltischen Fluch wenigstens einen freundlicheren und unverfänglicheren Namen verpasst. Mittlerweile sind die Witwe Malone und ich gute Freunde geworden.« Treuherzig blickte Rory Grace vom Beifahrersitz an. Sie waren auf dem Weg zum Technologie Park in Salthill, um sich das Institut anzusehen und Murphys Vorgesetzten Grønmo kennenzulernen.

»Und hat sich deine Witwe schon wegen meiner Tochter gemeldet?« Nach ihrem Gespräch kürzlich, als Rory ihr das Angebot gemacht hatte, seine Gabe bei der Suche nach Roisin einzusetzen, hatte Grace ihm das gewünschte Foto von Roisin und ein altes T-Shirt von ihr im Büro hinterlassen.

Er nickte heftig. Aber er müsse Grace warnen. Die Witwe Malone könne auf der einen Seite sehr präzise und dann auch wieder grauenhaft ungenau sein. Das habe sie leider so an sich. Rory räusperte sich. Grace hielt an der Ampel und sagte nichts.

»Mit was soll ich anfangen?«

Grace wollte erst die ungenauen Äußerungen der Witwe hören, bevor man zum konkreteren Teil übergehen konnte.

Die Witwe habe sich, so berichtete Rory jetzt mit einem gewissen Eifer, leider nicht sehr exakt über den Aufenthaltsort von Roisin geäußert. Es sei ihr lediglich ein »nordwestlich von Dublin und nicht am Meer« zu entlocken gewesen. Ihm war das offensichtlich peinlich, denn schließlich liegt halb Irland »nordwestlich von Dublin«.

»Das kann natürlich überall sein, das ist mir klar, aber das Gute an dieser Aussage ist, dass Roisin sich überhaupt irgendwo aufhält, wenn du weißt, was ich meine, Grace.«

Grace wusste genau, was er meinte. »Und was betrifft

nun den präziseren Teil ihres Berichts?« Die Ampel wurde grün, und Grace fuhr langsam an.

»Bei der Beschreibung des Aufenthaltortes ist die Witwe sehr genau.«

Grace spürte ihre Unsicherheit. Eigentlich konnte sie die Sache mit dem zweiten Gesicht nicht wirklich ernst nehmen. Aber sie war neugierig. Rory sprach so selbstverständlich darüber, dass man gar nicht anders konnte, als ihm zu glauben.

»Sag schon, Rory, wir sind gleich da. Ist das die Einfahrt zum Institut?«

Sie bog auf den großen Parkplatz des PC ein und hielt nach einem freien Platz Ausschau.

»Das ist seltsam. Die Witwe beschrieb sehr genau ein altes Gebäude aus dem neunzehnten Jahrhundert«, sagte Rory nachdenklich.

»Ein altes Herrenhaus?«, schlug Grace vor.

Rory schüttelte den Kopf, und seine sonst volle dunkle Stimme klang etwas dünn. »Nein, es war eine Kirche, Grace, genau genommen wohl ein Nonnenkloster.«

Grace bremste so abrupt und heftig, dass es quietschte. Beide fielen unsanft nach vorn in ihre Sicherheitsgurte.

»Ist das dein Ernst, Rory?«

»Nicht mein Ernst. Der der Witwe Malone.«

Grace starrte ihren Kollegen halb bewundernd, halb erschrocken an. Hinter ihr hupte es diskret, und sie ließ schnell den Motor, den sie zuvor im Schreck abgewürgt hatte, wieder an. Woher wusste Rory das? Sie hatte noch niemandem von dem Kloster erzählt. Sie hatte ihn erst mal testen wollen. Etwas kleinlaut murmelte sie, dass ihre Tochter gerade mal getauft, aber auf keinen Fall religiös erzogen worden sei.

»Oh, Grace, dann kommt es noch dicker, fürchte ich.« Rory schaute verlegen nach unten.

»Sag es mir bitte, ich muss es schließlich wissen.«

Betrübt nickte Rory, sammelte sich noch einmal und sagte dann mit fester Stimme: »Deine Tochter ist freiwillig dort und wird auch noch etwas bleiben. Meint die Witwe Malone.«

In diesem Punkt wusste die Witwe Malone eindeutig mehr als Grace.

20

Trygve Grønmo war ein blasser, bebrillter Mann mit sauber gescheiteltem, schütterem Haar. Der Leiter des IBRPC bat sie, auf der mit hellem Leinen bezogenen Sitzgruppe Platz zu nehmen. Wasser und Kaffee standen bereits auf dem Tisch. Mit einem Seitenblick registrierte Grace amüsiert, dass Rory ganz offensichtlich die in Irland sonst üblichen Kekse vermisste. Grønmo hatte die Beine übereinandergeschlagen und schaute entspannt vom einen zum anderen. »Wie können wir Garda behilflich sein?«

Grace informierte ihn knapp und sachlich über den Anlass ihres Besuchs und erklärte auch, warum sie besonders an Dr. Murphys Arbeit interessiert seien. Doch als Erstes bat sie den Institutsleiter, ihnen kurz den Aufgabenbereich des Instituts zu beschreiben.

Grønmo überlegte einen Moment und lächelte verbindlich. »Das PC, wie man es der Einfachheit halber nennt, gibt es seit knapp zwanzig Jahren und hat seine Zentrale in Oslo. Seit acht Jahren wird eine Dependance hier in Galway unterhalten, und ich selbst pendle regelmäßig zwischen Norwegen und Irland.«

»Warum gerade Galway?«, fragte Grace kurz dazwischen.

»Da spielen drei Faktoren eine Rolle. Erstens ist der irische Staat ungemein großzügig in der finanziellen Unterstützung unseres Forschungsauftrags, und zweitens unterliegen wir hier den EU-Richtlinien. Interessanterweise geht gerade in Umweltfragen das EU-Recht vergleichsweise weit. Norwegen, als Nicht-EU-Mitglied, kann das nicht bieten. Drittens haben wir hier an der Westküste Irlands durch den atlantischen Golfstrom ganz besondere meeresbiologische Voraussetzungen. Wir machen unsere Hausaufgaben sozusagen direkt vor der Haustür. Und damit ist auch Vincent beschäftigt. Er leitet dort seit einiger Zeit unser wichtigstes Projekt.«

»Was genau ist das für ein Projekt? Können Sie uns das näher erklären?«, schaltete sich jetzt auch Rory ein, ließ dabei aber unauffällig seinen Blick immer wieder über den Tisch wandern, als könnten sich unverhofft doch noch ein paar Kekse zeigen. Grace grinste innerlich.

Grønmo nickte bereitwillig. Aber in seiner Stimme schien, trotz allen Entgegenkommens, dennoch leichte Zurückhaltung und Vorsicht mitzuschwingen.

»Er erforscht mit seiner Gruppe eine spezielle Meeresfauna, die nur hier zu finden ist. Diese weist einen ungewöhnlich hohen Prozentsatz an wertvollen Proteinen auf, die sich möglichweise unter besonderen klimatischen Bedingungen kultivieren und ausbeuten lassen.«

»Eine potenziell wichtige Ressource für die zukünftige Ernährung der Weltbevölkerung, meinen Sie?« Rory hatte diese Frage eher nebenbei gestellt, aber Grønmo blickte plötzlich ruckhaft auf.

»So weit sind wir noch lange nicht, aber ja, es könnte in die Richtung gehen. Wie kommen Sie darauf, Guard?«

Das würde auch Grace brennend interessieren. Neugierig schaute sie ihn an. Rory war wirklich ein steter Quell von Überraschungen.

Rory wand sich ein wenig. »Ich habe erst kürzlich einen hochinteressanten Bericht darüber gelesen. Da ging es, glaube ich, unter anderem darum, dass die Grafschaft Galway eine einstweilige Verfügung erwirken will, um Ihrem Institut den Zugang hier vor der Küste bei Clifden zu untersagen.«

Grønmo schien noch eine Spur blasser geworden zu sein. Er hustete.

»Das Institut hat also Feinde?«, hakte Grace sofort nach und sah ihn aufmerksam an.

Statt einer Antwort stand Grønmo auf und trat an das vollgestopfte Regal auf der anderen Seite des weitläufigen Raums. Er zog einen dicken Ordner hervor und begann, darin zu blättern.

»Selbstverständlich hat ein Institut wie das unsrige Feinde, und zwar nicht wenige. Sie sitzen überall. Wenn das nicht so wäre, würden wir definitiv etwas falsch machen. Allein dieser Ordner ist voll von Protokollen nur der letzten drei Monate. Eine einstweilige Verfügung nach der anderen. Urteile, Widersprüche, schwebende Verfahren, Wiederaufnahmen, Anschuldigungen. Sie können gern einen Blick hineinwerfen.«

Er hatte den Ordner vor Grace und Rory aufgeschlagen auf den Tisch gelegt, und beide beugten sich interessiert darüber.

»Wir beschäftigen allein in Irland drei Kanzleien damit. Das, was sie gerade lesen, betrifft speziell Murphys Projekt. Der Rat der Grafschaft, regiert von dieser Partei mit dem unaussprechlichen gälischen Namen, will uns an der besagten Stelle den Zugang zum Meer verwehren. Das ist natürlich reine Schikane und hat nach EU-Recht keinerlei Chance auf Erfolg, aber es wird erst einmal versucht. Das behindert uns und hält uns natürlich auf.«

Grace hatte sich wieder aufgerichtet und sah ihn abwartend an. »Wer steckt hinter so etwas? Welche Interessen stoßen hier aufeinander? Und es geht doch dabei um Interessen, wenn ich das richtig sehe? Und um Geld.«

Grønmo setzte sich wieder und schenkte allen Kaffee ein. Er war wieder in einen unverfänglichen Plauderton verfallen.

»Das ist ganz unterschiedlich. Sehr oft sind es bornierte örtliche Verwaltungen, die ihr eigenes Süppchen kochen wollen oder die sich übergangen fühlen.«

»Sie meinen Kommunalpolitiker, die viel Wirbel veranstalten, um sich bei den Wählern besonders in Szene zu setzen?«

Grønmo schaute Rory kurz an, bevor er ihm zustimmte.

»Ganz recht, Guard. Sehr lästig, wie ich Ihnen versichern kann.« Vorsichtig führte er seine Tasse zum Mund und behielt seine Gäste über den Tassenrand im Blick.

»Aber das ist nicht alles?«, fragte Grace in leicht ungeduldigem Ton nach.

Grønmo setzte seine Kaffeetasse wieder ab und seufzte fast unmerklich. »Schwerer wiegen selbstverständlich die multinationalen Konzerne, die eine Konkurrenz zu eigenen Produkten fürchten und die mit allen Mitteln verhindern wollen, dass von uns in eine bestimmte Richtung weitergeforscht wird.«

Grace und Rory wechselten Blicke. Dann ergriff Grace wieder das Wort.

»Das PC erforscht also nicht nur biologische Ressourcen, die sich der Mensch zunutze machen kann, sondern will diese wiederum auch vor der Ausbeutung durch den Menschen bewahren. Kann man das so sagen?«

»Das ist korrekt, Guard, das betrachten wir sogar als die Hauptaufgabe des PC«, stimmte Grønmo ihr zu. In dem Moment klingelte das Telefon, Grønmo ignorierte es.

»Sie bauen doch gerade eine weltweite Biopiraterie-Datenbank auf, die erste überhaupt, wie ich gelesen habe«, mischte sich jetzt Rory ein.

Blitzschnell schaute der Norweger auf und klang fast feindselig, als er auf Rorys Einwurf antwortete. »Das hängen wir nicht so gern an die große Glocke.«

Rory schien den schärferen Tonfall nicht weiter zu beachten, denn er beugte sich mit der Kaffeetasse in der Hand komplizenhaft zu Grønmo. »Das würde Begehrlichkeiten wecken, meinen Sie?«

Grønmo antwortete ihm nicht. Stattdessen schaute er aus dem Fenster, als sei er allein im Raum.

»Wir möchten Vincent Murphy gerne noch etwas fragen. Er ist doch sicher hier?«, unterbrach Grace die eingetretene Stille.

»Nicht unbedingt, er kann auch vor Ort in Clifden sein. Ich rufe mal in seinem Büro an.« Fast dankbar hatte der Institutsleiter den Themenwechsel aufgenommen und griff schnell zum Telefonhörer. Doch dann zuckte er bedauernd mit den Schultern. »Wie ich es mir dachte. Er ist außer Haus.«

In dem Moment war, ohne zu klopfen, eine Frau mittleren Alters eingetreten und brachte Grønmo ein paar Unterlagen und lächelte die beiden Guards freundlich an. Sie hatte anscheinend den letzten Satz noch mitbekommen. »Wer ist außer Haus, Trygve? Wir haben doch gleich unsere Monatsversammlung, und alle sind am Platz.«

Blitzschnell antwortete Grace und kam damit Grønmo zuvor. »Wir sprachen von Vincent Murphy.«

Verwirrt schaute die Frau den Institutsleiter an. »Natürlich. Auch Vince. Soll ich ihm Bescheid sagen, dass er herkommen soll?«

Grønmo nickte matt und machte sich verlegen an den Unterlagen auf seinem Schreibtisch zu schaffen. Die Kollegin verschwand stirnrunzelnd durch die Tür.

Rory freute sich. »Da haben wir ja doch noch Glück gehabt.«

Kurz darauf erschien Vincent Murphy, und fast herzlich begrüßte er Grace und auch Rory, obwohl er ihn noch gar nicht kennengelernt hatte. Grønmo nickte er kurz zu.

»Mir ist übrigens wieder eingefallen, wer mir Annie vermittelt hat, Miss O'Malley! Sie hatten doch danach gefragt«, eröffnete er sofort das Gespräch. »Das war Carol!«

»Wie lautet der Nachname?«, wollte Grace von ihm wissen.

Murphy blickte hilfesuchend zu Grønmo, der sofort einsprang. »Lonnigan. Sehr begabte junge Frau. Sie arbeitete zeitweise bei uns an der Rezeption. Konnte viele Sprachen. Wir haben sie damals nur ungern gehen lassen.«

Grace registrierte die Blicke, die Murphy und Grønmo dabei austauschten. Irgendetwas stimmte hier nicht, das spürte sie.

Als Grace und Rory kurz darauf wieder zu ihrem Auto gingen, hastete Grace im Eiltempo vorneweg und suchte dabei auf ihrem Handy nach eingegangenen Nachrichten. Es gab keine. »Überall taucht Carol auf! Kannst du mir mal sagen, für wen die nicht gearbeitet hat?«

Rory hatte einige Mühe, mit ihr Schritt zu halten. »Du hast völlig recht, Grace. Auffallend ist auch das immer gleiche Schema: Erst arbeitet Carol bei jemandem, dann geht sie und empfiehlt bei nächster Gelegenheit Annie als Putzfrau. Hat sie vielleicht auch beim Koch mal gearbeitet und bei den Cadogans? Hatte das was mit ihrem Job im Bay Hotel zu tun? Wenn das System hat, sollten wir das rausfinden. Ich übernehme das, wenn du willst.«

Grace nickte gedankenverloren. Während sie wieder Richtung Galway Zentrum fuhren, dachte sie noch einmal über ihren Besuch im PC nach. »Etwas stimmt nicht an diesem Grønmo mit seinem politisch korrekten Institut. Mit irgendetwas hat der hinter dem Berg gehalten, das konnte man förmlich greifen. Und was genau meintest du mit ›Begehrlichkeiten wecken‹?«

Rory schaute sie von der Seite an. »Was da in dieser Datenbank über Biopiraterie weltweit an Informationen zusammengetragen wird, könnte für bestimmte Leute hochinteressant und immens wertvoll sein. Und ich meine sehr wertvoll.«

Sie kaute an ihrer Unterlippe. »Hab ich schon erwähnt, dass ich gar nicht genau weiß, was mit Biopiraterie gemeint ist?«

Rory grinste freundlich. »Sag ich doch. Weißt du, wer dazu etwas wissen könnte?«

Sie zuckte mit den Schultern und bemerkte auf einmal das Hungergefühl in ihrem Magen. Sie parkten vor der Zentrale und stiegen aus. Die Sonne schien immer noch, und der Himmel war tiefblau und wolkenlos. Es war ein Wetterwunder. Rory atmete tief die Seeluft ein und streckte beide Arme aus, als wolle er die Welt umarmen.

»Peter Burke, ein guter Mann und ein fähiger Privatdetektiv, mit dem wir ab und zu bei Wirtschaftssachen zusammengearbeitet haben. Der hat erst vor Kurzem mit dem PC zu tun gehabt, oder verwechsle ich da was?« Er kratzte sich am Hinterkopf.

Grace schluckte einen Moment und entschloss sich dann, Rory zum Mittagsessen im nahen Spaniard's Head einzuladen. Rory strahlte über das ganze runde Gesicht und nahm begeistert an.

21

Wie immer um die Mittagszeit herum, war es brechend voll im Pub. Rory saß erst mal allein in einer Ecke und studierte die Speisekarte. Grace hatte kurz zuvor einen Anruf bekommen und war aufgeregt nach draußen gegangen, um dort zu telefonieren. Rory nahm an, dass es Neuigkeiten von ihrer Tochter gab.

Er hatte sich gerade für die hausgemachte Wildterrine mit Blaubeer-Chutney entschieden, als Grace zurückkam, sich einen Weg zu ihm durch den überfüllten Schankraum bahnte und ziemlich aufgelöst auf einen Sessel sank.

»Deine Witwe hatte völlig recht. Jetzt will ich alles über sie wissen. Wirklich alles.«

Sie winkte Fiona zu sich, da sie Fitz nirgends entdecken konnte, und gab ihre Bestellung auf. Dann erzählte sie Rory, dass sich Roisin in Westmeath in einem Nonnenkloster aufhalte.

»Westmeath ist tatsächlich nordwestlich von Dublin.« Rory zwinkerte ihr zu.

»Und selbstverständlich ist sie freiwillig da! Wer sollte sie auch gezwungen haben? Meine Schwägerin hat mich gerade angerufen. Sie erzählte mir, dass sie ohne Roisin wieder gehen musste. Ich verstehe das nicht.«

Am Nebentisch saßen vier ältere Männer, jeder mit

einem Pint Guinness vor sich, und schwiegen. Sie hatten ihre Blicke allesamt auf den Dielenboden gesenkt. An mehr gemeinsame Aktivität war offensichtlich nicht zu denken. Grace war nervös. Sie blickte wieder Richtung Theke. Fitz war immer noch nicht aufgetaucht, doch auf einem Hocker entdeckte sie wieder diesen ungepflegten alten Kerl, der sie unverschämt anstarrte. Schnell schaute sie weg und versuchte, sich abzulenken. »Wann bist du ihr zum ersten Mal begegnet, Rory?«

Rory grinste. »Du meinst der Witwe Malone? Ich muss so fünfzehn, sechzehn gewesen sein, also mitten in der Pubertät.«

Anfangs habe er standhaft versucht, dieses Phänomen zu ignorieren, und habe sich eher einen Spaß daraus gemacht. Aber das funktionierte irgendwann nicht mehr. Er war schon einige Zeit im Dienst gewesen, als die Witwe ihm den entscheidenden Hinweis in einem Entführungsfall gegeben hatte. Damals begriff er allmählich, seine Gabe ernst zu nehmen und sie positiv zu sehen. »Heute betrachte ich die Witwe als eine Art nützliche Assistentin. Ich bewahre mir eine gesunde Portion Skepsis, aber ihre Trefferquote liegt zwischen sechzig und siebzig Prozent. Allerdings darf man sie nicht alles fragen.«

In dem Moment kam Fiona an ihren Tisch und servierte ihnen den Lunch. Grace war schon versucht, sie nach Fitz zu fragen, verkniff es sich jedoch im letzten Moment.

»Was darf man sie denn nicht fragen, Rory?«, fragte sie ihren Kollegen und widmete sich mit Freude ihren süßsauer eingelegten Heringen, die hier mit kräftigem Körnerbrot serviert wurden. Eine Delikatesse, der man nicht sehr häufig in Irland begegnete und die sie an ihre Zeit in Dänemark erinnerte. Dort servierte man den Sild in jeder erdenklichen Form.

Auch Rory kaute bedächtig und voller Genuss an seinem Rosmarin Scone mit Fasanenpaté die mit Brandy durchtränkt war. Dazu nahm er sich einen Teelöffel Blaubeer-Chutney.

»Also auf Mord lässt sie sich überhaupt nicht ein, und ehrlich gesagt habe ich es auch nie versucht. Wo käme Gardai da hin?«

Er schaute sie treuherzig an, dann prusteten beide laut los vor Lachen.

»Aber wenn man sie nach Orten fragt, ist sie ziemlich gut, und manchmal auch bei psychischen Dispositionen. Also, wie einer so drauf ist. Da erweist sie sich oft als exzellenter keltischer Profiler.«

Grace betrachtete ihren Kollegen mit einer Mischung aus Verwunderung und Sympathie. Sie schätzte seine bodenständige, liebenswerte Art, seine Selbstverständlichkeit, über alles Menschliche und, wie in diesem Fall, Übermenschliche zu sprechen. Ihr Blick fiel wieder auf den zahnlosen Alten, der, als er merkte, dass sie ihn beobachtete, seinen Blick langsam zu seinem Bier wandern ließ.

»Was weißt du über Fitz?«

»Fitz?« Rory war etwas überrascht über den plötzlichen Themenwechsel. Er räusperte sich.

»Eigentlich nicht viel. Er kam vor zwei, drei Jahren aus Limerick und machte aus einer heruntergekommenen Spelunke diesen gemütlichen Pub. Hier trifft man sich mittlerweile vom Bettler bis zum Banker. Na ja, die Bettler können es sich eher nicht leisten.«

»Außer der Alte da an der Theke«, murmelte Grace.

»Der Alte? Ach, du meinst Hilary«, sagte Rory amüsiert.

»Wer ist das? Ich finde ihn nicht unbedingt vertrauenerweckend.«

»Keine Ahnung. Niemand kennt ihn. Er tauchte kurz nach Fitz in der Stadt auf. Soll mal in einem anderen Leben Benediktinermönch gewesen sein«, fügte er noch hinzu. »Bekanntlich wird viel gequatscht hier im Westen, wenn es regnet.« Er drehte sich zum Fenster. »Und auch, wenn die Sonne scheint.«

»Fitz war doch mal Gerichtsmediziner? Was ist dann passiert?«

Rory zuckte mit den Schultern. »Genaues weiß man nicht. Krankheit, Streit mit Vorgesetzten, ich hab sogar mal was von Alkoholproblemen gehört. Die normalerweise äußerst klatschsüchtigen Kollegen bei Garda haben sich im Fall von Fitz sehr zurückgehalten. Aber es stimmt schon, es ist merkwürdig.«

Nachdenklich tippte Rory eine Fingerkuppe in den kleinen Rest seines Chutneys und leckte sie ab. Aber Grace war schon wieder bei dem nächsten Thema angekommen.

»Rory, wir müssen uns unbedingt noch einmal Carol vornehmen, die hat uns nicht die volle Wahrheit gesagt, wahrscheinlich noch nicht einmal den Hauch von Wahrheit. Und ich werde den Koch noch einmal kontaktieren, der hat mir auf Inis Meáin etwas Merkwürdiges erzählt.«

»Was denn?«

»Dass Annie nicht kochen konnte, sich aber für seine Kochunterlagen interessierte.« Sie notierte sich rasch etwas auf ihrem Handy, um dann, wiederum völlig übergangslos, das nächste Thema anzusprechen. Für Rory Coyne ging das alles eindeutig zu schnell.

»So, Rory, und weil wir gerade so nett zusammensitzen, möchte ich dich doch jetzt bitten, mir eine lückenlose Schilderung der Umstände zu geben, die hier im Dezernat zu meiner Ernennung geführt haben.«

Jetzt blickte Rory sie dermaßen entsetzt an, dass Grace unweigerlich zu lachen anfing. »So schlimm kann es nicht sein, außerdem weiß ich mittlerweile schon einiges. Also schieß los, vorher verlässt hier keiner den Raum.«

Rory rutschte unruhig auf seiner Bank hin und her, bis er nachgab.

»Also, als Paddys Ruhestand immer näher rückte ...« Schon stockte er wieder und hob dann den Blick. Aber es war nicht Grace, die er anschaute, sondern jemand, der genau hinter ihr stehen musste. Rory strahlte über das ganze Gesicht, als er weitersprach: »Hallo, Peter, setz dich doch zu uns! Hier ist noch ein Plätzchen frei!«

Grace drehte sich um und schaute direkt Peter Burke in die Augen, der dabei war, einen Stuhl heranzuziehen, um sich neben sie zu setzen. Grace war einen Moment lang sprachlos. Rory nutzte die Gelegenheit, um sich zu verabschieden. Er werde sich um das kümmern, was sie vorhin besprochen hätten, meinte er mit vielsagendem Blick zu Grace.

»Ich hoffe, ich habe euch nicht gestört.« Peters Stimme war angenehm.

»Ganz im Gegenteil. Du könntest mir vielleicht sogar in einer Sache weiterhelfen.« Grace klang betont sachlich und professionell. Natürlich hatte er gestört.

»Aber gern.« Er zog sein Mineralwasser näher zu sich heran.

»Kannst du mir etwas über das IBRPC sagen?«

Er überlegte einen Moment, bevor er ihr antwortete. »Ich habe mich mit dem Institut vor ein paar Monaten näher beschäftigt, ansonsten weiß ich nur, was viele hier darüber wissen.«

»Und in wessen Auftrag hast du dich mit dem Institut beschäftigt?«

Peter lachte leise. »Das ist Berufsgeheimnis, Graínne.« Er klang dabei nicht vorwurfsvoll.

»Ich dachte, du hättest Gardai in der Vergangenheit immer mal wieder geholfen?«

Er schaute sie lange an und schien mit einer Antwort zu ringen. »Also gut, wir können reden, aber nicht hier. Dieser Pub hat, wie alle irischen Pubs, zu viele Ohren.«

Peter schlug vor, an den nahen Lake Corrib zu fahren. Grace nickte und winkte Fiona zu, um zu bezahlen.

22

Der Lake Corrib nordwestlich von Galway glitzerte träge in der Sonne des späten Nachmittags. Die Straße vor ihnen wand sich wie eine glatte Schlange Richtung Wasser. Grace saß auf der Beifahrerseite und blickte über den See, der gespickt war mit kleinen Inseln, auf denen sich viele Bäumchen angesiedelt hatten. Waren es schon immer so viele gewesen? Sie war so lange nicht mehr hier gewesen. Als Kind war sie häufig mit ihrem Vater und Dara zum Angeln hierhergekommen. Eigentlich hatten nur sie und Shaun geangelt. Dara war grundsätzlich mit dem Fernglas auf der Picknickdecke sitzen geblieben und hatte stundenlang Vögel beobachtet. Seine Notizen hatte er feinsäuberlich in eine kleine braune Segeltuch-Kladde eingetragen, die er immer schnell versteckte, wenn sie zurückkamen, um sich etwas zu essen oder einen Tee aus der Thermoskanne zu holen.

»Wann warst du das letzte Mal hier?«, hörte sie Peter fragen, als hätte er ihre Gedanken erahnt. Sie warf ihm einen schnellen Blick zu, der aber durchaus ausreichte, um festzustellen, dass er auch im Profil äußerst gut aussah. Sein Gesicht besaß zwar markante Züge, die dennoch nicht hart wirkten. Sein gepflegter Dreitagebart betonte sein männliches Aussehen. Grace merkte, wie ihre Gedanken sie irritierten. Hastig verdrängte sie sie. »Das habe ich auch gerade überlegt. Es muss mehr als zwanzig Jahre her sein. Ich war oft als Kind hier«, antwortete sie schließlich.

Peter nickte und bog um eine letzte Kurve. Dann hielt er an. Als sie aus dem Geländewagen sprang, merkte Grace sofort, wie weich der sandige Boden hier am Ufer war. Fast wie am Meer. Sie überkam der Wunsch, sich Schuhe und Strümpfe abzustreifen und barfuß weiterzulaufen. Peter beobachtete sie amüsiert und lächelte.

»Kindheitserinnerungen? Tu dir keinen Zwang an!« Er war ein paar Schritte vorausgegangen, und Grace folgte ihm langsam, um den See und die Natur ganz auf sich wirken zu lassen. »Hier ist niemand. Absolut niemand. Wundervoll.«

»Ja, noch ist es so. Aber was hattest du denn erwartet?«

Grace zuckte mit den Schultern. »Keine Ahnung. Ich wusste ja nicht genau, zu welcher Stelle du wolltest. Der See ist riesig.«

Sie stießen auf einen Pfad, der direkt am Ufer entlangführte.

»Rechts oder links?« Peter sah sie auffordernd an. Einen Moment lang hielt sie seinem Blick stand, dann deutete sie nach links, als sei sie hier schon immer zu Hause gewesen. Warum machte sein Blick sie nervös?

Eine Zeitlang gingen sie schweigend nebeneinander her. Nur der Wind strich spielerisch durch die hohen Gräser am Wasser und teilte sie wie mit einem Kamm. Ihr feines Rascheln erinnerte Grace an Taft.

»Warum seid ihr damals, nach dem Tod deiner Großeltern, nicht mehr zu uns zurückgekommen?«, brach Peter das Schweigen.

»Zu euch?« Grace hatte ihn genau verstanden.

»In unser Dorf, meine ich. Ihr seid in Dublin geblieben, und selbst in den Schulferien nicht mehr zurückgekommen.«

»Wir haben in den Ferien die Eltern meiner Mutter besucht, die in Dänemark lebten. Die wollten schließlich auch mal ihre Enkel sehen.« Das Letzte hatte sie fast trotzig hingeworfen. »Mein Vater sah keinen rechten Sinn darin, nach Achill zu fahren, nachdem seine Eltern nicht mehr lebten.« Nun lenkte ihre Stimme wieder ein und klang versöhnlicher. »Zu seinen Eltern hatte er noch ein engeres Verhältnis gehabt, zum Rest der O'Malleys, das heißt zu Vaters Geschwistern, nicht. Seinen Bruder Jim hat Vater sogar gehasst. Weißt du, wir haben es nicht so mit Familie.« Damit hoffte sie eigentlich, klarzumachen, dass sie keine Lust hatte, sich mit ihm über das Thema zu unterhalten.

Aber Peter schien davon unbeeindruckt und hakte trotzdem nach. »Hast du keinerlei Erinnerungen an deine Kindheit bei uns im Dorf? Weder sentimentale noch fröhliche?«

Sie schüttelte energisch den Kopf. »Nicht, dass ich wüsste.«

Er schaute sie neugierig an. Anscheinend überraschte ihn ihr harter, abweisender Tonfall. Aber er ließ nicht locker. »Hatte das etwas mit dem Haus zu tun?«

»Du meinst die Tatsache, dass sich mein Vater weigerte, das sogenannte Erbe anzutreten?«

»Als Ältester der drei Söhne war er nun mal der Erbe, oder?«

Grace war stehen geblieben und drehte sich abrupt zu ihm um. Ihre grüngrauen Augen funkelten und hatten diesen eismeerfarbenen Schimmer angenommen, der sie gefährlich wirken ließ.

»Ja. Na und? Niemand muss erben. Shaun hat das gemacht, was er für richtig hielt, und meine Mutter hat ihn bei allem unterstützt. Sie sah die Dinge wie er.«

Herausfordernd schaute sie ihn an. Doch ihr Gegenüber blieb gelassen. »Vielleicht wäre er eines Tages doch zurückgekehrt, wenn er nicht ...«

Grace fiel ihm ins Wort. »Wenn er nicht so früh gestorben wäre, meinst du?«

»Nun ...«

»Das weiß niemand. Aber ich kann es mir nicht vorstellen.« Sie liefen weiter. Grace war ein paar Schritte hinter ihm zurückgefallen und schaute aufs Wasser. Wie friedlich hier alles war. Unbegreiflich friedlich. Nur er störte, dachte sie sich. Krampfhaft versuchte sie, sich einzureden, Peter Burkes Anwesenheit als störend zu empfinden. Es wollte ihr nicht wirklich gelingen.

Plötzlich blieb er stehen und drehte sich zu ihr um. Dann streifte er sich den blauen Kaschmirpullover über, den er die ganze Zeit in der Hand gehalten hatte. Als sein Kopf mit verstrubbeltem Haar wieder zum Vorschein kam, schien es, als habe er einen Entschluss gefasst.

»Woran ist dein Vater gestorben? Im Dorf kursierten damals die wildesten Gerüchte.«

Grace verzog den Mund zu einem schiefen Lächeln. »Tatsächlich?«

Er ging ein paar Schritte auf sie zu, bis er sehr dicht bei ihr stand und sie direkt anschaute. Sie wich nicht zurück. »Pass mal auf, Gráinne. Entweder wir versuchen, uns gegenseitig zu vertrauen, oder ...«

Grace entgegnete nichts und schaute ihn angriffslustig an. Peter zögerte einen Moment, fuhr dann aber fort. »... oder wir lassen es sein und gehen uns möglichst effektiv aus dem Weg, was auch im kleinen Galway durchaus möglich ist.« Er ließ sie stehen und stapfte weiter.

Grace starrte immer noch auf das Wasser. Sie fühlte sich auf einmal so verloren. Mehr zu sich selbst sagte sie: »Er wurde eines Nachts überfahren.«

»Was hast du gesagt?« Peter hatte sich wieder zu ihr umgedreht.

»Er kam eines Abends, nachdem die Pubs dichtgemacht hatten, aus der Dorfkneipe und machte sich auf den Weg nach Hause. Wir wohnten damals ungefähr zwei Kilometer entfernt vom Dorf, auf einem alten Bauernhof in Wicklow. Dara hatte eine schwere Grippe und war deshalb an dem Wochenende von der Universität nach Hause gekommen, um sich auszukurieren. Meine Mutter war nicht mitgegangen. Sie kümmerte sich um ihn. Ich stand kurz vor dem Abitur und lernte bis in die Nacht hinein.«

Grace stockte. Noch nach all den Jahren fiel es ihr schwer, über diese Nacht zu sprechen. Angestrengt starrte sie auf den See, als suche sie etwas, an dem sie sich festhalten konnte.

»Es war stockdunkel, und natürlich gab es keine Straßenbeleuchtung. Warum auch? Wir waren mitten auf dem Land. Wie aus dem Nichts kam ein Auto und überfuhr ihn. Man fand ihn erst am Morgen, als es dämmerte. Da war er schon tot. Verblutet.«

Hastig ging Grace an Peter vorbei und lief weiter, ohne sich nach ihm umzusehen. Doch er folgte ihr. Etwas atemlos fragte er: »Hat man den Fahrer erwischt?«

Sie schüttelte den Kopf. »Fahrerflucht. Wie fast immer bei diesen Unfällen in unserem ach so friedlich-freundlichen ländlichen Scheiß-Irland. Wusstest du, dass in keinem anderen europäischen Land so viele Menschen auf diese Weise umkommen wie bei uns?«

»Pattie ist damals zusammengebrochen, als die Nachricht, dass Shaun O'Malley tot sei, das Dorf erreichte.«

Grace starrte ihn ungläubig an.

»Man erzählte sich damals im Dorf, Shaun sei umgebracht worden.«

Daraufhin lächelte Grace. Es war ein merkwürdiges Lächeln, fast etwas geringschätzig. »So kann man das auch nennen. Jemand hat meinen Vater umgebracht. Dieser jemand saß am Steuer eines Autos. Das konnte Garda ziemlich genau rekonstruieren. Selbst bei der Marke waren sie sich sicher gewesen. Darüber hinaus hätte der auch noch um ein Haar meine Mutter umgebracht.«

Peter sah sie fragend an.

»Liv ist daran fast zerbrochen. Sie, die sonst immer so stark schien. Man hat sie eingewiesen. Sie blieb mehr als ein halbes Jahr in der Psychiatrie.«

Auf einmal hörten sie vom See her ein Geräusch. Ein kleines Boot mit zwei Anglern schaukelte in einiger Entfernung des Ufers.

»Nun sind wir nicht mehr alleine.« Grace klang fast ein bisschen erleichtert. »Was meintest du vorhin übrigens damit, dass wir noch alleine sind?«

Sie registrierte die Veränderung in seinem Gesicht sofort. Mit einer ausladenden Geste umfasste er die ganze Umgebung.

»Das hier ist alles Bauland. Neu ausgewiesenes Bauland. Vom Feinsten.«

Sie stutzte. »Bauland? In Irland wird nicht mehr gebaut, hat man mir immer wieder versichert. Die Immobilienblase ist geplatzt, oder?«

Peter nickte grinsend. »Stimmt. Und nun stehen im ganzen Land geschätzte einhundert Bauruinen herum. Ganz in der Nähe von hier gibt es auch so eine Geistersiedlung, in der nie jemand gewohnt hat.«

Grace hörte interessiert zu. »Das hat man mir erzählt. Hört sich gruselig an.«

Peter verbeugte sich gespielt vor ihr, als sei er ein Makler, der ihr sein teuerstes Objekt verkaufen wollte. »Ist es auch, Verehrteste. ›Glenforbes‹ hatte man ambitioniert diese Geisterstadt getauft. Sollte ein Schmuckstück postmoderner irischer Baukunst werden. Dort sollte man nicht einfach nur so wohnen, sondern residieren.«

Sie mussten beide lachen. Dann wurde Peter wieder ernst und ging weiter. »Jetzt verrottet da alles. Gelegentlicher Vandalismus an Wochenenden stört dort nur ein paar Füchse und Möwen. Nein, ich rede hier von etwas ganz anderem. Von sogenanntem nachhaltigem Tourismus der gehobenen Klasse. Komm, ich zeig dir was.«

»Hier am Corrib? Das steht doch alles unter Naturschutz, soweit ich weiß.«

»Du weißt eben nicht alles.« Er zeigte auf das gegenüberliegende Ufer. Das Boot mit den Anglern war verschwunden.

»Die Zukunft gilt dem sanften Tourismus. Wenn der Klimawandel so weitergeht, kann man es im Sommer bald nicht mehr in südlichen Gefilden aushalten. Da sind jetzt schon die Scouts unterwegs. Norwegen, Schweden, Schottland, Irland. Wir stehen alle auf deren Wunschliste. Selbstverständlich für ein zahlungskräftiges Klientel: italienische Kleinwildjäger, arabische Falkenfans, deutsche Moorhuhnfreunde, russische Fliegenfischer. Die stehen schon in den Startlöchern.«

Grace starrte ihn entgeistert an. Peter redete sich in Rage.

»Da drüben soll ein Feriendorf der Extraklasse entstehen. Luxusvillen mit riesigen Gärten drum herum. Alles elektronisch ein- und abgezäunt. Mit einem Wachdienst, der alle Zugänge kontrolliert. Wegen der Sicherheit und der zu schützenden Privatsphäre. Dafür wird in Amerika schon seit Längerem viel hingeblättert. Aber auch in Irland hat die Zukunft schon begonnen.«

Grace schwieg eine Zeitlang. »Du machst keine Witze! Woher weißt du das?«

Er lächelte sie wieder an. »Das hat doch der kleine Privatdetektiv Peter ›The Burke‹ mal wieder gut recherchiert. Eigentlich darf ich meine Auftraggeber nicht preisgeben, aber ich will mal nicht so sein. Dein Mordfall hat ja auch mit dem Institut, in dem Murphy arbeitet, zu tun. Das PC hatte mich vor ungefähr sechs Monaten beauftragt, alle größeren Bauprojekte, die zurzeit in den Grafschaften Galway und Mayo geplant sind, auf ihre Umweltverträglichkeit hin abzuklopfen und die Geldgeber und Hintermänner herauszufinden. Vor vier Wochen habe ich den Auftrag abgeschlossen und denen das Ergebnis vorgelegt.«

Grace schaute erwartungsvoll und etwas ungeduldig. »Ja und? Weiter?«

Peter drehte sich um und ging langsam den Pfad zurück. Sie lief ihm hinterher und fasste ihn am Arm. Peter schaute auf die Erde, die mit kleinen blauen Blumen übersät war. »Weißt du, ich kapiere das einfach nicht. Sie haben den Bericht freundlich entgegengenommen, mir mein Honorar überwiesen, und das war's.« Er wirkte zum ersten Mal ratlos.

»Was hast du erwartet? Du bist Detektiv und kein Wissenschaftler.«

»Danke für den Hinweis. Normalerweise läuft es aber so ab: Ich lege meinen Bericht vor, er wird gelesen, dann gibt es eine Nachbesprechung, in der ich alles erläutere, Fragen beantworte und Empfehlungen ausspreche, wenn das vom Kunden erwünscht ist. Und das wird grundsätzlich gewünscht. Sonst ergibt so eine aufwändige

Recherche keinen Sinn. Zu so einem Gespräch ist es nie gekommen. Das ist mehr als ungewöhnlich.«

»Was willst du damit sagen?« Grace war auf einmal hellwach und gespannt. Hier schien sich auf einmal ein neuer Zugang zum Mord an Annie aufzutun: Das scheinbar politisch korrekte Forschungsinstitut war noch viel interessanter, als sie bisher angenommen hatte.

»Ich habe mich mehrmals bei der norwegischen Leitung des Instituts in Galway gemeldet, per Mail und telefonisch, und hatte den Eindruck, dass man mich abwimmeln wollte. Der Chef, Grønmo heißt er, glaube ich, sei in der Zentrale in Oslo. Man würde mich benachrichtigen, wenn er wieder hier sei.«

»Er ist hier. Ich habe ihn heute Morgen im Institut gesprochen.« Ihre Stimme klang ruhig und fest. Peter sah sie erstaunt an. Für einen Moment wurde fast so etwas wie Vertrautheit zwischen ihnen spürbar. Und es fühlte sich gut an, musste sich Grace eingestehen.

Sie hatten den Wagen fast wieder erreicht. Grace warf noch einmal einen Blick auf den Corrib, der sie in der letzten halben Stunde schmerzhaft daran erinnert hatte, wie viel Sehnsucht von ihr hier noch immer verborgen war.

Schließlich drehte sie sich zu Peter um. »Dann kannst du gleich bei ihm persönlich vorbeischauen, wenn du mich in der Stadt abgesetzt hast. Und noch etwas. Was weißt du über Biopiraterie? Das Institut arbeitet an der ersten Datenbank der Welt dafür.«

Er hielt ihr die Beifahrertür auf, und sie stieg ein. »Nicht viel, aber ich mach mich schlau. Übrigens vielen Dank für die Info. Du hast was bei mir gut.«

Sie zog die Brauen fragend zusammen und schnallte sich an. Bevor Peter den Motor anließ, zögerte er kurz. »Da ist noch etwas.« Er räusperte sich.

Grace merkte, wie eine heiße Welle durch ihren Körper lief. Sie hoffte inständig, dass sie nicht rot geworden war. »Ja?« Das Herz schlug ihr bis zum Hals.

»Die Luxusferiensiedlung, von der ich geredet habe.«

»Was ist mit der?« Ihre Stimme gewann wieder an Festigkeit.

»Der Hintermann des Mammutprojekts lebt drüben in einem dieser alten Herrenhäuser in Cong. Mit Hauptwohnsitz auf der Kanalinsel Guernsey. Er heißt Finnegan. Möglicherweise kennst du ihn ja.«

Grace räusperte sich. »Murray Finnegan?«

Peter nickte und spielte mit dem Autoschlüsselbund. Er sah sie nicht an.

»Verdammt …«, entfuhr es ihr, bevor sie sich in den Griff bekam und neu ansetzte. »Nein, den kenne ich nicht. Nicht persönlich.«

Nun schaute er sie doch an. »Aber er ist doch quasi Familie, oder? Er ist der Patensohn deines Onkel Jim. Hat wohl länger in London gelebt, bevor er vor ein paar Jahren hier nach Cong zog.«

Grace spürte die Wut wie eine heiße Welle aufsteigen. Sie konnte es nicht mehr hören. Doch Peter fuhr in aller Ruhe fort: »Dein Onkel Jim, der ja hier, wie jeder weiß, in der Grafschaft politisch den Ton angibt, hat bei der letzten Sitzung des Rates freundlicherweise dafür gesorgt, dass das Projekt seines lieben Patenkindes durchgewunken wurde. Auf Familie ist eben Verlass hier im Westen Irlands.«

Im selben Augenblick hatte sich Grace mit einer energischen Bewegung abgeschnallt, die Beifahrertür aufgerissen und war aus dem Auto gesprungen.

23

»Graínne!«

Grace bezog es zunächst gar nicht auf sich, als sie auf dem langen Flur in der Polizeizentrale ihren Vornamen auf Irisch hörte. Nur Peter und ihr Onkel nannten sie noch so. Mit dem ziegelfarbigen Tee im Pappbecher schlenderte sie weiter in Richtung ihres Büros.

»Graínne!«

Diesmal drehte sie sich doch fragend um. Aisling O'Grady, die junge Gerichtsmedizinerin, rannte mit fliegenden Haaren auf sie zu. Wie ein Connemara-Pony bremste sie scharf vor ihr ab und lachte dabei über das ganze sommersprossige Gesicht.

»Willst du zu mir?«

Die Pathologin nickte, und Grace schob sie in ihr Büro.

»Ich hab die vollständigen Ergebnisse der Obduktion. Wir können die Leiche nun freigeben.«

O'Grady legte die Unterlagen auf den Tisch und sprudelte sofort das Wichtigste heraus. »Die Leiche hat eine Zeitlang im Wasser gelegen. Kann nicht sehr tief gewesen sein. Aber das wussten wir ja schon.«

Grace blätterte konzentriert durch den Bericht. »Vermutlich an einem Strand. Meerwasser?«

O'Grady nickte und betrachtete neugierig das Büro der Kollegin.

»Aber kein Tod durch Ertrinken«, sagte Grace mehr zu sich selbst und blätterte weiter in dem Bericht. »Wie bedrohlich war das Hämatom an Annies Hinterkopf?«

O'Grady dachte einen Moment nach. »Schwer zu sagen. Nicht wirklich lebensbedrohlich. Aber in ihrer Bewusstlosigkeit hätte sie, zumindest für ein unerfahrenes Auge, durchaus mausetot wirken können.«

Grace zog die Luft scharf ein. »Interessant.«

Sie schaute sich ein paar Fotos genauer an. O'Grady war hinter sie getreten, um gleichfalls in die Akte schauen zu können. »Die Stichwunden am Hals waren tödlich, und sie stammten auf keinen Fall von einem Laien. Siehst du das? Hier und hier. Da wusste jemand sehr genau, wo man zustechen musste.«

»Du meinst, das waren Profis?«

O'Grady nickte vehement. »Vor mehr als zwei Jahren gab es hier eine Art Bandenkrieg. Wenn die nicht geschossen haben, haben die sich gegenseitig genau auf diese Art abgestochen. Wahrscheinlich Profikiller osteuropäischer Herkunft, Amis ballern lieber.«

Grace musste grinsen. Die junge Kollegin wirkte auf den ersten Blick fast wie ein Schulmädchen, mit ihrem langen rotblonden Haar, den großen Augen und der durchgehend guten Laune. Was bei diesem Job durchaus verwunderlich war. Neben Rory war sie die Einzige der neuen Kollegen, die ihr auf Anhieb sympathisch gewesen war.

»Ach, und hier sind die Schuhe, die sie anhatte.« O'Grady wühlte in ihrem knallbunten Rucksack und zog einen durchsichtigen Beutel heraus, der die smaragdgrünen Stilettos enthielt. Grace befreite die Prachtstücke aus ihrer Plastiktüte und stellte sie vor sich auf den Tisch. »Wer zieht so was an? Und wer kann auf so etwas laufen?«

Andächtig betrachteten die beiden Frauen die Schuhe.

»Besser gefragt: Wer will auf so etwas laufen?«, fragte O'Grady nachdenklich.

»Unsere Tote sicher nicht. Sie waren ihr fast zwei Nummern zu groß. Habt ihr DNA von ihr an den Dingern gefunden?«, sagte Grace.

O'Grady schüttelte den Kopf. »So gut wie keine. Dafür massenhaft unbekannte DNA.«

Grace seufzte.

»Farblich passend zur Grünen Insel!« Plötzlich stand Rory in der offenen Tür und zeigte mit breitem Grinsen auf die giftfarbenen Sandalen. Für die Gerichtsmedizinerin schien das ein Signal zu sein, sich zu verabschieden. Grace stellte die Schuhe gut sichtbar hinter sich in das Regal.

Zehn Sekunden später erschien der rote Schopf O'Gradys noch einmal in der Tür. »Ich hab's!«, rief sie.

»Was hast du?«

»Ich habe mich die ganze Zeit gefragt, was an dem Büro anders ist. Du hast diese schönen Leinenvorhänge aufgehängt! Sieht super aus!« Noch bevor Grace darauf reagieren konnte, hatte sie schon wieder den Kopf zurückgezogen und war verschwunden.

Rory ließ es sich nicht nehmen, mit einem bewundernden Blick zum Fenster zu marschieren, um die Qualität der Vorhänge zwischen seinen Fingern zu testen. »Frauen bemerken so etwas sofort.«

Grace lächelte amüsiert. »Genau, denn Frauen begnügen sich auch nicht mit hässlichen, funktionalen Jalousien. Hast du was Neues?« Sie wusste, dass das jetzt dauern konnte. So viel hatte sie in der kurzen Zeit der Zusammenarbeit mit dem Kollegen schon gelernt.

Rory kramte umständlich in seinen Uniformtaschen. Schließlich zog er einen zerknitterten Papierbogen hervor, den er sorgfältig glatt strich und auf dem Tisch ausbreitete. Er war komplett vollgekritzelt. Nicht ein Zentimeter Papier war ungenutzt geblieben. Grace erkannte nur ein heilloses Durcheinander. Rory sah das anscheinend komplett anders.

»Murphy scheidet für die vermutliche Tatzeit aus. Er war bereits am Samstagabend in Belfast, das haben wir nachgeprüft. Check-in im Hotel um sechs, dann Empfangsdinner um acht, an dem er nachweislich teilnahm. Rückkehr ins Hotel gegen elf. Sonntagmorgen hielt er dann seinen Vortrag, wurde weiterhin von allen Teilnehmern des Kongresses registriert und blieb bis zum Abschluss anwesend. Er gab sogar ein Interview für die Lokalzeitung. Mit Bild. Ich hab's irgendwo.«

Rory begann wieder zu kramen. Grace winkte ab. »Wie lang braucht man mit dem Wagen von hier nach Belfast?«

Rory überlegte. »Nicht unter drei Stunden. Eher vier bei den Straßen hier. Oben im Norden ist es besser.«

Grace schob ihm den Obduktionsbericht zu. »Lies das mal, wenn du Zeit hast. Annie wurde definitiv erst im Laufe des Sonntags getötet. Am Samstagabend dagegen wurde sie schwer verletzt. Der Sturz oder Schlag, der das Hämatom verursachte, führte allerdings nicht zum Tod. Murphy scheidet damit für beide Zeitpunkte definitiv als Täter aus, wie es aussieht.« Sie klang nicht sonderlich enttäuscht. »Gibt es etwas Neues von unserem Koch Joyce?«, fragte sie weiter.

Rory hustete und hielt sich die Hand vor den Mund. In dem Moment klopfte es kurz, und Kevin Day erschien in der Tür. Ein penibel gekleideter Mann Ende vierzig mit einem gepflegten Bart.

»Ja?« Grace schaute ihn nicht sehr freundlich an. Day spielte mit seiner Lesebrille. Offenbar hatte er gehofft, sie alleine anzutreffen.

»Ist nichts Besonderes. Wollte nur mal schauen, wie es so läuft. Ob ihr vorankommt.«

Sie funkelte ihn an. »Danke der Nachfrage, Kevin. Es ist beruhigend zu wissen, dass die Kollegen einen nicht alleine lassen und Anteil nehmen, selbst wenn es nicht ihr Fall ist.«

Rory versuchte, sein Grinsen zu unterdrücken, und wandte sein Gesicht ab, sodass Day es nicht sehen konnte.

»Na denn. Viel Glück noch.« Der Kollege schien zu überlegen, wie er einen eleganten Abgang machen konnte, entschied sich dann jedoch für den schnellen Rückzug ohne Schnörkel. Er schloss die Tür fest hinter sich.

Grace atmete durch und schaute Rory an, der immer noch grinste.

»Bis heute hat er nicht verwunden, dass du die Stelle gekriegt hast, auf die er schon seit Jahren hinarbeitete. Tja, Pech auf der ganzen Linie. Aber sieh dich vor. Day ist nicht ungefährlich. Der wartet nur auf die Gelegenheit, dich fertigzumachen.« Das Letzte hatte Rory fast geflüstert.

Grace wollte etwas erwidern, da hatte Rory aber schon begonnen, von Joyce zu erzählen. »Den Koch persönlich habe ich leider nicht erwischt. Den müssen wir dringend noch einmal vorladen. Der ist wahrscheinlich wieder auf Inis Meáin, aber darauf komme ich noch. Ich hab nur seinen Agenten gesprochen. Telefonisch.«

»Köche haben Agenten?« Grace schüttelte den Kopf und lachte.

Rory nickte. »Fernsehköche zumindest. Und wenn sie auf Irisch kochen. Donal Joyce ist in der kleinen, gälisch sprechenden Welt eine echte Berühmtheit. Und er kocht gut. Sagt Mrs Coyne.« Über das Gesicht des rundlichen Kommissars huschte ein Hauch von Zärtlichkeit.

Grace fragte sich, ob dieser Anflug von Gefühlen Mrs Coyne selbst oder ihren Kochkünsten galt. Vermutlich beidem. Sie wollte nur zu gerne die geschätzte Partnerin ihres Kollegen und Mutter seiner sechs Töchter mal kennenlernen.

Rory erzählte ihr noch, dass er den Agenten gefragt habe, ob Carol Lonnigan auch für Joyce gearbeitet habe. Da habe der nur laut gelacht und entgegnet, die nun grad nicht. Sie habe sich jedoch auf die Affäre, die die beiden bis vor Kurzem gehabt hätten, sicherlich wegen seines Kontos und seiner Prominenz eingelassen. Da sei er sich absolut sicher gewesen, und selbst der eitle Donal hätte das am Ende mitgekriegt. »Auf meine Frage, warum der umtriebige Koch sich so oft auf Inis Meáin aufhalte, konnte oder wollte er mir keine Antwort geben. Das ist doch mehr als seltsam, oder?«

»Da bleiben wir dran. Ich fahr später noch mal auf die Insel zu Pattie Burke. Joyce wohnt immer bei ihr. Ich habe noch eine andere Frage: Was weißt du eigentlich über das Bauprojekt von Murray Finnegan drüben in Cong?« Sie merkte, wie schwer es ihr fiel, allein nur den Namen zu erwähnen. Rory zögerte einen Moment und schaute sie unsicher an. Daraufhin erzählte ihm Grace ausführlich von ihrem Gespräch mit Peter Burke.

»An dem Projekt hängt eine Menge Geld wird gemunkelt. Aber es ist, soweit ich weiß, noch nicht durch den Rat.« Rory steuerte dabei auf die Tür zu. Plötzlich schien er es eilig zu haben. Rory hatte es selten eilig.

»Einen Moment noch bitte, Rory.« Graces Stimme klang streng. Sie war hinter ihrem Schreibtisch hervorgetreten und schaute ihm jetzt direkt in die Augen. »Was weißt du noch darüber, bitte?«

Rory blickte etwas verlegen zu Boden. »Na ja, es ist bekannt, dass viele Leute in Cong für das Projekt Feuer und Flamme sind. Dort greift man nach dem Wirtschaftskollaps nach jedem Strohhalm, der sich bietet. Man kann die Leute verstehen. So etwas bringt neue Stellen, die dringend gebraucht werden.«

Er lächelte sie an und wollte sich dann davonmachen.

Doch Grace hielt ihn immer noch zurück. »Hängt mein Onkel da auch mit drin?« Es war manchmal ein Vorteil, Fragen zu stellen, auf die man nur mit einem Wort antworten konnte.

Rory schaute nach unten, und Grace bemerkte zwischen seinen dunklen Locken eine kleine tonsurartig lichter werdende Stelle auf seinem Kopf.

»Wahrscheinlich. Aber Genaues weiß man nicht.« Er kratzte sich am Kinn und schien zu merken, dass Grace mit dieser Antwort noch nicht zufrieden war. Er räusperte sich. »Vielleicht kann man es so sagen: Dein Onkel hat sich bei der entscheidenden Anhörung mit allen Mitteln für das Projekt starkgemacht. Ja, so könnte man es nennen.«

»Wie bei meiner Ernennung?« Ihre Stimme zitterte ein wenig, und Rory schien sich auf einmal sehr für seine Schuhspitzen zu interessieren.

»Rory?«

Schweißperlen kullerten langsam von seiner Stirn, und schließlich nickte er erschöpft. Schnell öffnete er die Tür, als brauche er unbedingt frische Luft. »Du entschuldigst mich, Grace, ich will unbedingt noch vor Feierabend die Firma von Cadogan überprüfen. Blue Finn. Merkwürdiger Name, findest du nicht? Wir wollen doch nichts übersehen haben.«

Dann rannte er fast, nur von seinem kleinen Bauch sanft gehindert, den Korridor entlang. Zwei Gardai, die er fast über den Haufen rannte, schauten verblüfft hinter dem Kommissar her.

Grace stand in ihrem Büro und konnte nichts mehr gegen die Tränen unternehmen, die ihr über die Wangen liefen.

24

Grace hielt kurz an, um Luft zu holen. Sie hatte die Abkürzung über den Fluss Corrib genommen und ging nun mit ungewöhnlich schnellen Schritten Richtung Claddagh, wo sie Carol Lonnigan noch mal einen Besuch abstatten wollte, und zwar einen unangekündigten. Sie wollte ihr dieses Mal keine Gelegenheit geben, sich auf das Gespräch vorzubereiten.

In zwei Stunden würde Oonagh hier sein. Bis dahin musste Grace wieder zurück sein. Ihre Schwägerin hatte ihr erzählt, dass sie die neue Autobahn nehmen und den Shannon bei Athlone überqueren würde. Auch nach all den Jahren der Abwesenheit war für Grace der größte Fluss Irlands mehr als eine geografische Trennungslinie zwischen dem Osten und dem Westen der Insel. Ostirland war von jeher England zugewandt, wohlhabender und auch ein wenig »organisierter« gewesen. Der Westen dagegen, und Grace musste bei dem Gedanken unwillkürlich lächeln, war und blieb auch im dritten Jahrtausend stets der »Wilde Westen«.

Bei ihrem Telefonat heute Mittag hatte ihre Schwägerin versucht, betont sachlich zu klingen. Ja, sie habe natürlich den Eindruck, dass Roisin unter dem Einfluss der Mutter Oberin stehe, obwohl sie selbst vehement den Wunsch geäußert habe, dass man ihr Zeit zum Überlegen lasse. Mehr wollte Oonagh mit Grace persönlich besprechen. »Weißt du, Dara ist für so etwas einfach nicht geeignet. Es ist besser, er bleibt zu Hause und passt auf Declan auf«, hatte sie energisch hinzugefügt. Grace war ihr dankbar dafür, denn die Situation setzte ihr doch mehr zu, als sie anfangs gedacht hatte. Außerdem hatte sie eine Idee.

Jetzt war sie vor Carol Lonnigans Haus angekommen. Ihr Auto stand vor der Tür, sie war also vermutlich zu Hause. Nur wenige Sekunden, nachdem sie geklingelt hatte, wurde die Tür aufgerissen. Carols Gesichtsausdruck verriet ihr sofort, dass sie jemand anderen erwartet hatte. »Oh.« Das war alles, was sie zustande brachte. Grace registrierte es mit Genugtuung.

»Darf ich kurz hereinkommen, ich habe noch ein paar Fragen?«

Höflich, doch kühl, hielt Carol ihr wortlos die Tür auf.

»Ich bin in Eile und werde Sie nicht lange aufhalten, Sie erwarten offenbar Besuch«, sagte Grace im Plauderton.

»Wie kommen Sie darauf? Nein.« Jetzt sah sich die junge Frau offenbar doch genötigt, etwas zu sagen, aber entspannt klang es nicht. Sie bat Grace, im Wohnzimmer Platz zu nehmen, und setzte sich selbst ebenfalls auf das elegante Sofa, leicht versetzt neben Grace, sodass sie sich nicht gegenübersaßen. Das war klug gewählt, dachte sich Grace. In einem der zahlreichen Fortbildungsseminare in England für den internationalen Polizeidienst hatte sie mal gelernt, wie wichtig die Sitzanordnung für den Verlauf eines Verhörs sei. Sie mache stets psychologische Über- oder Unterlegenheit deutlich. Entgegen irischer Gepflogenheiten bot Carol Lonnigan ihrem Gast nichts an.

»Ich habe noch ein paar Fragen zu Ihrer Berufstätigkeit, die Ihnen so ein gehoben ausgestattetes, gemütliches Heim ermöglichen kann. Von solch einem wunderbaren Cottage träume ich selbst auch«, begann Grace das Gespräch. Carol zuckte ungerührt mit den Schultern.

»Sie waren längere Zeit als Praktikantin bei James O'Malley in der Parteizentrale. Stimmt das?«

Carol bestätigte das mit einem knappen Nicken.

»Wieso sind Sie dort nicht geblieben? Alle schienen, wie man mir berichtete, höchst zufrieden mit Ihrer Arbeit.«

»Dann wissen Sie sicher auch, dass es damals keine passende Stelle für mich in der PR-Abteilung gab, in die ich von meinen Qualifikationen her gepasst hätte.«

»Die Position an der Rezeption im Bay Hotel entsprach dann doch sicher auch nicht Ihren Qualifikationen, oder sehe ich das falsch?«, konterte Grace in leicht verschärftem Ton.

Carol überlegte einen Moment. »Das war vorübergehend gedacht. Ich wollte mir einen Einblick in das gehobene Segment des Tourismus verschaffen. Genau dort bin ich jetzt gerade sehr erfolgreich eingestiegen. Ich zeige Ihnen gerne, was …«

»Einen Augenblick noch, Carol«, unterbrach Grace sie schnell. »Vorher gab es ja noch den kleinen, aber feinen Aufenthalt im PC an der Rezeption, Vincent Murphys Arbeitsstelle.«

Das wiederum trieb eine Röte in Carols Gesicht. Grace hatte mit ihrer Bemerkung offenbar ins Schwarze getroffen. Mit einer nervösen Bewegung streifte Carol einen Schuh ab. Grace sah auf Carols Füße.

»Welche Schuhgröße haben Sie, Carol?«

»Fünf. Wieso?«

»Nur so. Also? Wie war das mit dem PC?«

»Im PC war ich hauptsächlich für die Telefonzentrale zuständig, ich spreche leidlich ein paar Sprachen.«

»Welche?«

»Fünf, genau genommen.«

»Genau genommen?«

»Wenn man Irisch mitrechnet, das müssen wir ja alle lernen. Machte mir aber trotzdem Spaß.«

»Noch einmal: Welche Sprachen sprechen Sie?«

Wieder zögerte Carol einen Moment, als müsse sie überlegen, was sie preisgeben darf. Sie schien verunsichert und irritiert über die Frage.

»Englisch und Irisch natürlich, Französisch, rostiges Russisch und etwas Norwegisch, was ich dort aufgeschnappt habe.«

»Kein Deutsch? Das ist ungewöhnlich, wenn man so sprachbegabt ist wie Sie. Deutsch wird in Irland ja öfter angeboten als Französisch.«

Carol lächelte sie frostig an. »In der Schule hatte ich die Wahl zwischen Russisch und Deutsch, und da habe ich mich für die Zukunft entschieden. An der Uni habe ich auch mal ein Semester Mandarin belegt, aber da war ich wohl etwas überambitioniert.«

Grace nickte. Schlaues Kind. Das war wieder die Carol Lonnigan, wie sie sie kannte. Mal sehen, wie sie auf die nächste Frage reagieren würde. »Von was leben Sie, Carol? Oder reichten die Provisionen aus, die Sie durch die Vermittlung ihrer Freundin Annie als Putzkraft bei den wichtigen und wohlhabenden Leuten Galways erhalten haben?«

Aus Carols Gesicht war jegliche Farbe gewichen. Sie schluckte und starrte auf das Aquarell, das Rory so bewundert hatte. Dann warf sie einen unauffälligen Blick auf ihre Armbanduhr, stand auf und ging ans Fenster, von dem aus man die Straße sehen konnte. Ohne ersichtlichen Grund machte sie sich auf einmal an der feinen Gardine zu schaffen. Sie zog sie auf, dann lächelte sie entschuldigend, als habe sie sich geirrt, und zog die Gardine wieder zu. Mit einer raschen Bewegung drehte sie sich plötzlich um. Jegliche Unsicherheit war jetzt aus ihrem Gesicht gewichen. Ihre Stimme klang selbstbewusst, fast ein wenig arrogant: »Das habe ich nicht nötig, ich verdiene genug mit meinem eigenen Business.

Ich betreibe ein VIP-Portal. Rare Moments – Kostbare Momente. Klicken Sie es doch mal an. Ich gebe Ihnen das Passwort.« Sie nahm wieder Platz und schlug die Beine übereinander.

»Das mache ich gerne, aber erzählen Sie mir doch erst mal etwas darüber.«

Carol zögerte erst, doch dann sprudelte es förmlich aus ihr heraus. Dass sie bei ihren vielen Jobs bemerkt habe, worauf es einem sehr exklusiven Kundenkreis ankomme, dass solche Leute Luxus und Komfort auf höchstem Niveau suchten, aber vor allem eine geschützte Privatsphäre bevorzugten. Stil, Stille und Sicherheit, das seien die drei Faktoren, die sie garantieren wolle. Selbstverständlich komme man nur auf Empfehlung zu ›Rare Moments‹.

Grace kam sofort Murray Finnigans Luxussiedlung in Cong in den Sinn. Ob sich die beiden kannten? Wäre interessant herauszufinden. »Sagen Sie, Pattie Burkes Bed & Breakfast auf Inis Meáin, fällt das auch unter diese exklusiven Kriterien?«

Carol nickte zustimmend, und Grace lächelte ihr berühmtes Grace-Lächeln.

»Ach, dann ist es ja fast so wie bei Annie. Die gab es auch nur auf Empfehlung. So war es zumindest bei Dr. Murphy und meinem Onkel. Den Koch müssen wir noch befragen.«

»Das kann ich Ihnen auch sagen. Ja, ich habe ihm Annie empfohlen.«

Grace zog die Augenbrauen hoch. »Sie kennen sich?« Das war ihr zwar bekannt, doch sie wollte nur zu gerne Carols Reaktion darauf sehen.

Diese zuckte gleichgültig die Schultern und schaute wieder auf ihre teure Armbanduhr. »Wir waren mal flüchtig liiert, sind aber als gute Freunde auseinandergegangen. Als er mir damals sagte, er suche jemanden, habe ich ihm Annie empfohlen. Wissen Sie, ich kann von meiner kleinen Agentur sehr gut leben, doch Annie war auf diese Stellen während ihrer Promotion angewiesen. Ich freue mich immer, wenn ich helfen kann.«

Jetzt hing eine lähmende Stille im Raum, bis Grace mit der nächsten Frage herausrückte: »Wenn Sie Joyce so gut kannten, dann hat er Ihnen sicher auch erzählt, dass er Annie dabei erwischt hat, als sie seine Unterlagen durchwühlte. Können Sie sich einen Reim darauf machen?«

Carol starrte sie fassungslos an und schüttelte dann langsam, fast vorsichtig den Kopf.

»Gut. Dann werde ich ihn dazu noch einmal befragen müssen. Ich verabschiede mich fürs Erste und bitte Sie, sich für weitere Vernehmungen bereitzuhalten.« Grace stand auf und nahm ihre Jacke. Dann fiel ihr noch etwas ein. »Und was ist mit der Familie, haben Sie der Annie auch empfohlen?«

»Die Cadogans? Nein, die hatte sich Annie irgendwie selbst an Land gezogen, die kenne ich gar nicht.«

»Und Blue Finn? Sagt Ihnen das etwas?«

Entschieden schüttelte Carol ihre wohlgeordnete Haarpracht. »Bedaure.«

Grace hatte den kleinen Vorgarten bereits durchquert, da drehte sie sich noch einmal zu Carol Lonnigan um. »Übrigens ist Annies Leiche freigegeben. Die Beerdigung wird sicherlich demnächst stattfinden. Ich dachte, es interessiert sie als beste Freundin.«

Carol nickte abwesend. Es schien, als könne sie es nur mühsam abwarten, dass ihr Besuch endlich verschwand.

»Noch eine letzte Frage. Sie stammen doch aus Cong, drüben über dem Corrib. Kennen Sie einen Murray Finnegan?«

»Ich hab von ihm gehört, klar, aber ich kenne ihn nicht.«

»War nur so eine Frage. Der hat anscheinend auch so ein Luxus-VIP-Feriencamp in Planung, das kostbare Momente im Blick hat, besonders kostbare sogar.«

Ohne eine Antwort abzuwarten, drehte sich Grace wieder um und ließ die Gartenpforte ins Schloss fallen. Sie spürte geradezu Carols Blicke, die sich ihr in den Rücken bohrten, als sie die kleine Straße hinunter Richtung Innenstadt einschlug. Mit dem Verlauf des Gesprächs war sie äußerst zufrieden. Sie hatte Carol gehörig aus der sorgfältig antrainierten Fassung gebracht und hatte den einen und anderen Köder ausgelegt. Außerdem war sie sich sicher, dass Carol vorhin durch den Griff an die Gardine jemanden gewarnt hatte. Blieb nur die Frage, wen.

Kurze Zeit später zwängte sie sich in der Shop Street durch Touristenmassen, die sich mit zahlreichen einkaufslustigen Einheimischen in der schmalen Fußgängerzone vermischten. Im Mai begann die Saison erst. Zwei Monate später würde hier an den Wochenenden kaum noch ein Durchkommen sein. Schon jetzt präsentierte sich alle fünfzig Meter ein anderer Straßenmusiker, meistens mit der irischen Metallflöte, der Tin Whistle, ausgestattet oder auch mal mit den »Ulliann Pipes«, dem für die Grüne Insel typischen Dudelsack.

Plötzlich stutzte sie. Der ungepflegte Alte aus dem Pub, Hilary, wie ihn Rory genannt hatte, verließ gerade mit einer prall gefüllten Plastiktüte Fisher's, Galways exklusivsten und teuersten Delikatessladen. Der Mann hatte sie nicht bemerkt und war schnell in der Menge untergetaucht. Grace schüttelte verwundert den Kopf, drängte sich dann aber weiter durch die Menschenmassen. Bald würde Oonagh ankommen, bis dahin musste sie mit ihrer Arbeit noch ein Stück weiterkommen. Sie musste zum Beispiel wissen, wie weit Rory mit der Überprüfung von Annies Bankkonto war. Gerade hatte sie ihr

Handy aus der Schultertasche gefischt, um den Kollegen anzurufen, als sie ihn direkt auf sich zukommen sah.

»Hallo!«, rief sie und winkte ihm erfreut zu. Schätzungsweise dreißig Meter trennten sie noch, doch trotz des Gedränges konnte sie ihn gut sehen. Auch er schaute in ihre Richtung, zeigte aber keine Reaktion und schien durch sie hindurchzuschauen. Grace blieb verwundert stehen. Was sollte das denn? So etwas sah Rory gar nicht ähnlich. Sie suchte seine vertraute Gestalt wieder in der Menge, doch er war nirgends mehr zu sehen, als habe er sich in Luft aufgelöst.

25

Als sie zehn Minuten später in ihrem Büro saß, spazierte Rory pfeifend im weißen Hemd ohne Jacke zur Tür herein. Grace verschränkte die Arme vor der Brust und schaute ihn angriffslustig an.

»Na, hast du deinen Ausflug auf die Shop Street erfolgreich beendet?«

Er nickte enthusiastisch. »Sag ich doch, war viel los heute.« Wie um das zu unterstreichen, nahm er ein gebrauchtes Taschentuch aus der Hosentasche und wischte sich die Stirn ab. Unter den linken Arm hatte er die Mayo News gefaltet. Grace würde den Zustand der Wochenzeitung eher als »zerknüllt« bezeichnen.

»Ich war auf der Bank, und da gibt es wirklich Interessantes zu berichten. Außerdem wollte ich dir diesen Artikel heute in der Mayo News zeigen.«

»Du warst auf einmal verschwunden.« Grace ignorierte seine neuesten Informationen.

»Wie verschwunden?« Rory schien überzeugend erstaunt zu sein, und Grace erzählte ihm, dass sie ihn eben in der Fußgängerzone gesehen und ihm zugewunken habe. »Ich habe dich wirklich nicht gesehen, Grace, glaub es mir. Ich war ganz in Gedanken, wegen Annies Konten. Sie hatte übrigens zwei, und rate, wer die Vollmacht zu einem davon hat?« Der Detective war ganz bei der Sache. »Carol! Jawohl! Allerdings hat die Bank gut reagiert und die Konten schon am Tag, als wir die Leiche fanden, gesperrt. Ich bekomme noch heute die kompletten Auszüge gemailt. Auf dem zweiten ist anscheinend eine richtig stattliche Summe drauf, sagte man mir. Die warten nur noch auf die richterliche Entbindung vom Bankgeheimnis.« Seine Miene war erwartungsvoll, als wolle er gelobt werden.

Grace seufzte innerlich und beschloss, dem Vorfall auf der Shop Street erst mal keine weitere Bedeutung beizumessen. Trotzdem musste sie sich eingestehen, dass sie irritiert war. Warum verhielt sich Rory so seltsam, und warum belog er sie? Sie versuchte, sich wieder auf die Arbeit zu konzentrieren.

»Also, was steht in der Mayo News?«

Rory hatte die Zeitung aufgeschlagen, und beide beugten sich darüber.

»Kein Chinesischer Take-away«, stand in großen Lettern auf der Lokalzeitung. Darunter lachte ein gut aussehender Mitdreißiger in die Kamera.

»Das ist Mathew Cadogan, und in dem Artikel geht es um seine Blue Finn Company.«

Cadogans Firma hatte offenbar mit chinesischen Partnern einen guten Deal ausgehandelt, bei dem es um die Erschließung wertvoller noch ungenutzter Meeresressourcen ging.

»Murphy«, war Graces knappe Reaktion auf seine

Schilderung. Rory nickte aufgeregt. »Das deckt sich doch mit dem, was wir über sein Forschungsprojekt in Clifden herausbekommen haben. Oder?«

»Sag ich doch.« Rory schaute sie treuherzig an. Sie konnte ihm nicht böse sein.

Sein Blick fiel auf die grünen Stilettos im Regal hinter ihr. »Wirklich scharfes Schuhwerk, obwohl Mrs Coyne so etwas nie tragen würde.«

Grace musste grinsen. Ihr gefiel es, wie er in altmodischer Manier von seiner Frau immer nur als Mrs Coyne sprach. Ihr Handy klingelte, und ihre Schwägerin gab durch, dass sie unerwartet aufgehalten worden sei und erst am nächsten Morgen kommen könne. Keine Sorge, Roisin gehe es gut. Grace seufzte und legte auf. Sofort klingelte ihr Handy erneut. Sie lächelte Rory entschuldigend zu und nahm den Anruf an. Es war Peter Burke, der sie unbedingt sprechen wollte. Er habe etwas Interessantes herausgefunden über Annie und das PC. Sie verabredeten sich bei Conlon's, dem besten Fish-&-Chips-Laden der Stadt.

Grace grinste Rory an, nachdem sie aufgelegt hatte. »Wenigstens ist mein Mittagessen gesichert. Ich freu mich schon auf den geräucherten Wildlachs. Der schmeckt da noch so wie in meiner Kindheit, bevor sie das ganze Zuchtzeug auf den Markt geworfen haben.«

»Na, so was lässt mich kalt, seit wir Lionel haben«, entgegnete Rory.

»Lionel?«, fragte Grace amüsiert und neugierig nach, woraufhin ihr Rory, der sich als bekennender Angelgegner outete, die Geschichte von Lachs Lionel erzählte, den er eigenhändig vom Angelhaken gerettet und zusammen mit seinen Töchtern aufgepäppelt hatte. Seit gut einem Jahr schwamm er nun schon im großen Hausteich von Rorys Bruder am Stadtrand von Galway herum und widerstand beharrlich sämtlichen Auswilderungsversuchen. Räucherlachs war seitdem bei den Coynes tabu.

Grace lachte laut auf. »Die Geschichte passt zu dir, Rory«, sagte sie und bedachte ihn mit einem fast liebevollen Blick. Dann wurde sie schlagartig nachdenklich. »Weißt du was, Rory, wir müssen unbedingt bei Annies Beerdigung dabei sein. Was hast du eigentlich über ihre Konten in Erfahrung bringen können?«

Rory seufzte und begann, in seiner Zettelwirtschaft zu blättern.

26

Peter wartete in einer der Nischen bei Conlon's auf Grace. Die Tische und Bänke waren wie in einem alten Western-Saloon in kitschig dekorierten, kleinen Abteilen angeordnet. Roh behauene Holzstämme trennten die Gäste optisch wie akustisch voneinander, aber bei näherem Hinsehen entpuppten sich die Trennwände als billige Fiberglasimitation. Das lebhafte Gespräch in der Nachbarnische zwischen einem Mann und einer Frau hörte er nur gedämpft. Sie unterhielten sich in einer asiatisch anmutenden Sprache, sodass er sowieso nichts verstehen konnte. Aufmerksam studierte Peter die Speisekarte und die schwarze Menü-Tafel, die den Tagesfang anbot. Der gebackene Kabeljau hörte sich gut an, und auch der Petersfisch war einen Versuch wert.

Da öffnete sich die Eingangstür, und eine, wie er zugeben musste, fantastisch aussehende Grace O'Malley betrat das Lokal. Der kurze schwarze Rock mit dem knallroten ärmellosen Oberteil stand ihr hervorragend. Zielstrebig steuerte sie durch das nur mäßig besetzte Restaurant auf ihn zu. Peter bemerkte, dass das Gespräch neben ihm plötzlich verstummte, obwohl gerade eben noch ein heftiger, aber offenbar nicht unfreundlicher Wortwechsel stattgefunden hatte. Grace grüßte ihn kurz, warf einen raschen, interessierten Blick Richtung Nachbartisch und setzte sich. Zu seinem Erstaunen bedeutete sie ihm sofort mit einer Handbewegung, zu schweigen, und schüttelte leicht den Kopf. Als die Bedienung kurz darauf dem Nachbartisch eine große Portion Pommes frites zusammen mit einer dampfenden Schüssel giftgrünem Erbsbrei servierte, schob ihm Grace einen Zettel hin, auf den sie schnell etwas gekritzelt hatte. Er las es, nickte und griff nach seinem Jackett. Als sie das Lokal verließen, hörten sie, wie das Paar sich auf Englisch unterhielt.

»Bitte entschuldige, aber die Frau an dem Nebentisch ist eine wichtige Zeugin in unserem Fall. Wir hätten kein Wort darüber reden können, wenn sie unmittelbar danebensitzt«, erklärte Grace ihm, als sie wieder auf der Straße standen. Peter nickte verständnisvoll.

»Sie kann fließend Chinesisch?«

Grace überlegte einen Moment. »Angeblich hat sie es nur ein Semester lang gelernt.«

»Für mich hört sich ihr Chinesisch nach sehr flinken Essstäbchen an«, sagte Peter und grinste dabei.

»Ja, sie ist ein kleines Sprachentalent. Würde mich sehr interessieren, was sie sonst noch so für Talente hat«, antwortete Grace. Sie sah Peter fragend an. »Aber wo sollen wir denn nun hingehen?«

Er strich sich nachdenklich über das unrasierte Kinn und schlug schließlich vor, zu ihm zu gehen. Er wohne nicht weit und würde spontan etwas Essbares hervorzaubern können. »Ich hab noch Champs von Fisher's und würde es glatt noch schaffen, den in die Mikrowelle zu schieben. Dann hauen wir uns noch ein Ei dazu drauf. Wie klingt das?«

»Champs? Eine wunderbare Idee!« Grace klang fast schwärmerisch bei der Aussicht auf den Kartoffelbrei mit vielen klein geschnittenen Frühlingszwiebeln. Langsam spazierten sie in der Abendsonne in Richtung der Docks. Peter fühlte sich auf einmal ungewohnt entspannt. Nach so einem strahlend blauen Tag wie heute, wenn das warme Abendlicht das Violett des jetzt gerade üppig blühenden Rhododendrons zum Glühen brachte, dann hatte Galway, das nur allzu oft in nassgraue, neblig trübe Schleier getaucht war, fast etwas Mediterranes. Verstohlen schaute er zu Grace, die ungewöhnlich still neben ihm herlief. »Warum bist du zurückgekehrt, Graínne?« Seine Stimme klang rauer als sonst.

»Ich bin nicht zurückgekehrt, dazu hätte ich erst mal in Galway leben müssen. Das habe ich aber nie«, sagte sie mit einem trotzigen Unterton.

»Du weißt, was ich meine. Ich meine an unsere Westküste. Warum kommt man hierher zurück? Hier gibt es doch nichts, außer schöner Landschaft.« Er war stehen geblieben und sah sie fragend an.

»Mich reizt hier die Aufgabe bei Garda, und wenn du es unbedingt wissen willst: Vielleicht hatte ich ja auch ein bisschen Heimweh.« Sie war jetzt auch stehen geblieben.

»Aber du bist kein keltischer Mandarin wie deine Vorgänger, die deinem Onkel aus der Hand fraßen und auch noch so schissen, dass es ihm nicht in die Nase steigen musste! Du wirst es nicht einfach haben bei Garda, Grace. Mit deinem Verständnis von Polizeiarbeit wirst du bei manchen Leuten auf Widerstand stoßen.« Eigentlich hatte er ihr das gar nicht sagen wollen. Nicht heute Abend. Aber jetzt war es gesagt, und Grace reagierte in ihrer bekannten Art.

»Damit muss ich leben. Und mein Onkel auch. Wenn du mir helfen möchtest, dann kannst du im Fall Annie gleich damit anfangen. Was hast du über das PC herausgefunden?«

An ihre forsche Art hatte er sich immer noch nicht richtig gewöhnt. Doch gleichzeitig freute ihn ihr Angebot. Er schaute sich um. Sie waren alleine auf der Straße. Eben noch hatte er das Gefühl gehabt, als würde ihnen jemand folgen. Mittlerweile waren sie bei seinem Haus angekommen.

»Lass uns erst mal reingehen. Dann erzähle ich dir alles«, sagte Peter, während er die flaschengrün gestrichene Haustür öffnete.

»Nur hereinspaziert«, forderte er sie auf und schob sie gleich in sein Büro, das mit seinen vielen Büchern, Akten, Karten und Papieren an ein Antiquariat erinnerte.

»Oh!« Grace schaute sich überrascht um. »Ich hätte eher auf eine aufgeräumte Ikea-Ausstattung mit drei PCs auf dem Tisch getippt.«

Er lachte. »Sorry, dass ich dich enttäusche. Kann es sein, dass ich auch in anderen Dingen nicht immer deinen Erwartungen entspreche?«, fragte er belustigt und bot ihr seinen dunkelgrauen Cordsessel am Fenster an. »Mit Meerblick!«

Grace nahm Platz und schaute sich interessiert um. »Nein, nein, alles in Ordnung. Ich finde es sehr gemütlich hier.« Sie schaute aus dem Fenster und lächelte kurz. Aber sie wirkte ungeduldig. »Peter, ich will nicht unhöflich sein, aber ich bin einfach sehr gespannt darauf, was du mir erzählen willst.«

Normalerweise wäre Peter erst mal der Gastgeberrolle nachgekommen, aber hier galt es als Erstes, Graces Hunger nach Informationen zu stillen. Dann erst war die Küche dran. Also erzählte er ihr von seinem Treffen mit Grønmo, der sich zwar für sein Recherchematerial bedankte, aber sich aufgrund anderer, dringender Projekte im Moment leider nicht weiter darum kümmern könne. Sie würden sich bei ihm zu einem späteren Zeitpunkt melden.

»Hat er erwähnt, ob das mit Murphys Projekt zu tun hat?«, fragte Grace nach.

»Nicht direkt, aber ich weiß, dass sie im Moment wegen Murphys Projekt und vor allem Cadogans Deal rotieren. Da ist offenbar etwas richtig falsch gelaufen.«

»Woher weißt du das?«

»Gardai sind nicht die Einzigen, die an Informationen herankommen. Ich behaupte mal, dass meine Möglichkeiten die euren in einigen Bereichen sogar noch übertreffen.«

Bevor Grace etwas darauf erwidern konnte, klingelte sein Handy. Er warf ihr eine Kusshand zu und grinste. Es war seine Mutter. Sie plauderten ein paar Minuten über alles Mögliche, doch als er ihr erzählte, dass Grace bei ihm zu Besuch sei, beendete Pattie das Gespräch offenbar so schnell, dass Peter ungläubig auf das Handy in seiner Hand starrte.

»Komisch«, meinte er, »Mütter können manchmal wirklich komisch sein, findest du nicht? Pattie war richtig seltsam, als ich ihr erzählte, dass du gerade da bist. Irgendwas stimmt da nicht.«

»Wie meinst du das?« Grace schaute ihn fragend an.

Peter wirkte plötzlich ernst und besorgt. »Weißt du, Grace, manchmal habe ich den Eindruck, alles hier, unsere Gegenwart, unser Leben wurzelt in der Vergangenheit. Wir leben zwar jetzt, wir fühlen, sehen, agieren, aber wir sehen nicht den großen Zusammenhang. Unser Leben verstehen können wir nur, indem wir auf die Vergangenheit blicken.« Er schaute sie jetzt ganz offen an.

Sie erwiderte seinen Blick. »Ich weiß, was du meinst. Gegenwart können wir nicht denken, nur empfinden. Und unser Leben in der Zukunft sehen, indem wir hoffen und wünschen.« Sie schwiegen beide für einen Moment.

»Irgendetwas muss damals passiert sein, Grace. Ich komme nur nicht dahinter. Aber ich will es endlich verstehen.«

Grace hielt seinem Blick stand. Aber sie schwieg. Dann war der Moment vorbei. Peter lachte plötzlich auf und fuhr sich durchs Haar. »Entschuldige. Ich bin ein lausiger Gastgeber. Kann ich dir etwas zu trinken anbieten? Ich verschwinde gleich in der Küche. Ich hatte dir doch Champs versprochen. Mal sehen, was die Mikrowelle zaubern kann.«

27

»Wie kann ich Garda bei diesem wunderbaren Wetter behilflich sein?«

Mathew Cadogan gab sich freundlich und offen. Er gehörte zu der neuen Generation empathisch wirkender Geschäftsleute, die viel lachten, Emotionen zuließen und sich dem Gegenüber warmherzig und interessiert zeigten. Er war sofort bereit gewesen, Grace bei sich zu Hause zu empfangen, als sie am frühen Morgen bei ihm angerufen hatte. Nun saßen sie in dem großzügig geschnittenen Wohnzimmer der Cadogans, in dem Kinderspielzeug einen nicht unbeträchtlichen Teil der Einrichtung ausmachte. Maggie Cadogan hatte ihnen Tee gemacht und sich dazugesetzt.

»Ja, Annie hat eine Zeitlang für uns geputzt. Die Kinder haben sie sehr geliebt, nicht wahr, Schatz?«, schwärmte Mathew Cadogan, und seine Frau nickte heftig hinter der gepunkteten Teetasse, die sie gerade an den Mund hielt.

»Maggie weiß viel mehr über sie als ich. Ich bin ja oft unterwegs.«

»Was genau machen Sie denn beruflich?«, fragte Grace und lehnte sich auf dem ausladenden Sofa zurück.

»Import, Export, Ms O'Malley, was halt so kommt.« Er lächelte und strich sich eine braune Haarsträhne aus dem Gesicht.

Attraktiver Mann, dachte Grace und schätzte ihn auf Mitte dreißig. Auf dem Foto in der Zeitung hatte er älter gewirkt.

»Bioressourcen, zum Beispiel?«, fragte sie und lächelte ebenfalls betont freundlich. Dabei kamen ihr die beiden Asiaten in den Sinn, die sie bei ihrer Ankunft vor einer Viertelstunde vor dem Haus in ein Taxi hatte steigen sehen.

»Ach, Sie meinen den Artikel in der Mayo News? Wie immer haben die Medien mal wieder aus einer Mücke einen Elefanten gemacht. Wer kann es ihnen verdenken? Angesichts dieser Rezession wird halt jeder kleine Lichtstreif am Horizont in ein Feuerwerk umgedichtet. Kann man ja verstehen.«

Er lehnte sich zurück und schaute sie entspannt an.

»Und? Ist da was dran?«

Cadogan nickte. »Sicher. Sie haben ja gerade die beiden Herren gesehen. Das sind Geschäftspartner von mir aus China. Es ist allgemein bekannt, dass wir, bevor wir wegen der Kinder und der Schulen nach Irland zurückkehrten, ein paar Jahre im Ausland gelebt haben. Zuletzt eben in China.«

»Wie haben Sie Annie kennengelernt?« So unerwartet sie zu dieser Frage gesprungen war, so aufmerksam registrierte sie die wachsamen Blicke, die die beiden nun miteinander austauschten. Maggie Cadogan blieb stumm. Schließlich beantwortete wieder ihr Mann die Frage.

»Wir haben sie geerbt.«

»Geerbt?« Fragend legte Grace den Kopf schief.

»Sie hatte schon für den Vorbesitzer des Hauses, das wir in Galway vorübergehend nach unserer Rückkehr gemietet haben, geputzt, und wir haben sie nur zu gern übernommen. Das war doch so, oder?« Mathew Cadogan blickte wie Hilfe suchend zu seiner Frau, die ihn anstrahlte und seine Worte mit heftigem Kopfnicken bekräftigte.

»Genau, so war es. Annie wurde sofort so etwas wie eine Freundin, als hätten wir uns schon immer gekannt.«

Grace fand das jetzt etwas dick aufgetragen, kommentierte es aber nicht. Aber sie hakte nach: »Sie meinen, der man bedingungslos vertrauen konnte?«

Wieder wechselten beide Blicke.

»Wie meinen Sie das? Selbstverständlich haben wir ihr vertraut, sonst hätten wir sie nicht gebeten, uns auch hier zu helfen, oder?« Mathew wirkte fast empört.

»Was sie jedoch ablehnte, weil es ihr zu weit war ohne Auto«, ergänzte seine Frau mit hoher Stimme. Sie und ihr Mann nickten dabei wie Handpuppen.

»Aber sie besaß ein Auto, wie wir erfahren haben«, sagte Grace.

Maggie hustete, und Grace sah, wie ihr Mann ihr kurz einen wütenden Blick zuwarf.

»Nun ja«, Maggie zögerte plötzlich, »es gab da noch etwas, was sicher ganz harmlos war …« Sie brach ab und wich offensichtlich dem Blick ihres Mannes aus, indem sie unablässig den bernsteinfarbenen teuren Holzfußboden musterte. »Alles kann wichtig sein, Mrs Cadogan. Erzählen Sie es mir einfach, auch wenn es sich unsinnig oder belanglos anhört«, ermunterte Grace sie.

Maggie schluckte. Mathew schaute seine Frau unsicher an. Er wirkte auf einmal besorgt.

»Wahrscheinlich war es absolut nichts, aber die Kinder haben immer mal wieder erzählt, dass Annie sie mit dem Handy fotografiert habe.«

»Das ist ja nicht unbedingt ungewöhnlich«, warf Grace ein, »sie war doch, wie Sie eben versicherten, eine lieb gewonnene Hausangestellte. Da macht man doch schon mal Erinnerungsfotos von den Kindern, die man gernhat, oder?«

Maggie druckste herum, und Mathew war auf dem Sofa voller Anspannung ganz nach vorne gerutscht.

»Ja, nur …«

»Was nur?«

Die Stimmung im Raum war auf einmal zum Schneiden.

»Die Kinder sollten sich auf den Fotos verkleiden.«

Maggie seufzte und lehnte sich erschöpft zurück. Grace wusste nicht, was sie denken sollte. »Wollen Sie damit andeuten, dass sie die Kinder im Schwimmzeug oder gar nackt fotografiert hat?«

»Nein! Um Gottes willen, nein! Dann hätten wir sofort Garda informiert, da können Sie sicher sein. Es war alles ganz harmlos. Die Kinder sollten sich als Märchenfiguren oder Comic-Helden verkleiden. Das war alles.«

»Warum hast du mir das nie erzählt, Mag?« Cadogan klang vorwurfsvoll. Resigniert hob seine Frau die Schultern.

»Ich hab dem damals keinerlei Beachtung geschenkt. Es schien ein Spiel für die Kinder, und wahrscheinlich war es das auch. Meinen Sie nicht?«

Grace stimmte ihr zu. »Wahrscheinlich haben Sie recht. Trotzdem hat mir Ihre Beobachtung geholfen, mehr, als Sie vielleicht glauben.«

Maggies Gesichtsausdruck war immer noch besorgt. Grace stand auf und strich ihren Rock glatt. Sie war sehr zufrieden mit dem Verlauf des Gesprächs. Sie verabschiedete sich, und die Cadogans begleiteten sie noch an die Tür.

»Wussten Sie, dass Annie für etwas sparte und dafür eine größere Summe brauchte? Hat sie Ihnen gegenüber etwas in der Richtung erwähnt?«

Wieder wechselte das Ehepaar Blicke. Schließlich schüttelte Maggie Cadogan energisch den Kopf und öffnete die Haustür. Sofort sprangen die drei Hunde aus dem Garten auf sie zu. Grace musste unwillkürlich lachen.

»Nein«, antwortete schließlich Mathew. »Hat sie nicht. Da bin ich mir hundertprozentig sicher.«

Grace schaute den Geschäftsmann ruhig an. »Das wundert mich jetzt, dass Sie so sicher sein können, wo Sie doch so selten zu Hause sind und gar nicht alles immer mitkriegen, Mr Cadogan. Vielen Dank, dass Sie Zeit für mich hatten. Auf Wiedersehen.«

28

»Also, mir geht es wirklich super, Grace. Und dir?«

»Nicht so gut, wenn ich mal ehrlich bin. Wie lang willst du denn da noch bleiben, Roisin?«

»Weiß ich nicht.«

»Und die Schule? Du musst doch zur Schule.«

»Ich kann hier zur Schule gehen. Ab Ostern wiederholen sie sowieso alles. Und ich bin die Beste in der Klasse. Also kein Problem.«

»Ist irgendetwas passiert, Roisin?«

»Nichts Besonderes. Warum fragst du?«

»Mit Dara und Oonagh, meine ich. Hattet ihr Streit? Ist da etwas vorgefallen?«

»Nein, wie kommst du darauf?«

»Mein Gott, Roisin, es muss doch irgendetwas gewesen sein, sonst wärst du doch nicht weggelaufen!«

»Ich bin nicht weggelaufen! Das machen nur kleine Kinder. Ich bin aber kein kleines Kind mehr, falls du das vergessen haben solltest! Ich habe mir nur die Optionen offen gehalten. So nennt ihr das doch immer.«

»Nein, Roisin, du bist kein Kind mehr. Das weiß ich. Aber ich bin nicht blöd. Ich mag nerven, aber ich bin nicht blöd.«

»Also gut. Ich hatte die Schnauze voll. Das war der Grund.«

»Von was?«

»Geld, Geld, Geld! Um nichts anderes geht es bei Dara und Oonagh. So sind die drauf. Gute Noten, Karriere, Leistung, Erfolg, Geld. Das ist ihr Gott. Ich kann das nicht mehr hören! Ich will was anderes.«

»Dafür musst du nicht in ein Kloster gehen.«

»Mir tut Declan leid.«

»Warum tut er dir leid?«

»Er kann sich nicht einfach ausklinken. Die sind ja seine richtigen Eltern.«

»Es sind auch deine, Roisin.«

»Muss ich jetzt lachen? Also gut. Dann sage ich es mal so: Da du ja meine Mutter bist, komme ich vielleicht nach dir. Du hasst ja auch oft das, was deine Familie macht, oder? Bei Familie sieht Grace rot. Das hat Dara mal zu Oonagh gesagt, als sie dachten, ich sei außer Hörweite.«

»Das ist etwas anderes, ich habe nie Hass auf meine Eltern gehabt.«

»Hab ich auch nicht. Obwohl: Für meinen Vater kann ich das natürlich nicht so klar behaupten, da ich ja bekanntlich keinen habe.«

»Dara ist dein Vater.«

»Alles klar. Dann sind wir wieder auf Startposition! Wir spielen mal wieder heile Familie. Bei los geht's los! Ich hab aber keine Lust auf eine neue Spielrunde, Grace. Ich will endlich klare Verhältnisse. Und ich will die Wahrheit wissen. Ich will was Richtiges, hinter dem ich wirklich stehen kann. Kapierst du das denn nicht? Du hast doch sonst immer für alles und jeden Verständnis. Warum nicht für mich? Schließlich bin ich deine … deine … Halbtochter!«

»Ich komme rüber, Roisin. Ich komme so schnell ich kann zu dir.«

»Bleib, wo du bist! Bleib mir um Himmels willen vom Leib!«

29

»Kommen Sie bitte rein, mein Vater versinkt gerade in den Kartoffeln.« Das hübsche rothaarige Mädchen mochte etwa zwölf Jahre alt sein und hätte es nicht treffender beschreiben können. Neugierig folgte ihr Grace in die Küche, wo Rory tatsächlich vor einem Berg von Kartoffeln saß, den es zu schälen galt. Die Ärmel seines malvenfarbenen Hemdes hatte er sich bis zu den Ellbogen hochgekrempelt. Als er Grace sah, breitete sich ein Strahlen auf seinem Gesicht aus.

»Grace, wie schön, dass du mich endlich mal zu Hause besuchen kommst! Du bleibst doch zum Abendessen?«

Grace schaute sich um. Das Mädchen stand abwartend in der Küchentür. »Danke, Maeve, es wird noch etwas dauern«, sagte Rory entschuldigend zu seiner Tochter.

»Wie lange noch, Dad?« Ihr maulender Ton klang nicht wirklich ernst. Anscheinend wollte sie ihren Vater ein bisschen aufziehen.

»Drei Runden Mühle zwischen dir und Brenda.« Rory grinste und schälte weiter.

»Oh Mann! Das ist ja ewig. Sie sollten seine Einladung nur annehmen, wenn Sie noch nicht am Verhungern sind, Ms O'Malley.«

Grace dankte dem Mädchen lachend für die Warnung und setzte sich an den langen Esstisch, der in der Mitte der Küche stand. Neugierig schaute sie sich um. Es gefiel ihr hier.

»Du klangst aufgeregt am Telefon, Rory.«

Er nickte und tupfte sich mit einem rot karierten Küchentuch die Stirn ab. »Sag ich doch. Joyce hat im Prinzip seine Aussage komplett widerrufen. Er habe sich im

Tag vertan. Zum besagten Zeitpunkt, als er Annie gesehen haben wollte, sei er gar nicht in Galway gewesen, sondern in seinem Kochstudio in Rossaveel. Glatt gelogen, wenn du mich fragst. Aber warum?«

Grace zuckte die Schultern und unterdrückte den Anflug von Ärger, der angesichts dieser neuen Entwicklung in ihr hochstieg. Dann erzählte sie Rory von ihrem Besuch bei den freundlichen Cadogans. »Diese Fotogeschichte klingt merkwürdig. Was meinst du?«

Rory überlegte. »Kann harmlos sein, oder auch nicht. Vielleicht hat Mrs Cadogan auch alles erfunden. Aber warum?« Rory rührte mit der linken Hand in der Wasserschüssel, in der die geschälten Kartoffeln schwammen.

»Ja, warum? Aber ich glaube auch, dass sie es erfunden hat. Interessanterweise wusste Mathew Cadogan von nichts! Eltern wie diese hätten sich doch garantiert über so etwas gewundert und darüber gesprochen. Das ergibt alles gar keinen Sinn.« Grace schwieg nachdenklich. Dann fiel ihr etwas ein. »Du wolltest mir etwas zeigen, Rory.«

»Richtig.« Rory wischte sich die Hände ab und ging zur Anrichte, auf der ein Laptop lag. Er tippte etwas ein, und bald darauf erschien ein Artikel aus dem Belfast Mirror über die Wissenschaftskonferenz, bei der Murphy seinen Vortrag gehalten hatte. Rory zeigte auf ein Foto, auf dem Murphy und ein paar andere Männer zu sehen waren.

»Er sieht komisch darauf aus«, stellte Grace fest.

»Wer sieht komisch aus?«

»Murphy. Find ich jedenfalls. Vielleicht bilde ich mir das auch nur ein.«

»Lies mal, was da drunter steht«, forderte Rory sie auf.

»Vincent Murphy und sein Mitarbeiter Lee Chang. Ja und?« Grace schaute ihn fragend an.

»Lee Chang arbeitet weder in Galway noch in Oslo, sondern in Shanghai.«

»Ja und? Heutzutage muss man nicht mehr im Einzugsbereich derselben Kaffeemaschine arbeiten, um sich Mitarbeiter zu nennen, oder?«

Rory wiegte nachdenklich seinen Kopf. »Vielleicht hast du recht, ich fand es nur auffällig, weil auch bei Cadogan dauernd von Chinesen die Rede ist.«

»Kannst du mir den Artikel mal ausdrucken, bitte. Ich will ihn Peter zeigen.«

»Da ist noch etwas.« Rory räusperte sich.

»Ich hab vorhin mit einem Bekannten aus Cong telefoniert. Er hat sich in der Initiative gegen den neuen Luxusferienpark engagiert, du weißt schon.«

Und ob sie wusste. »Ja?« Ihr wurde leicht übel.

»Ich denke, ich sollte da so schnell wie möglich mal rüber, da stinkt was gehörig. Er wollte mir am Telefon aber nichts sagen.«

»Tu das, Rory«, bekräftigte Grace sein Vorhaben. Zuerst müssten sie morgen allerdings nach Mayo hoch, zu Annies Beerdigung. Das habe absolute Priorität. Deshalb habe sie auch den Besuch ihrer Schwägerin auf etwas später verschoben. »Aber ich würde liebend gern zum Abendessen bleiben«, sagte sie grinsend. »Wo ist denn eigentlich Mrs Coyne?«

Rory hatte die ersten Kartoffeln in die Küchenmaschine geschoben, um sie in hauchdünne Scheiben zu verwandeln. Grace staunte. Er hob seinen Kopf, der von der Anstrengung leicht gerötet war: »Die hat heute ihren Wellnesstag mit ihren Freundinnen. Da bin ich mit dem Kochen dran. Mrs Coyne kommt heute später, aber wir müssen nicht mit dem Essen auf sie warten.«

»Aber deine Mädchen sind vollzählig?«

Rory strahlte sie an: »Und ob! Sie brennen drauf, dich endlich kennenzulernen.«

»Gut, dann haben wir ja noch genug Zeit für ein kleines Verhör. Du kommst mir heute nicht davon, Rory«, rief Grace erfreut.

Rory seufzte. Er hatte es geahnt.

»Also, was willst du wissen?«

»Die ganze Geschichte rund um meine Einstellung. Von Anfang bis Ende.«

30

Die kleine Kirche in Shanaghy war brechend voll. Als Grace und Rory zur Trauergemeinde stießen, hatte die Messe für Annie schon begonnen. Unauffällig suchten sie sich Plätze in der letzten Reihe. Einige Köpfe hatten sich dennoch zu ihnen umgedreht und sie argwöhnisch gemustert.

Von hinten konnten sie schnell den blonden Haarschopf von Carol Lonnigan in der zweiten Reihe ausmachen, die sich auch kurz zu ihnen umgeschaut hatte. In der Reihe dahinter, auf der anderen Seite, erkannten sie die Cadogans mit ihrem Sohn. Sonst schien keiner von den anderen ehemaligen Arbeitgebern Annies anwesend zu sein. Kein Koch, kein Murphy, aber auch kein Onkel Jim registrierte Grace und war erleichtert. Nach dem gestrigen Gespräch mit Rory war ihr erst so richtig bewusst geworden, wie mächtig Jim O'Malley tatsächlich war und wie viel Einfluss er auf ihre Ernennung genommen hatte.

In der ersten Reihe hatten Annies Eltern und andere Verwandte Platz genommen. Neben die Bank hatte man einen Rollstuhl geschoben, in dem ein etwa vierzehnjähriges Mädchen saß. Fragend schaute Grace ihren Kollegen an.

»Das muss Beatrice, die Schwester, sein«, flüsterte Rory Grace ins Ohr. »Ich wusste nicht, dass sie im Rollstuhl sitzt.«

In dem Moment sprach der Priester von Annies großer Verantwortung, die sie ihrer Familie gegenüber empfunden habe, von ihrer Fürsorge für die Eltern und besonders für die kleine Schwester. Nun werde Gott diese Aufgabe übernehmen. Grace zog bei dem letzten Satz die Augenbrauen leicht in die Höhe, sagte aber nichts.

Nach dem Gebet und dem Segen erhob sich die Trauergemeinde und verließ, langsam hinter dem Sarg hergehend, die Kirche. Inmitten der Dorfbewohner entdeckte Grace auf einmal doch Vincent Murphy. Er hielt den Kopf gesenkt und schien ganz in Gedanken versunken zu sein. Sein Gesicht war aschgrau und eingefallen. Der vorher so jugendlich wirkende Wissenschaftler war in kürzester Zeit um Jahre gealtert.

Carol Lonnigan begleitete Annies Vater, der den Rollstuhl seiner behinderten Tochter mit unbewegtem Blick an Grace und Rory vorbeischob. Carol nickte ihnen beim Vorübergehen mit kühlem Blick zu. Beatrice saß still und ein wenig abwesend in ihrem Rollstuhl. Es wirkte fast so, als sei sie mit Medikamenten ruhiggestellt worden. Etwas weiter hinten gingen die Cadogans, die den Blick gesenkt hielten, nur ihr Sohn ließ seine Augen neugierig überall herumschweifen. Als er Rory sah, winkte er ihm zu. Rory grüßte ihn mit dem Anflug eines Lächelns diskret zurück.

Am Grab, als die Beerdigungszeremonie vorüber war,

beobachteten Grace und Rory, wie Carol auf Annies Mutter einredete und dabei liebevoll ihre Hand auf Beatrices Schulter ruhen ließ. Dann verabschiedete sie sich und ging raschen Schrittes Richtung Ausgang.

Grace zögerte, sah zu Mr McDoughall, der noch immer wie erstarrt mit den Händen am Rollstuhl neben dem offenen Grab stand, als sei er nur zufällig in diese Trauergemeinde geraten und wisse nicht recht, wo er sich befand. Dann wandte sie sich rasch an Mrs McDoughall, bevor die Gelegenheit vorüber war. Sie sprach ihr Beileid aus und bat sie dann mit leiser Stimme um ein kurzes Gespräch, wohl wissend, dass der Zeitpunkt äußerst ungünstig war. Die beiden Frauen entfernten sich etwas von der Gruppe und gingen langsam den Friedhofsweg entlang.

»Mrs McDoughall, bitte entschuldigen Sie, dass ich Sie in diesem Moment mit polizeilichen Fragen belästige. Aber es gibt neue Erkenntnisse über Annies finanzielle Lage. Und ich möchte von Ihnen wissen, ob Sie über die Konten Ihrer Tochter informiert waren?«

Annies Mutter blieb unvermittelt stehen und atmete krampfhaft ein und aus, als bekäme sie ganz plötzlich keine Luft mehr.

»Was denn für Konten? Annie hatte nur ein kleines Sparkonto. Von ihrem Stipendium konnte sie nur ab und zu kleinere Beträge für Beatrice überweisen.« Misstrauisch musterte sie Grace.

»Laut unseren Ermittlungen verfügte Ihre Tochter über mehrere Konten, auf denen sich insgesamt um die fünfzigtausend Euro befanden.«

Mrs McDoughall schlug sich die Hand vor den Mund. Ihre Augen füllten sich sofort wieder mit Tränen.

»Gütiger Gott, sei Dank.« Sie murmelte ein Gebet. »Unsere Annie hat für ihre Schwester vorgesorgt.«

»Wie meinen Sie das?« Grace war irritiert. Diese Reaktion hatte sie nicht erwartet.

»Wie ich es sage, Guard. Sie sehen doch, dass Beatrice nie für sich selbst sorgen kann. Und wir kommen gerade so über die Runden. Was ist, wenn wir mal nicht mehr da sind? Annie wusste das. Sie liebte ihre Schwester. Für sie bedeutete die Familie alles, auch wenn sie in den letzten Jahren wenig bei uns sein konnte. Das war nicht etwa wegen ihrer eigenen Karriere.« Sie sah Grace fast vorwurfsvoll dabei an, als habe beruflicher Ehrgeiz bei Frauen etwas Anrüchiges.

»Das tat sie für uns. Für Beatrice. Sie entschuldigen mich jetzt bitte, Guard. Ich muss noch jemanden sprechen.« Mrs McDoughall schien es auf einmal sehr eilig zu haben. Grace blickte ihr verwundert hinterher. In der Ferne hörte sie laute Stimmen und kurz darauf das Schlagen einer Autotür. Ein Motor wurde angelassen. Sie beschleunigte ihre Schritte und erreichte kurz darauf das Friedhofstor. Sie war jetzt eigentlich auf der Suche nach Rory, der aber weit und breit nicht zu sehen war. Dafür bemerkte sie Vincent Murphy, der unbeholfen einem Auto ein paar Schritte hinterhergelaufen war. Es war Carol Lonnigans roter Mini. Der Wissenschaftler blieb etwas verloren mitten auf der Straße stehen und schien Grace, die auf ihn zuging, gar nicht richtig wahrzunehmen.

»Mr. Murphy?« Grace zögerte, ihn anzusprechen. Es dauerte zwei, drei Sekunden bis ein Anflug eines Lächelns über sein Gesicht lief.

»Frau Kommissarin, ich habe Sie gar nicht gesehen.«

Sie überquerten zusammen die Fahrbahn und blieben auf dem Fußweg gegenüber stehen.

»Sie haben sich gerade mit Carol Lonnigan gestritten?«, fragte Grace.

»Nein.« Er strich sich das Haar aus der Stirn und sah auf einmal sehr müde aus. »Nein, ich habe sie nur etwas fragen wollen, aber sie hatte leider keine Zeit.«

»Und darf ich fragen, was?«

Für einen ganz kurzen Augenblick hatte Grace das sichere Gefühl, dass er genau jetzt bereit war, ihr etwas Wichtiges anzuvertrauen. Etwas, das den Mord an Annie McDoughall vielleicht nicht aufklären, aber zumindest die Motive dafür klarer machen würde. Fast unmerklich hielt sie die Luft an. Murphy schien mit sich zu ringen. Sein Gesicht wirkte gequält. Der Mann war erschöpft. Schließlich schüttelte er entschlossen den Kopf, und Grace wusste sofort, dass der Moment vorbei, die Chance vertan war.

»Carol hatte mir doch damals Annie empfohlen, und nun wollte ich sie fragen, ob sie nicht jemand anderen für mich weiß«, sagte Murphy lahm und wandte sich bereits zum Gehen. Sie zweifelte keine Sekunde daran, dass er sich eine Ausrede zurechtgelegt hatte.

Grace spürte die Wut in sich hochsteigen. Sie konnte es auf den Tod nicht ausstehen, wenn sie ganz offenkundig angelogen wurde. Mit etwas zu hoher Stimme rief sie ihm hinterher: »Das wundert mich aber, wo Sie doch bald nach China übersiedeln wollen.«

Da drehte sich der Wissenschaftler noch einmal zu ihr um, und an seinem Gesichtsausdruck erkannte Grace, dass sie mit ihrer Bemerkung ins Schwarze getroffen hatte.

31

Oonagh wartete schon eine ganze Weile. Kevin Day hatte sich ihrer in zuvorkommender Weise angenommen und sie mit Tee und Keksen versorgt. Er hatte es sich in Graces Schreibtischstuhl gemütlich gemacht, und sie plauderten angeregt, als Grace ihr Büro betrat. Sie begrüßte ihre Schwägerin und umarmte sie und warf dabei ihrem Kollegen, der keinerlei Anstalten machte, von ihrem Schreibtischstuhl aufzustehen, einen schrägen Blick zu.

»Danke, Kevin, dass du dich so überaus liebenswürdig um meine Schwägerin gekümmert hast.«

»Das ist doch selbstverständlich, Grace, ich bitte dich.« Ungerührt blieb er sitzen und lächelte beide Frauen an. »Du kommst doch sicher von der Beerdigung. Gibt es etwas Neues? Kommt ihr endlich in die Gänge?«

Grace ging darauf nicht ein, sondern wollte von Oonagh wissen, ob sie schon etwas gegessen habe. Diese schüttelte den Kopf und blickte irritiert von einem zum anderen. Schließlich stand Day auf und verließ ohne ein weiteres Wort den Raum. Grace ließ sich erschöpft auf den Schreibtischsessel fallen.

»Was war das denn oder besser, wer war das?«, fragte Oonagh mit hochgezogenen Augenbrauen.

»Das war der Mensch, dem ich, ohne es zu wissen, den Job seiner Träume weggeschnappt habe.«

»Das erklärt einiges.« Oonagh nestelte an ihrem Knoten herum. Ihr Blick fiel auf das Regal hinter Grace.

»An Onkel Jim vorbei?«

Graces Blick verfinsterte sich. »Mit familiärer Unterstützung von Onkel Jim, wenn du es genau wissen willst.«

»Oh«, murmelte Oonagh betreten und schwieg dann ausnahmsweise.

»Ich erzähle es dir später genauer. Jetzt gehen wir erst mal etwas essen.«

»Gute Idee.« Oonagh griff nach ihrem Burberry. Dabei fiel ihr Blick auf die giftgrünen High Heels, die immer noch in Graces Regal standen. »Sag mal, Grace, wie kommst du denn zu diesen Schuhen?«

Grace erklärte es ihr knapp. »Warum fragst du?«

Oonagh fuhr sich mit ihren sorgfältig manikürten Fingern durch ihr Haar. »Ach, ich wundere mich nur, dass ausgerechnet diese Schuhe bei dir im Büro stehen. Die waren im vergangenen Sommer der letzte Schrei in einem der exklusiven Dubliner Schuhläden in der Kildare Street. Sündhaft teuer und damit unerschwinglich für unsereins.« Sie lachte etwas verlegen. »Hat mich nicht gewundert, als ich sie an dieser Kundin bei uns im Wellnessclub entdeckt habe.«

Grace stutzte. »An wem hast du sie gesehen?«

Oonagh zuckte mit den Schultern. »An den Namen kann ich mich nicht mehr erinnern. Aber sie hatte bei uns eine dieser aufwändigen nutzlosen Luxusanwendungen gebucht und kreuzte in einem Outfit auf, das man getrost als vulgär bezeichnen kann. Wenn du weißt, was ich meine.«

»War es eine Irin?« Oonagh schüttelte heftig den Kopf. »Der Akzent war eher Osteuropäisch. Das erklärt auch die Wahl der Schuhe, meinst du nicht?«

»Kommst du an die Adresse?«

Oonagh nickte. »Ich glaube schon. Die Buchungen werden normalerweise sechs Monate aufgehoben, und länger liegt das noch nicht zurück. Sobald ich in Dublin bin, schau ich nach.«

Grace hatte plötzlich das Gefühl, eindeutig ein Stück

weitergekommen zu sein. Voller Elan schob sie Oonagh zu ihrer Bürotür hinaus und stieß dabei fast mit Robin Byrne zusammen.

»Hallo, Grace, ich wollte grad bei dir vorbeischauen. Hast du mal eine Minute?«

Sie nickte, entschuldigte sich rasch bei ihrer Schwägerin und verschwand mit dem Vorgesetzten wieder in ihrem Büro, während Oonagh im Gang wartete. Kurze Zeit später kam Grace mit hochrotem Kopf aus ihrem Büro geschossen.

»Komm!« Sie zog Oonagh förmlich mit sich bis zur Pforte. »Ich brauche dringend frische Luft.«

»Was ist denn los, um Himmels willen?«, wollte Oonagh wissen. Sie musste sich anstrengen, um mit dem raschen Schritt von Grace mithalten zu können.

»Mein Chef meinte, es wäre an der Zeit, endlich zu zeigen, was ich draufhabe. Meine Ermittlungen gingen zu schleppend voran. Schließlich darf ich ihrer aller Erwartungen nicht enttäuschen und schon gar nicht die meiner Familie. Genau das hat er gesagt.«

»Wen meint er denn mit Familie? Onkel Jim?«

Grace nickte bedrückt. Sie war jetzt stehen geblieben und atmete heftig ein und aus. Spontan legte Oonagh ihren Arm um sie, und Grace ließ es tatsächlich geschehen.

Langsam gingen die beiden Frauen weiter am Fluss entlang.

»Das darfst du dir nicht gefallen lassen, Grace! So sind sie alle, die O'Malleys! Sie haben Dara kaputt gemacht, und euren Vater hat dieser verdammte Clan auch auf dem Gewissen, glaub es mir, Grace!« Oonagh redete geradezu beschwörend auf Grace ein.

Grace warf ihrer Schwägerin einen misstrauischen Blick zu. »Was genau meinst du damit, Oonagh?«

Jetzt merkte die Schwägerin offensichtlich, dass sie sich zu weit vorgewagt hatte. Oonagh antwortete nicht, sondern vermied den Blickkontakt und hakte stattdessen Grace mit einem betont fröhlichen Lachen unter und zog sie weiter.

Im Plauderton sagte sie: »Ich hab etwas für dich, Grace.« Sie kramte in ihrer Schultertasche und zog drei aus einer Tageszeitung gerissene Seiten hervor, die sie ihr überreichte.

Grace ließ sich bereitwillig auf den Themenwechsel ein. Oonagh würde ihr momentan sowieso nichts mehr erzählen wollen. »Für meine Sammlung?«

Ooonagh nickte. »Super Story aus Tadschikistan. Eine Frau spricht fließend vier Sprachen, die sie nie gelernt hat. Sie weiß auch nicht, warum sie sie beherrscht. Da stellt sich heraus, dass sie die Sprachen jahrelang über Kurzwellensender aufgeschnappt hat, inklusive der Störungszeichen. Solche Geschichten liebst du doch, Grace, oder?«

Grace strahlte. Seit ihrer Teenagerzeit sammelte sie skurrile Geschichten aus der ganzen Welt. Sie schnitt sie aus Zeitschriften und Zeitungen aus und klebte sie sorgfältig in schwarze Kladden. Oonagh war eine ihrer verlässlichsten Quellen, da im Wellnesstempel immer viel Gedrucktes unterschiedlichen Niveaus herumlag.

»Und jetzt zeigst du mir endlich deinen Lieblingspub, von dem du immer erzählst, mit diesem sagenhaften Mann. Wie heißt er noch mal? Fitz? Und bitte denk dran, dass ich die Abendfähre nach Inis Meáin kriegen muss. Ich bin schon etwas aufgeregt. Kommt ja nicht alle Tage vor, dass man für Gardai etwas herauskriegen soll. Aber zuerst erzähle ich dir von unserem Besuch im Merciful Heart of Mary. Du willst doch sicherlich wissen, was mit Roisin ist, oder?«

32

Der Spaniard's Head war brechend voll. Damit hatte Grace um diese Zeit nicht gerechnet. Oonagh und sie kämpften sich einen Weg durch die dicht gedrängte Menge im vorderen Schankraum. Fitz stand hinter dem Tresen und winkte Grace zu. Mit dem Finger zeigte er nach hinten, um anzudeuten, dass es da noch Platz gäbe. Die Luft war zum Schneiden. Und das, obwohl Irland nun schon seit über zehn Jahren als erstes europäisches Land rauchfrei war und sich verblüffenderweise alle an dieses Verbot vom ersten Tag an gehalten hatten.

Fasziniert blickte sich Oonagh um, während sie sanft von Grace weitergeschoben wurde. Auf dem Weg nach hinten fiel Graces Blick in einen kleinen Nebenraum, in dem nur ein großer Tisch Platz fand. Dort war gerade eine größere Gruppe lautstark am Feiern, und ein Mann in der Mitte gab offenbar den Ton an. Grace stutzte: Es war Rory. In dem Moment sah er in ihre Richtung, und reflexartig hob Grace ihre Hand zum Winken. Doch er reagierte nicht und drehte sich einfach wieder weg. Was sollte das denn schon wieder?, fragte sie sich. Das war ja wie ein Déja-vu. Sie merkte, wie sie wütend wurde.

»Bleiben Sie hier stehen, oder geht es doch noch weiter, Ladys?« Hinter ihnen wartete schwitzend ein gut gekleideter älterer Mann mit einem Tablett voller Getränke darauf, weiterzukommen. Die beiden Frauen ließen sich weiterschieben, bis zwei freie Plätze in Sichtweite kamen. Erleichtert setzten sie sich und waren äußerst erfreut, als kurz darauf eine freundliche Fiona bereits ihre Bestellung entgegennahm. Das war eine der angenehmen Seiten, die Grace in diesem Pub sofort aufgefallen war. Entgegen der irischen Sitte, alles, auch Mahlzeiten, an der Bar zu bestellen, nahm man hier die Bestellungen für Essen und Getränke an den Tischen entgegen.

»Du entschuldigst mich, Oonagh, ich bin gleich zurück«, sagte Grace zu ihrer Schwägerin, die sich zurückgelehnt hatte und den Trubel sichtlich genoss, und kämpfte sich mühsam wieder in Richtung des kleinen Nebenraumes zurück. Diese Begegnung eben mit Rory ließ ihr keine Ruhe. Diesmal würde sie ihn gleich zur Rede stellen. Doch mittlerweile saßen ganz andere Leute an dem großen Tisch. Von ihrem Kollegen war weit und breit nichts mehr zu sehen. Enttäuscht sog Grace an ihrer Unterlippe und ging wieder an ihren Platz zurück, wo Oonagh an ihrem Getränk nippte und sie schon etwas ungeduldig erwartete. »Jetzt setz dich doch bitte endlich mal hin. Ich dachte, ich soll dir was von Roisin erzählen.«

»Entschuldige, ich wollte noch schnell etwas klären. Aber jetzt leg los.«

»Also, ich hatte dir ja schon gesagt, dass wir zusammen nach Merciful Heart of Mary gefahren sind, Dara und ich. Aber wir haben es nicht geschafft, direkt zu ihr durchzukommen. Roisin wollte uns einfach nicht zu sich lassen. Die Mutter Oberin hat mir versichert, es gehe ihr gut und sie brauche Abstand und Ruhe. Aber das eine kann ich dir sagen: Roisin muss so schnell wie möglich nach Hause kommen. Sie darf dort nicht bleiben.«

Grace nickte abwesend.

»Hallo, Grace, hörst du mir überhaupt zu?«, fragte Oonagh etwas zu laut.

Das schien Grace aus ihren Gedanken zu reißen. »Ja, natürlich, bitte entschuldige. Ist bei euch zu Hause eigentlich etwas Ungewöhnliches vorgefallen?«

Oonagh schaute sie fragend an. »Was meinst du?«

»Als ich mit Roisin kurz telefonierte, erwähnte sie etwas von häufigem Streit zwischen dir und Dara, der sie ziemlich nervt.«

Oonagh lehnte sich zurück und runzelte die Stirn. »Ja, das stimmt. Es ist bescheuert, aber es geht immer um das verdammte Geld und um das leidige Thema von Daras Selbstverwirklichung. Ich habe es so satt.« Wieder nahm sie einen Schluck Limonade. »Dara ist der unverrückbaren Meinung, dass er der Welt und vor allem sich einen Liebesdienst erweist, wenn er an seinem Buch über irische Seevögel schreibt. Kein Verlag wartet darauf, glaube es mir. Wenn überhaupt, dann besitzt es nur für wenige Interessierte einen Liebhaberwert. Vor allem bringt es keinen einzigen Penny rein.« Sie klang eher traurig als wütend.

»Aber ihr habt doch die Einkünfte aus der Pacht? Ich habe euch doch auch meinen Teil davon übertragen, nicht zuletzt wegen Roisin und den Schulgeldern.«

Das Essen kam, und Oonagh war hungrig. Grace rührte es kaum an.

»Die Einkünfte aus der Pacht der Ländereien auf Achill haben wir vor zehn Jahren gut angelegt, zumindest dachten wir das. Nach dem Tod des Tigers hatte sich allerdings herausgestellt, dass ein Großteil davon in windigen Fonds steckte und damit auf Nimmerwiedersehen verloren gegangen war. Einfach puff und weg!« Oonagh klatschte dabei in die Hände und lachte bitter. »Das Leben in Dalkey ist, auch wenn uns das Haus gehört, kaum noch mit meinem Gehalt zu finanzieren. Und ich rede jetzt noch nicht einmal von Daras Sucht.«

»Welcher Sucht? Von was redest du da?« Grace starrte ihre Schwägerin entgeistert an.

In dem Moment hörten sie eine Stimme fragen: »Darf ich mich zu euch setzen, Grace?« Fitz hatte sich unbemerkt ihrem Tisch genähert und stand jetzt abwartend hinter Grace. Sie nickte und stellte Oonagh und Fitz einander vor. Fitz hatte sich bereits in den Sessel fallen lassen und schaute Oonagh interessiert an. »Sie wohnen also im idyllischen Dalkey, dem Luxusnest unserer stolzen Nation? Wo sich der Taoiseach und Bono Gute Nacht sagen?« Fitz lachte und ließ dabei unzählige Lachfalten um seine Augen erkennen. Oonagh nickte mit vollem Mund und beeilte sich, herunterzuschlucken, um ihm zu antworten.

»Aber Galway ist auch sehr schön. Hat sich ganz unglaublich herausgemacht im Vergleich zu früher. Ich war schon lange nicht mehr hier.«

Er stimmte ihr zu. »Ja, ich habe es nicht bereut, Limerick verlassen zu haben.«

»Warum haben Sie Limerick verlassen?«, fragte Oonagh.

Nie hätte sich Grace getraut, Fitz das so direkt zu fragen. Oonagh schien da keine Bedenken zu haben. Und auch Fitz zögerte keine Sekunde mit seiner Antwort. »Ganz einfach. Weil ich mein Leben dort nicht mehr ausgehalten habe.«

»Und in Galway halten Sie Ihr Leben aus?«

»Ich habe die Umstände verändert, deshalb hat es sich verbessert.« Dabei streifte er Grace mit einem flüchtigen Blick.

»Und das funktioniert?« Oonagh klang aufrichtig interessiert. »Ich dachte immer, man kann seiner Vergangenheit nirgendwo entkommen. Sein Leben nimmt man überall mit sich hin. Meinst du nicht auch, Grace?«

Grace blickte sie konsterniert an. Ihr fiel gerade überhaupt keine passende Antwort ein. Sie war immer noch zu überrascht über die direkte Art ihrer Schwägerin, die Leute in privaten Dingen auszufragen.

Oonagh schaute auf ihre Uhr. »Oh, ich muss mich beeilen. Wo fährt denn der Shuttlebus nach Rossaveel ab?«

Fitz stand auf und rückte den Sessel zurecht. »Sie fahren auf die Arans?«

Oonagh nickte enthusiastisch. »Ich gönne mir ein paar Tage Luxus auf Inis Meáin.«

»In Pattie Burkes kleinem Schulhaus?«

Sie lachte. »Genau. Ich war noch nie dort.«

Fitz reichte ihr die Hand und drückte sie fest. »Es wird Ihnen gefallen, da bin ich sicher. Das ist wirklich ein außergewöhnlicher Ort, den man nicht vergisst. Ich hoffe, Sie haben Glück mit dem Wetter. Sie haben einen Wetterumschwung vorhergesagt, aber die täuschen sich so oft, wie sie danebenliegen.« Er zwinkerte freundlich und verabschiedete sich von den beiden Frauen.

»Wirklich ein sehr attraktiver Mann. Kein Wunder, dass du hier Stammgast bist.«

Sie hatten gezahlt und waren nach draußen gegangen. Oonagh stieß Grace kichernd wie ein Teenager in die Seite und prustete los. Aber Grace stand im Moment nicht der Sinn nach lockeren Sprüchen. Sie musste an Roisin denken, und sie fühlte immer noch die Bestürzung über Rorys rätselhaftes Verhalten. Und was war das mit Daras Sucht? Als sie kurz darauf Oonagh in den Bus zur Fähre gesetzt hatte, wählte sie umgehend Rorys Nummer. Er ging sofort dran.

»Ich muss dich dringend sprechen, Rory. Sofort, in zehn Minuten in meinem Büro.«

33

Grace öffnete die Mail von Peter Burke.

Ich habe Cadogans Firma überprüft. Wie übrigens schon mal für Garda, kurz nachdem er sich hier angesiedelt hatte. Bin damals wie heute auf nichts Illegales gestoßen. Vor zwei Jahren ging es um Importpapiere, die sich nicht eindeutig zuordnen ließen, aber alles war wasserdicht. Bin aber sicher, dass irgendetwas übersehen wurde. Eventuell auch von mir. Kennst du das Gefühl?

Und wie sie es kannte.

Das ist genau wie bei einem Eisberg oder einer guten irischen Familie: Man sieht immer nur die Spitze. Apropos Familie: Die Cadogans lebten erst zwei Jahre in Russland, St. Petersburg, danach knapp zwei Jahre in Shanghai. Sie kehrten zurück, als der Sohn eingeschult wurde. Auch nach der Finanzkrise macht Blue Finn sehr gute Geschäfte, meist mit China. Aber das kennen wir ja auch von anderen. Hast du übrigens schon wegen der Sache in Cong nachgehakt?

Nein, hatte sie nicht, aber Rory hatte doch etwas erwähnt.

Soll ich mal recherchieren, in welchem Zusammenhang Murphys Projekt und Cadogans Geschäfte stehen? Inoffiziell natürlich. Ach ja, und Biopiraterie: Ich bin dran. Bis dann.

Grace wollte gerade eine Antwort an Peter Burke schreiben, als ein leicht atemloser Rory in der Tür erschien. »Komme grad vom Taxifahrer, der Annie am frühen Samstagabend genau dort abgesetzt hat, wo Joyce sie nach seiner ersten Aussage auch gesehen haben will. Der ist grad mal kurz auf Mallorca gewesen, deshalb hat er sich erst jetzt gemeldet«, keuchte er und konnte kaum den triumphierenden Ton in seiner Stimme verbergen.

Ihr düsteres Schweigen bemerkte er nicht oder ignorierte es gekonnt, denn er redete flott weiter, nachdem er die Tür hinter sich geschlossen hatte. »Und ich hab die Ergebnisse unserer Bankrecherche, wer in letzter Zeit größere Summen auf Annies Konto überwiesen hat. Dreimal darfst du raten. Es ist ganz toll!« Aber er wartete erst gar nicht eine Antwort ab, sondern entrollte blitzschnell eines seiner Zettelchen. »Da sind zehntausend Euro von der Agentur O'Toole und Jones. Vor einer Woche überwiesen, also kurz vor Annies Tod.« Er blickte kurz auf, als warte er auf Applaus. Grace blieb stumm. »Das ist die Agentur von Joyce! Bingo! Wenn das kein Schweigegeld für etwas ist, esse ich in der Polizeikantine!«

Rory drehte eine kleine Pirouette vor Aufregung. »Und dann gab es noch, äh …« Er zögerte, und Grace blickte zum ersten Mal auf. »… fünfzehntausend von der Firma Murray Finnegan aus Cong.«

Es war allgemein bekannt, dass Murray der Patensohn von Onkel Jim war. Grace war eine Spur blasser geworden. Sie spürte einen Kloß im Hals und räusperte sich.

»Danke, Rory«, sagte sie kühl. »Aber verrate mir doch bitte mal, wie du das alles so schnell herauskriegen konntest.« Sie ärgerte sich über ihren Kollegen, der einfach so tat, als sei nichts vorgefallen, und nicht einmal den Anflug eines schlechten Gewissens zeigte.

»Wieso schnell? Ich hab mich doch gleich nach unserer Rückkehr drangemacht«, antwortete er verständnislos.

»Und die überaus fröhliche Party im Spaniard's Head mit dir als Zeremonienmeister vor einer knappen Stunde?«

Er starrte sie an. Sie hielt seinem Blick stand. Dann geschah etwas Seltsames. Sie konnte Rory beim Nachdenken förmlich zusehen. Wo eben noch ein großes Fragezeichen gestanden hatte, machte sich ein Lachen breit, das sich über das ganze Gesicht des Kollegen ausbreitete.

»Komm mit, Grace.« Rory hatte Grace am Arm gepackt, was er sich sonst nie getraut hätte, und zog sie mit sich. »Ich werde dir etwas zeigen.«

»Wohin gehen wir?« Verblüfft trabte Grace neben Rory her. Er hatte sie wortlos aus dem Polizeigebäude geschoben und war mit ihr Richtung Shop Street gelaufen. Dort bog er in eine winzige Seitenstraße ab. Das war genau die Stelle, an der Grace ihn vor zwei Tagen aus den Augen verloren hatte. Der Detective Sergeant steuerte einen kleinen Laden mit einer knallrot gestrichenen Tür an, der ihr vorher gar nicht aufgefallen war. Über der Eingangstür stand »Turf, No Surf«, ein witziger Name für ein Wettbüro, fand Grace. Und ohne Frage handelte es sich um ein Wettbüro, das sie nun gemeinsam betraten. Alle Angestellten begrüßten Rory wie alte Bekannte, nur die zwei Kunden vor den Schaltern hatten sich beim Anblick des Guards in Uniform wohl etwas erschrocken. Was um alles in der Welt wollte ihr Rory in diesem Wettbüro zeigen?, fragte sich Grace. Und noch viel mehr staunte sie, als Rory wie selbstverständlich die Tür zu einem Büro am hinteren Ende des Wettraumes aufstieß und ihr auffordernd die Tür aufhielt. Grace traute ihren Augen nicht und blieb wie angewurzelt stehen. Dort saß, umgeben von diversen Computerbildschirmen: Rory! Er trug keine Uniform und zog genüsslich an einer Pfeife, aber ansonsten war es eindeutig Rory. Als er Grace sah, erhob er sich langsam und streckte ihr lächelnd seine pfeifenfreie Hand entgegen. Grace drehte sich fragend zu ihrem Kollegen um.

»Darf ich dir Ronan vorstellen, meinen Zwillingsbruder.«

Jetzt musste Grace lachen und schüttelte erleichtert

die dargebotene Hand. Die Männer stimmten ein in das Gelächter.

»Tut mir wirklich leid, Grace, wenn wir dich, ohne es zu beabsichtigen, völlig verwirrt haben. Ich hätte es vielleicht schon früher mal erwähnen sollen, dass es uns in doppelter Ausführung gibt.«

»Das kannst du wohl sagen. Ich dachte schon, ich habe Paranoia«, grinste Grace und strich sich eine Haarsträhne hinters Ohr.

Ronan Coyne rückte ihr einen Sessel zurecht, in den sie sich dankbar fallen ließ. Dass sie Rory gegenüber so misstrauisch sein konnte, war ihr unangenehm und machte sie nachdenklich.

»Mit diesem Trick haben in eurer Branche sicherlich schon einige ihr Alibi gesichert«, meinte Ronan grinsend.

»Mit Sicherheit«, stimmte ihm Grace schmunzelnd zu.

»Weißt du, wenn man sein Leben lang als Zwilling herumläuft und alle in der Stadt Bescheid wissen, kommst du gar nicht auf den Gedanken, dass man das jemandem Neuen gleich erzählen sollte. Es ist so normal für uns. Sag ich doch.« Rory kratzte sich am Hinterkopf, und Ronan nickte eifrig zur Bestätigung.

»Dabei sehen wir uns unter der Woche gar nicht so ähnlich, zumindest tagsüber nicht«, ergriff Ronan Coyne nun das Wort. Tonfall und Stimmlage waren absolut identisch mit denen seines Bruders, doch Ronan redete langsamer.

»Ach nein?« Grace fühlte sich auf einmal erstaunlich gut gelaunt. »Und wieso nicht?«

»Na, ich trage schon mal keine Uniform, das ist doch ein riesengroßer Unterschied in der Optik, oder?«

»Stimmt. Aber das hatte mich vorgestern nicht davon abgehalten, zu glauben, dass mir Rory auf der Straße entgegenkommt. Er hätte ja die Uniformjacke wegen der Wärme ausgezogen haben können. Und vorhin im Pub war ich viel zu wütend, als ich die lautstarke Feiergesellschaft sah. Das zeigt mal wieder, dass man immer genau hinschauen muss und dass man auf keinen Fall immer glauben soll, was man sieht. Das lernen wir ja schon in Templemore in der Ausbildung«, bestätigte Grace lächelnd. Sie überlegte kurz. »Dann schwimmt bei Ihnen Lachs Lionel herum?«

Ronan nickte lachend und stand auf. »Genau. Rory rettete ihm das Leben, und ich muss ihn durchfüttern. So ist das bei Zwillingen. Einer steht für den anderen ein und muss ihn notfalls raushauen«. Dann verabschiedete sich Ronan von Grace mit einem warmen Händedruck.

Als Grace und Rory wieder auf der Straße standen, meinte Grace: »Rory, heute habe ich viel gelernt. Vielen Dank. Übrigens muss ich dringend noch mal mit Joyce sprechen. Ich werde es morgen früh versuchen. Wo zum Teufel steckt der eigentlich?«

»Da geht immer nur die Mailbox an. Am besten, du rufst seinen Agenten an. Ist Brite. Scheint aber in Ordnung zu sein.« Rory gab ihr die Nummer von Terry Jones.

»Sag mal, Rory, eines interessiert mich dann doch. Kennt dein Bruder auch die Witwe Malone?«

Rory schüttelte vehement den Kopf. »Gott sei Dank nicht.«

Sie musterte ihn amüsiert. »Das würde sich für den Inhaber eines Wettbüros auch gar nicht gut machen.«

Rory tat so, als müsse er überlegen. »Sag ich doch, es wäre eher ein illegaler Vorteil.« Er zwinkerte ihr zu.

34

Im Mittelalter wäre Terry Jones ein leichter Fall für jeden Folterknecht gewesen. Der bräuchte mit den Daumenschrauben nur kurz zu winken, und er hätte Sex und Drogentrips mit tausend Teufeln sofort gebeichtet. Grace hatte ihren Besuch bei Donals Agent telefonisch angekündigt, weil sie ihn persönlich nach den Überweisungen befragen wollte. Es hatte keine zehn Minuten gedauert, und Terry Jones, der an einen entspannten Althippie mit grauem Pferdeschwanz erinnerte, gab zu, die betreffende Summe in Donals Auftrag an Annie überwiesen zu haben. Und er wusste auch den Grund. Annie habe den Koch erpresst. Mit was, da sei er allerdings überfragt.

»Jemand wie Donal hat eben Neider in der Kochwelt, viele Neider, und denen muss man immer ein Stück voraus sein. Das kann man durchaus mit der Tour de France vergleichen.«

»Sprechen Sie etwa von Doping?« Grace taxierte ihren Gesprächspartner mit einem durchdringenden Blick und hoffte, dass dadurch ihre Verwirrung kaschiert wurde. Sie hatte keine Ahnung, was ein Fernsehkoch mit einem Radsportprofi gemein haben sollte. Da verdrehte Terry Jones nur die Augen zur Decke und zuckte vielsagend mit den Schultern.

So würde sie nicht weiterkommen, dachte sich Grace. Sie musste offensiver werden. »Ich nehme an, dass damit auch Donals Besuche auf Inis Meáin zu tun haben, Mr Jones.«

Jones nickte matt und fast unmerklich.

»Und ich nehme auch an, dass Donal Joyce sich jetzt gerade dort aufhält?« Ein Seufzen des Agenten macht Grace klar, dass sie noch heute auf die Insel musste.

Als Grace kurz darauf in Rossaveel anrief, um eine Fähre oder einen Flug zu reservieren, erfuhr sie, dass aufgrund einer Unwetterwarnung am Abend weder Boot noch Flugzeug starten würden. Sie würde ihren Besuch verschieben müssen. Ihre Gedanken wanderten zu ihrer Schwägerin. Hoffentlich war sie noch gut angekommen. Fast hatte sie ein schlechtes Gewissen. Immerhin war es ihr Plan gewesen, Oonagh sozusagen »undercover« unter falschem Namen bei Pattie Burke einzuquartieren, um sich dort umzuschauen. Oonagh war begeistert gewesen. »Aber nichts Unerlaubtes oder Gefährliches tun, das musst du mir versprechen!« Das hatte Grace ihr noch am Bus eingeschärft. Sie solle lediglich ein bisschen die Augen offen halten. Da ihre Schwägerin nicht zu unüberlegten Alleingängen neigte und von ihrem Wesen her eher vorsichtig handelte, war sich Grace sicher, dass alles optimal laufen würde. Jetzt wollte sie sich mit einem raschen Anruf vergewissern, dass alles in Ordnung war auf der Insel. Zu ihrer Erleichterung ging Oonagh sofort an den Apparat.

»Grace, das ist so schön hier! Ein wirklich elegantes Haus, und ich habe ein wunderbares Zimmer. Pattie Burke ist ja eine reizende Lady.«

Grace musste lächeln. Oonagh ging es offensichtlich hervorragend. Sie war geradezu enthusiastisch und in ihrem Redeschwall nicht zu bremsen.

»Im Moment bin ich der einzige Gast, doch es sind noch drei andere angemeldet. Hat Pattie mir erzählt. Und den Koch habe ich auch schon kurz zu Gesicht bekommen. Stell dir vor, er wird am Abend für uns alle kochen. Der sieht ja so gut aus, viel besser als im Fernsehen, Grace. Übrigens werde ich vorher noch einen Spaziergang zu Synge's Seat machen. Diese berühmte Stelle ist ja für alle Besucher der Insel ein Muss.«

»Ja, natürlich kenne ich Synge's Seat. Es ist wirklich spektakulär da oben. Aber sei bitte vorsichtig, hörst du? Sie haben Sturmwarnung gegeben, sie haben schon den Fähr- und Flugbetrieb für heute eingestellt. Sonst wäre ich nämlich noch rübergekommen, um Joyce zu vernehmen.«

»Sturmwarnung? Hier ist strahlend blauer Himmel und kein einziges Wölkchen am Himmel.« Oonagh klang ungläubig.

»Das kann schnell gehen, glaub mir. Ich sag's ja nur. Und lass dich nicht von den Klippen wehen. Wir sehen uns morgen. Ich komme schnellstmöglich zu euch rüber.« Lächelnd legte sie auf.

Sie konnte für heute nicht mehr viel tun. Eigentlich könnte sie nach Hause gehen. Gedankenverloren schaute sie aus dem Fenster. Blauer Himmel, so weit man sehen konnte. Lediglich ganz fern am Horizont, dort, wo sich die Bucht zum Atlantik hin öffnete, waren vereinzelt ein paar Wolken auszumachen. Etwas war ihr in der letzten Stunde nicht mehr aus dem Kopf gegangen. Rasch fuhr sie noch einmal ihr Notebook hoch. Vincent Murphy – sie hatte die Suchmaschine schon mehrmals auf ihn angesetzt. Doch sie wurde das Gefühl nicht los, dass sie irgendwas übersehen hatte, was sie für belanglos gehalten hatte. Konzentriert las sie zum wiederholten Male seine biografischen Daten durch. Plötzlich sah sie es: Vincent hatte einen Bruder. Alfred Murphy. Der war Biologe und arbeitete in Berlin am Max-Planck-Institut. Aber das Aufregendste an Alfred Murphy war sein Geburtsdatum: Es war das gleiche wie das seines Bruders.

35

Als Oonagh aufbrechen wollte, stand Pattie Burke gerade in ihrem Vorgarten, schirmte mit einer Hand die Augen ab und blickte angestrengt in den Himmel. Die Luft fühlte sich nicht mehr so frisch an wie noch vor einer halben Stunde. Jetzt schien sie feucht und dumpf. In der anderen Hand trug Pattie einen altmodischen Rosenkorb, in dem sie aus ihrem üppigen Blumenangebot ein paar besonders prächtige Blüten für die Tischdekoration ausgewählt hatte.

»Sie wollen noch mal weg?«, fragte sie Oonagh freundlich lächelnd.

Oonagh nickte. »Ja, aber nur bis Synge's Seat. Ist das zu weit? Bei diesem Koch will ich auf keinen Fall das Abendessen verpassen!«

Pattie lachte laut, und es klang herzlich. »Normalerweise braucht man, wenn man gut zu Fuß ist, nicht mehr als eine Viertelstunde, aber es ist wohl ein Unwetter im Anmarsch, und ich würde an Ihrer Stelle nicht mehr da hoch.«

Oonagh schaute sich um. »Aber es ist doch noch ganz ruhig. Und so klar.« Sie sog tief die salzige, leicht schwüle Luft ein, die ihr hier viel reiner als drüben in der Bay von Dublin vorkam. Das Gesicht ihrer Gastgeberin wurde ernst.

»Hier ist das anders mit dem Wetter als in der Großstadt, glauben Sie mir.«

»Es ist vielleicht etwas drückender als vorhin, aber sonst …«

»Das, meine Liebe, trügt. Wie so vieles im Leben. Mit dem Wetter kennen sie sich hier aus.« Wieder schaute sie in den Himmel, an dem sich nun schon ein paar schlierige Wolken zeigten. »Innerhalb kürzester Zeit knipsen die hier dieses harmlos schöne Wetter aus und lassen die gesamte Insel in einem zähen Nebelbrei verschwinden, der auch Mund und Ohren verstopft, nicht nur die Augen.«

»Und wer sind ›die‹?«, fragte Oonagh etwas verwirrt.

»Leprechauns, die Kleinen Leute. Sie wissen schon. Die, die vor uns hier waren.« Pattie hatte das ganz sachlich gesagt und sich dann wieder ihren Blumen zugewandt. Sie schnitt drei dunkelblaue, fast tintenviolette Bauerniris ab und legte sie vorsichtig in den Korb.

Ein paar Sekunden lang war sich Oonagh nicht sicher, wie ernst Pattie das eben gemeint hatte. Sie wusste natürlich von den »little people«. Irlands Mythenwelt war von ihnen durchzogen und bevölkert. Jedem irischen Kind wurden sie schon mit den ersten Gutenachtgeschichten vorgestellt. Archäologen auf der grünen Insel bezeichneten sie gerne mal als ihre »informellen Mitarbeiter«, denn der Respekt vor ihnen bewahrte vor allem in den ländlichen Gebieten häufig die keltischen Steinkreise vor Missachtung und Vandalismus. Auch im einundzwanzigsten Jahrhundert hatten diese Kobolde eine Daseinsberechtigung. Trotzdem irritierte Oonagh die Selbstverständlichkeit, mit der Pattie Burke von ihnen gesprochen hatte. Sie wusste nicht, was sie darauf antworten sollte, lachte etwas verlegen und wechselte dann das Thema.

»Kommen denn dann überhaupt noch die anderen Gäste?«

»Tja, das weiß ich eben auch nicht. Bis jetzt hab ich keinen Anruf erhalten. Einer wollte mit der Privatyacht kommen, und die anderen beiden mit dem Heli.« Prüfend betrachtete sie wieder den Himmel.

»Jedenfalls vielen Dank für Ihren Ratschlag, aber ich

hab den ganzen Tag gesessen und muss mich etwas bewegen. Ich bin vorsichtig, versprochen. Nach links?«

Pattie nickte, wünschte ihr alles Gute und beugte sich zu den duftenden St. Edward Rosen. Als Oonagh von der Dorfstraße aus noch kurz einen Blick zurückwarf, meinte sie, am vorderen Erkerfenster Donal Joyce zu erkennen, der ihr nachschaute.

Voller Elan wanderte sie die leicht ansteigende Dorfstraße hinauf. Die kleinen Häuser waren, wie fast alle Gebäude auf Inis Meáin, von niedrigen Steinwällen eingefriedet. In einigen dieser winzigen Parzellen knabberten Esel am salzigen Grün. In anderen, etwas größeren, weideten langhaarige braun-beige Jacobs-Schafe, die hier im Westen seit Jahrtausenden auf den kargen Böden das Wenige, was ihnen Wind und Fels gewährten, für sich reklamierten. Und es gab Rinder, die paarweise vertraut zusammenstanden.

Als Oonagh das Ende der schmalen Straße fast erreicht hatte, merkte sie auf einmal, dass der Wind plötzlich stärker geworden war und am Himmel voluminöse Wolken vor sich hertrieb. Doch die Sicht aufs Meer war immer noch klar.

Sie blickte nach Norden, wo sie auf dem Festland die zwölf Bens, die hohe Bergkette Connemaras, gut erkennen konnte. Von hier aus hatte man auch einen fantastischen Blick über die mit einhundertsechzig Bewohnern besiedelte Inselhälfte. Sie sah die Kirche, die als Orientierungspunkt herausragte, und sogar Patties Haus. Hier war alles sehr nah beieinander. Autos gab es kaum, und auch Menschen traf man höchst selten, wenn man unterwegs war. Auf dem Weg war sie nur zwei Kindern mit kleinen Hunden begegnet. Sie hatte kurz mit den beiden Mädchen ein paar Worte gewechselt, die ihr begeistert ihre Welpen gezeigt hatten. Sonst war niemand auf der Straße. Oonagh wurde auf einmal von einem Glücksgefühl durchströmt und fühlte sich leicht und frei nach all den Anspannungen der letzten Tage und Wochen. Es würde noch nicht vorbei sein, das wusste sie. Aber sie wollte wenigstens diese kurze Auszeit genießen.

Auf einem Findling stand in kaum lesbaren Lettern »Synge's Seat«. Ein Pfeil zeigte nach links, in die einzige Richtung, in die man gehen konnte, es sei denn, man drehte wieder um. Nach kurzem Zögern und einem Blick in den Himmel ging Oonagh weiter. Jetzt öffnete sich der Blick auf Inis Mór, die größte der drei Aran Inseln. Plötzlich war das Geräusch eines Helikopters in der Ferne zu hören. Dann war es wieder still. Er musste irgendwo auf der gegenüberliegenden Seite des Ortes gelandet sein, in der Nähe des ehemaligen kleinen Hafens, wo auch die Flugzeuge vom Festland landeten.

Der Weg war jetzt nur noch ein enger Schotterweg, der scharf an den Klippen entlangführte. Diesem Weg war offensichtlich schon John Synge vor über hundert Jahren bei seinen jährlichen Sommeraufenthalten auf Inis Meáin gefolgt. Oonagh versuchte, ihr spärliches Wissen über den berühmten irischen Schriftsteller abzurufen, der damals mit seinen Theaterstücken über das harte Leben der Bauern wilde Proteste provoziert hatte. Eben noch hatte sie auf der Nachbarinsel die berühmte Anlage der keltischen Dun-Aengus-Festung gesehen, doch als sie jetzt wieder ihren Blick hob, war die Insel im grauen Wolkennebel verschwunden. Das war schnell gegangen. Musste sie das beunruhigen?

Der Wind hatte aufgefrischt, was Oonagh ganz angenehm fand. Sie folgte nun großen Kalksteinplatten, die sich wie eine steinerne Patchworkdecke vor ihr ausbreiteten. In den Zwischenräumen sprossen purpurne Orchideen. Irgendwo hatte sie gelesen, dass Inis Meáin eine sehr seltene Flora aufwies. Aufgrund ungewöhnlicher klimatischer Verhältnisse brachte die Insel als einziger Ort Europas gleichzeitig arktische, alpine und mediterrane Pflanzen hervor. Sie bückte sich, um die kleinen Blumen näher zu betrachten. Dann schaute sie sich um. Eigentlich hätte sie längst bei Sygne's Seat angekommen sein müssen. Hatte sie die Stelle übersehen? War das wirklich nur ein einfacher Felsen, auf dem der Dichter einst gesessen hatte? Rechts von ihr konnte sie tief unten das Dröhnen der Wellen hören, die sich an den Klippen brachen. Sie entschloss sich, den Kalksteinplatten weiter zu folgen. Die Insel war nicht sehr groß. Wenn sie sich links halten würde, müsste sie ihren Berechnungen nach ziemlich genau an der kleinen Kirche wieder herauskommen. Von dort wären es noch fünf Minuten zu Patties Haus. Das war leicht zu schaffen. Beherzt ging sie weiter. Einen markierten oder erkennbaren Pfad gab es jetzt nicht mehr. Nur noch grauer Stein und unzählige Trockensteinwälle. Die Platten wurden sehr schnell kleiner und uneben. Nun musste sie höllisch aufpassen, dass sie nicht auf ihnen abrutschte und sich den Knöchel einklemmte oder verstauchte. Konzentriert blickte sie auf den Boden und achtete auf ihre Schritte. Als sie wieder aufschaute, blieb sie wie angewurzelt stehen: Links von ihr, wo sie das Dorf vermutet hatte, ragte eine weiße Nebelwand auf. Über dem Meer wölbte sich der Himmel graphitfarben dunkel, erlaubte jedoch noch eine freie Sicht Richtung Wasser. War das ein Boot dort vor der Küste? Das war merkwürdig. Der Pier lag auf der genau gegenüberliegenden Küste der Insel.

Oonagh schaute auf die Uhr. Auch die Zeit schien sie betrogen zu haben. Es war mehr als eine Stunde vergangen, seit sie sich von Pattie verabschiedet hatte. Sie spürte Panik in sich aufsteigen. Ihr Atem ging schneller, und ein feiner Schweißfilm hatte sich auf ihr Gesicht gelegt. Oder war es die Feuchtigkeit des Nebels, der sie schon erreicht hatte? Instinktiv hastete sie in die Richtung, in der sie noch etwas sehen konnte, obwohl sie wusste, dass es sie vom Dorf weiter wegführen würde. Als sie sich kurz umdrehte, sah sie, wie sich die Nebelwand unaufhaltsam auf sie zuwälzte. Patties Warnung vom »Nebelbrei« kam ihr wieder in den Sinn – »... er verstopft dir Mund, Ohren und Augen.«

Sie musste weg von hier. Sie musste so schnell wie möglich den Weg zurück ins Dorf finden. In dem Augenblick hatte die Nebelwalze sie überrollt. Sie sah und hörte kaum noch etwas. Augenblicklich verlor sie jede Orientierung. Vorsichtig versuchte sie, sich mit ausgestreckten Armen vorwärtszutasten. Selbst ihre eigenen Geräusche drangen nur noch wie durch Watte zu ihr durch. Hilflos stolperte sie herum und hoffte inständig, dass sie die richtige Richtung ansteuerte. Aber genauso gut hätte sie im Kreis laufen können und hätte es nicht bemerkt. Plötzlich wurde sie von einer Böe aufgehoben, die sie vor sich herpeitschte. Sie musste ihr ganzes Gewicht gegen den Sturm stemmen, damit sie nicht weggeweht und mit aller Wucht gegen einen der Steinwälle geschleudert wurde, die sie nun wie bösartige graue Zwerge umkreisten, jederzeit bereit, ihr die Knochen zu brechen.

Der Sturm beruhigte sich für einen kurzen Moment, Oonagh rappelte sich auf und lief weiter. Sie merkte, wie die Kraft sie langsam verließ.

Da schien sich für Sekunden eine Gestalt aus der milchigen Suppe zu lösen, die lautlos an ihr vorüberglitt. Ein Mann. Sie wollte, dass es ein Mann aus Fleisch und Blut war. Ein Mensch. »Hallo, ist da jemand? Ich bin hier.

Hört mich jemand?« Doch ihre Stimme wurde vom Nebel erstickt. War es wirklich ein Mensch gewesen, den sie gesehen hatte? Doch was hätte ein Mensch inmitten dieser konturlosen Nebelwelt zu suchen gehabt? Oonagh schluchzte auf. Schließlich gestand sie sich ein, dass sie sich getäuscht haben musste, und hangelte sich mühsam weiter. Irgendwann griffen ihre Hände in dichtes Dornengestrüpp, und sie schrie auf. Aus der Nebelsuppe hörte sie plötzlich das klägliche Jaulen eines Hundes. Aus welcher Richtung war das gekommen? Sie lauschte krampfhaft und versuchte vergeblich, etwas zu sehen. Ihre Hände bluteten, aber sie schleppte sich weiter. Immer wieder musste sie sich über Steinwälle quälen. Sie konnte nicht mehr weiter, die Beine waren so unglaublich schwer. Da glaubte sie, das Läuten der Kirchenglocke zu hören, und jubelte auf. Doch das Läuten verzerrte sich zu undefinierbaren Lauten, die aus einer anderen Welt zu stammen schienen. Sie blieb stehen und zitterte am ganzen Körper. Ihr Herz raste, Schweiß rann ihr den Rücken und das Gesicht herab. Sie hatte jegliches Zeitgefühl verloren. Sie wusste nicht mehr, wie lange sie schon herumirrte. Gefühlt war es eine halbe Ewigkeit.

Da war plötzlich wieder ein Geräusch. Sie versuchte, sich zu konzentrieren. Was war das? Woher kam es? Es klang wie ein Schrei. Ein Vogel, der sich nicht mehr traute, in die Luft zu steigen? Oonagh spürte, wie ihr die Tränen die Wangen hinunterliefen. So lange hatte sie nicht mehr geweint. Und sie war so erschöpft und müde. So unfassbar müde. Sie spürte noch, wie sie in sich zusammensackte. Dann war alles dunkel.

36

»Ich komme einfach nicht durch! Ich kann sie nicht erreichen, Grace!«

Dara klang nicht wütend, sondern verzweifelt. Grace versuchte, ihn zu beruhigen.

»Dara, alle telefonischen Verbindungen zu den Arans sind wegen des Unwetters seit einigen Stunden unterbrochen. Festnetz- und Handyverbindungen. Das hat gar nichts zu bedeuten. Du brauchst dir keine Sorgen zu machen. Sie wird gerade das Essen von eurem irischen Starkoch genießen!« Dass sie selbst auch ein ungutes Gefühl beschlich, wollte sie ihrem Bruder gegenüber nicht zugeben.

»Was zum Teufel soll sie überhaupt dort?«

»Sie wollte zwei Tage ausspannen, das ist alles, und da habe ich ihr diese Pension empfohlen.«

»Das glaube ich dir nicht, Grace. Sie hat erzählt, sie soll dort für dich etwas herausfinden. Und was, bitte schön?«

»Überhaupt nichts!«

Dara lachte bitter. »Du bist doch sonst dagegen, Familienangehörige für eigene Belange einzuspannen, oder hab ich das falsch in Erinnerung?«

Grace schluckte und wusste nichts darauf zu sagen. Sie wechselte das Thema. »Wir haben über Roisin geredet.«

Es entstand eine Pause am anderen Ende der Leitung.

»Liv hat sich bei mir gemeldet. Sie ist schon auf dem Weg.«

»Mama?« Grace überlegte. Roisin hatte offenbar von sich aus ihre Großmutter angerufen. Grace wusste nicht genau, wie Roisin zu ihr stand. Sie war oft in den Ferien bei ihr in Aarhus gewesen und fand ihre Oma, wenn man sie danach fragte, »abgedreht«, was als Kompliment aufzufassen war.

»Vielleicht ist das gar keine schlechte Idee. Liv wird sich jedenfalls nicht von den Kirchenleuten beeindrucken lassen.«

»Meinst du, ich bin von solchen Leuten beeindruckt?« Dara klang beleidigt.

Grace lachte versöhnlich. »Ach, Dara, nun beruhige dich. Das habe ich doch gar nicht damit gemeint. Aber unsere Mutter ist nun mal eine ausgesprochen energische Person. Wenn sie im Kloster auftaucht, erteilen sie ihr entweder lebenslanges Hausverbot oder rufen sie auf der Stelle zur Äbtissin aus. Dazwischen gibt es nichts. Ohne Roisin wird sie jedenfalls nicht abziehen.«

Sie hörte Dara durch die Telefonleitung schmunzeln. Wie gern hätte sie ihren Bruder jetzt umarmt.

»Stimmt.« Er seufzte.

»Wir sollten reden, Dara. Ganz in Ruhe. Auch über Geld. Oonagh hat da etwas angedeutet, dass die Rücklagen für das Schulgeld der Kinder futsch sind.«

Wieder seufzte ihr Bruder laut durchs Telefon.

»Es sieht wohl ziemlich mies aus, Grace. Du weißt, ich kenne mich mit solchen Dingen überhaupt nicht aus. Es interessiert mich auch nicht besonders. Bei uns kümmert sich Oonagh um so etwas. Und sie sagt, alles sei richtig schwierig geworden. Da kam das Angebot von diesem Patenkind gerade recht für uns.«

Grace war einen Moment lang verwirrt. »Was für ein Patenkind?«

»Na, wir haben uns dort mit einem kleinen Anteil in das Projekt eingekauft. Unser Steuerberater hat uns dringend dazu geraten. Da könnten wir sehr bald eine nette Rendite erwarten, und die Kinder kommen jetzt in ein Alter …«

Sie unterbrach ihn hart. »Von was für einem Patenkind redest du, Dara?« Ihre Stimme hatte auf einmal etwas Metallisches.

»Na, dieser Patensohn von Onkel Jim. Murray Finnegan. Ich kannte den gar nicht und war über seinen Brief vor ein paar Wochen zuerst etwas überrascht.«

Es stellte sich heraus, dass Finnegan Dara angeschrieben und ihm Anteile an seinem Ferienparkprojekt in Cong angeboten hatte. Dara hatte nach anfänglichem Zögern zugegriffen.

»Wir haben das alles überprüfen lassen, Grace, und es ist echt eine lohnende Investition.«

Grace war verstummt.

»Gráinne?« Es klang wie ein Hilferuf aus ihrer Kindheit.

Doch Grace ging nicht darauf ein. Sie verabschiedete sich schnell von ihrem Bruder, allerdings nicht, ohne ihm zu versprechen, ihn sofort anzurufen, falls sich Oonagh zuerst bei ihr melden würde.

Sie ließ sich auf das Sofa fallen und hatte für einen Moment das Gefühl, als säße sie in einem Karussell, das sich immer schneller drehte. Vor ihren Augen flimmerte es, und sie wollte sie so gerne schließen. Nur für einen kurzen Moment.

Sie musste wohl eingenickt sein, denn sie schreckte hoch, und es dauerte eine Weile, bis sie kapierte, dass es an ihrer Haustür Sturm läutete. Sie schaute auf die Uhr. Es war kurz vor Mitternacht. Langsam ging sie zur Tür und drückte den Knopf der Gegensprechanlage.

»Ja?« Aus irgendeinem Grund schlug ihr Herz plötzlich so laut, dass sie es zu hören glaubte.

»Hier ist Peter. Entschuldige die Störung, aber es war die ganze Zeit bei dir besetzt.«

Grace zitterte leicht. »Es ist schon spät, ich wollte gerade schlafen gehen. Ist es dringend?«

»Ich weiß es nicht.« Durch den Lautsprecher klang seine Stimme dünn und verzerrt. »Ich habe eben eine Mail von meiner Mutter bekommen. Die Telefone funktionieren ja immer noch nicht. Sie klang sehr besorgt. Sie schrieb, dass eine ihrer Gäste, eine Frau aus Dublin, vermisst werde. Sobald der Nebel sich noch mehr verzieht, wird man Suchtrupps losschicken, um nach den beiden zu suchen.«

Grace erschrak. Ihr war sofort klar, dass es sich um Oonagh handeln musste.

»Moment mal. Wieso ›nach den beiden‹? Du hast gerade von einer Frau gesprochen.«

»Ja, es wird noch jemand vermisst. Donal Joyce ist verschwunden.«

37

Vor Sorge und Gewissensbissen hatte Grace die Nacht kaum geschlafen. Sie hatte Peter zwar gesagt, dass es sich bei der vermissten Frau aller Wahrscheinlichkeit nach um ihre Schwägerin Oonagh handelte, ging aber nicht auf die näheren Umstände ein. Er hatte gestutzt, aber nicht näher nachgefragt. Dann erzählte er ihr noch, dass Joyce offensichtlich nicht zusammen mit Oonagh aus dem Haus gegangen sei, sondern erst später, als das Unwetter schon ganz nah war. Mehr sei momentan nicht bekannt.

»Ich geh dann besser wieder, Grace. Ich glaube, wir sollten erst mal alle versuchen, ein bisschen zu schlafen. Wir können sowieso nichts tun im Moment.«

Und dann war sie alleine und irgendwie verloren auf

dem Sofa gesessen und hatte nicht gewusst, wie sie in den Schlaf finden sollte.

Am nächsten Morgen versuchte Grace wiederholt, Oonagh telefonisch zu erreichen. Doch die Leitung war nach wie vor tot. Eine Nachfrage bei der Zentrale von Gardai bestätigte ihr, dass sowohl die Mobilfunk- wie auch die Festnetzverbindung noch nicht wiederhergestellt waren. Grace spürte bereits wieder die Nervosität in sich hochkriechen. Die erste Maschine nach Inis Meáin flog erst am späten Vormittag. Sie beschloss, bis dahin nicht ins Büro zu gehen, sondern noch einmal bei Murphy vorbeizuschauen, und zwar ohne Ankündigung. Rory ging nicht an sein Telefon, deshalb hinterließ sie eine Nachricht für ihn auf der Mailbox.

Als Murphy die Tür öffnete und sie hereinbat, fiel ihr wieder auf, wie übernächtigt und grau der Mann auf einmal aussah. Er sah noch erschöpfter als bei der Beerdigung aus. Sein sympathisches Strahlen war wie ausgelöscht.

»Was kann ich noch für Sie tun?« Er hatte die Frage gar nicht wie eine Frage formuliert und wischte sich mit der Hand kurz über die Augen.

»Ich habe noch ein paar Fragen zu Ihrem Projekt, Mr. Murphy.« Grace versuchte zu lächeln. Er hob abwartend die Augenbrauen und schwieg.

»Wer profitiert von Ihren Ergebnissen?«

Murphy überlegte einen Moment, bevor er sich zu einer Gegenfrage entschloss.

»Wie meinen Sie das?«

»Nun, wer zieht einen Nutzen aus Ihren Ergebnissen und Erkenntnissen?«

Er sah an Grace vorbei und fixierte einen Punkt im Garten. »Das Institut natürlich und demnächst auch die

Öffentlichkeit. Unsere Forschungsergebnisse werden selbstverständlich in absehbarer Zeit veröffentlicht.«

»Es geht dabei doch um die Kultivierung von Proteinen, die in bestimmten Organismen, die es ausschließlich hier gibt, nachweisbar sind. Das könnte, so habe ich gelesen, ganz neue Ressourcen für die Ernährung der Menschheit erschließen. Ihre Forschungsergebnisse sind daher nicht nur bahnbrechend, sondern auch immens profitabel für denjenigen, der sie sich sichern kann. Oder der sie verschwinden lässt. Beides wäre möglich. Bitte berichtigen Sie mich, wenn ich es falsch wiedergeben sollte.« Sie hatte sich den Artikel, den Rory ihr gegeben hatte, gründlich durchgelesen. Doch Murphy sagte nichts, und so fuhr sie fort.

»Dieses Projekt will die Grafschaft Galway rechtlich verhindern, wenn ich richtig informiert bin.«

Wieder entstand eine Pause. Schließlich räusperte sich Murphy und schaute sie an. »Ja, das ist richtig. Aber den Behörden ist auch bewusst, dass sie laut EU-Recht keinerlei Chance haben werden. Ich betrachte das lediglich als taktisches Manöver.«

»Könnte auch jemand davon profitieren, wenn die Ergebnisse nicht veröffentlicht beziehungsweise wenn die Veröffentlichung verzögert werden würde?«

Murphy rutschte unruhig auf seinem Sessel hin und her, erwiderte aber nichts.

»Vincent, würden Sie bitte meine Frage beantworten? Kann jemand auch von der Nichtveröffentlichung profitieren?« Grace wollte eigentlich gar nicht so autoritär klingen. Fast tat ihr der Wissenschaftler leid, der so offensichtlich erschöpft vor ihr saß.

»Das liegt durchaus im Bereich des Möglichen und kommt in der Forschung gar nicht mal so selten vor«, antwortete Murphy mit müder Stimme.

»Verschwinden auch schon mal Ergebnisse vor ihrer Veröffentlichung und werden Leuten zugespielt, die viel dafür bezahlen?«

In dem Moment rückte der Zeiger der Wanduhr hinter Grace auf die volle Stunde, und ein kleiner Holzkuckuck erschien oberhalb des Zifferblattes und veranstaltete einen Höllenlärm. Grace schaute erst erschrocken, dann belustigt nach der kunstvoll geschnitzten Uhr, die ihr bei ihrem ersten Besuch gar nicht aufgefallen war. Da hatte sie plötzlich eine Idee.

»Die Kuckucksuhr ist ein Geschenk Ihres Bruders, nicht wahr?«

Murphys Gesichtsfarbe nahm schlagartig eine rote Färbung an, aber er schwieg beharrlich. Grace fuhr unbeeindruckt fort: »Wir wissen, dass er in Deutschland lebt. Und wir wissen auch, dass er am gleichen Wochenende wie Sie in Belfast war. Warum haben Sie uns das verschwiegen?«

»Er nahm ebenfalls, und zwar ganz offiziell, an der Konferenz teil, und ich habe wirklich nicht ahnen können, dass Sie das interessiert.« In Murphys Stimme schwang ein trotziger Tonfall mit.

»Immerhin ist er ihr Zwillingsbruder.«

»Ja, und?«

»Sind Sie eineiige Zwillinge?«

Er schaute sie einen Moment unsicher an, dann nickte er. »Ich habe allerdings keine Ahnung, was das mit all dem hier zu tun haben sollte. Dass ich einen eineiigen Zwillingsbruder habe, ist kein Geheimnis. Im digitalen Zeitalter ist das mit einem Klick zu recherchieren. Es wäre also töricht von mir, das verbergen zu wollen. Außerdem gibt es keinen Grund dafür.« Vincent Murphy war die Unterhaltung offenbar mehr als unangenehm, doch er versuchte, abgeklärt und entspannt zu wirken.

Du bist alles andere als entspannt, dachte sich Grace. Und wenn du direkte Worte lieber hast, dann sag ich es dir eben direkt. »Mr Murphy, ich muss doch sicher nicht groß erläutern, dass die Tatsache, dass Ihr Zwillingsbruder, der Ihnen vermutlich wie aus dem Gesicht geschnitten ist und auch auf der Konferenz in Belfast war, Ihr Alibi für das besagte Wochenende erheblich erschüttert.«

Er schwieg und schaute sie düster an.

»Stehen Sie Ihrem Bruder nahe?« Noch während sie das fragte, zuckte sie innerlich zusammen. Was für eine blöde Frage. Da passierte etwas Hochinteressantes. Murphys Augen, die gerade noch stumpf, müde und abweisend wirkten, leuchteten auf. Ein zaghaftes Lächeln zeigte sich auf seinem ernsten Gesicht und ließ es sofort weicher und jungenhaft wirken.

»Ja. Wir stehen uns sehr nah. Auch wenn wir uns nicht oft sehen.« Jetzt blickte er sie offen an, als habe er gerade ein Geständnis abgelegt und erwarte nun eine Reaktion darauf.

Grace zögerte. Offensichtlich wollte er ihr etwas mitteilen. Was war es, was ihm nicht über die Lippen kommen wollte? Sie schaute ihn auffordernd an. »Was genau meinen Sie damit?«

Der Wissenschaftler war aufgestanden. »Ich meine gar nichts. Ich habe Ihnen lediglich geantwortet. Ja, wir stehen uns sehr nah. Mehr gibt es dazu nicht zu sagen.«

38

Grace atmete auf. Ihre schlimmsten Befürchtungen waren nicht eingetreten. Oonagh war gefunden worden und schien weitgehend unversehrt zu sein. Jetzt lehnte sie blass und erschöpft an der Tür zu Patties Pension und winkte ihr mit der verbundenen linken Hand zu.

»Gott sei Dank!« Grace musste ihre Schwägerin einfach umarmen, auch wenn damit ihre Undercover-Scharade aufflog. Pattie Burke, die die herzliche Begrüßung aus dem Hausflur beobachtet hatte, näherte sich ihnen bereits.

»Oh, die Ladys kennen sich?« Man konnte ihr Bemühen um Freundlichkeit nur erkennen, wenn man genau hinhörte.

Grace antwortete schnell, bevor Oonagh ihr zuvorkommen konnte. »Ja, meine Schwägerin hielt sich hier in der Grafschaft auf und bat mich um einen Tipp für ein paar unbeschwerte Tage. Da ich gerade dein wunderbares Haus kennengelernt hatte, habe ich es sofort weiterempfohlen. Ich hoffe doch, das war ganz in deinem Sinn?«

»Aber natürlich«, sagte Pattie lächelnd und verneigte sich leicht.

Schnell sprach Grace weiter. »Ich bin eigentlich hier, um mit Donal Joyce zu sprechen. Ich höre, er ist verschwunden?« Augenblicklich verdunkelte sich Pattie Burkes Gesicht. Auch wenn sie scheinbar entschlossen war, sich das nicht anmerken zu lassen, so konnte sie eine gewisse Verärgerung nicht ganz verbergen.

»Weißt du, Grace, meine Gäste brauchen sich bei mir nicht abzumelden. Sie sind erwachsen. Ich weiß nicht, wo er ist.« Mit diesen Worten verschwand Pattie in der Küche, ohne eine Reaktion von Grace abzuwarten.

Grace zuckte etwas ratlos mit den Schultern, ließ es dann aber auf sich beruhen. Sie schlug Oonagh einen Spaziergang zum Strand vor. Kurze Zeit später liefen sie den abschüssigen Schotterweg entlang, der zum Norden der Insel führte. In der Ferne konnte sie den neuen Pier erkennen, der, wie sie erfahren hatte, zu großen Streitigkeiten unter der Inselbevölkerung geführt hatte. Denn durch die Verlegung des Piers waren fast die Hälfte der Einwohner vom eh schon spärlichen Tagestourismusgeschäft abgeschnitten worden. Pattie hatte, wie ein paar andere wohlhabende Insulaner, zu den Gewinnerinnen gehört.

»Hast du Dara schon anrufen können? Er macht sich große Sorgen.«

Oonagh nickte. »Ja, die Leitungen stehen ja mittlerweile wieder.«

»Ich mache mir solche Vorwürfe, Oonagh. Was ist denn genau passiert?«

Oonagh erzählte ihr, wie sie sich gestern Abend auf der Suche nach Synge's Seat durch das schnell aufziehende Unwetter im zähen Nebel verlaufen hatte. Schließlich sei sie an der Südküste gelandet und dann höchstwahrscheinlich im Kreis gelaufen, bis sie zuletzt blutend und entkräftet zusammengebrochen sei. »Der Nebel ist so schnell verschwunden, wie er aufgetaucht ist. So etwas habe ich wirklich noch nie erlebt. Ich habe von einer Sekunde auf die nächste komplett die Orientierung verloren. Kannst du dir vorstellen, wie panisch ich geworden bin? Gott sei Dank hat mich dann ein Dorfbewohner gefunden. Da hatte sich der Nebel schon fast wieder verzogen. Er hat mich dann gleich zu Pattie gebracht, die sich rührend um mich gekümmert hat. Da war es dann aber schon lange nach Mitternacht.«

»Ja, offenbar hatte man da schon Suchtrupps nach dir

und Joyce ausgeschickt«, sagte Grace. »Schau mal, hier fischen sie noch mit den alten Curraghs!« Grace zeigte auf drei geteerte Boote, die umgedreht auf dem Festland ruhten.

Doch Oonagh hatte für die Attraktionen der Insel kein Auge mehr. Sie schwieg.

Grace nahm den Faden wieder auf. »Stimmt es, dass du jemanden im Nebel gesehen hast? Hast du denjenigen erkannt?«

Oonagh zuckte mit den Schultern. »Grace, man konnte die Hand nicht vor Augen sehen! Aber es war ziemlich sicher ein Mann. Vielleicht war es ja Joyce?« Sie überlegte. »Aber wieso läuft der kurz vor dem Abendessen, das er selbst zubereiten soll, und trotz der Wetterwarnung aus dem Haus? Das ergibt doch keinen Sinn!«

»Und er lief an dir vorbei? In die Richtung, aus der du gekommen bist?«

Wieder nickte Oonagh. Sie hatten nun den Strand erreicht. Die Ebbe hatte das Meer weit mit sich hinausgenommen, und die Sonne schien so zuverlässig, als habe sie nie aufgehört zu strahlen. Das Unwetter nur wenige Stunden zuvor erschien wie ein Spuk.

»Und dort hattest du diese Yacht gesehen? Wann war das ungefähr?«

»Keine Ahnung, Grace. Hast du gewusst, dass man völlig den Zeitsinn verliert, wenn man nichts mehr sehen und hören kann? Mir war das vorher nicht klar.«

Nachdenklich schaute Grace sie von der Seite an. »Und hast du jemanden auf dem Boot gesehen, ich meine, als du noch etwas sehen konntest?«

»Nein, da war niemand zu sehen. Und dann war da noch dieses Geräusch, das ich nicht identifizieren konnte.«

»Kann das ein Schuss gewesen sein oder eher ein

Schrei?« Grace bemühte sich, ihre Fragen nicht zu sehr nach einem Verhör klingen zu lassen. Sie musste behutsam vorgehen.

»Kein Schuss, aber ein Schrei … ich bin mir nicht sicher, Grace. Zu dem Zeitpunkt hatte ich nur noch Angst.«

Das klang aus Oonaghs Mund sehr fremd, und Grace nahm ihre Hand und drückte sie fest.

Eine kleine Wolke hatte sich nun vor die Sonne geschoben. Aus der Ferne näherte sich ihnen ein Kind mit einem kleinen Hund. Das Mädchen tollte mit dem Welpen ausgelassen durch den feinen Sand.

»Mir macht diese Insel Angst, verstehst du das? So schön sie ist«, sagte Oonagh leise und blickte über das Meer, als könne das ihre Ängste verjagen.

Das Kind war näher gekommen. Der Hund bellte aufgeregt, rannte abwechselnd vorneweg oder sprang an dem Mädchen hoch. Oonagh betrachtete die beiden.

»Dieser Schatten … es könnte auch ein Tier gewesen sein. Ja, ein verängstigtes Tier. Aber vielleicht bringe ich auch alles durcheinander.« Oonagh fuhr sich mit der unverletzten Hand über das Gesicht.

»Was ist mit den anderen Gästen? Sind noch welche nach dir angekommen?«, fragte Grace.

»Der eine, der auf seiner Privatyacht kommen wollte, konnte nicht mehr anlegen, erzählte mir Pattie heute Morgen. Zwei haben es noch mit dem Helikopter geschafft. Die habe ich aber noch nicht zu Gesicht bekommen. Ich hab ja bis eben geschlafen, weil ich so erschöpft war.«

Das Mädchen hatte sie nun fast erreicht. Im Arm trug sie einen kleinen Terrier. Der Welpe hatte sich mit der feuchten Schnauze in ihre Achsel gekuschelt.

»Hi! Sucht ihr wen?« Sie war jünger als Declan, schätzte Grace. Nicht älter als acht.

»Ganz richtig. Wir suchen einen Mann mit blonden Locken. Du hast nicht zufällig einen gesehen?«

Heftig schüttelte das Mädchen seinen dunklen Lockenkopf. Sie hielt ihnen den Hund hin. »Wollt ihr Fips mal streicheln?«

Oonagh kraulte bereitwillig das weiche Fell des Tieres. Ihre Gesichtszüge entspannten sich endlich etwas.

»Dann müsst ihr unter die Curraghs gucken«, redete das Mädchen eifrig weiter. »Wir verstecken uns immer unter den Curraghs.« Sie kicherte. »Wir suchen nämlich auch jemanden.«

»Und wen suchst du?«

Die Kleine dachte kurz nach, als müsse sie überlegen, ob man die beiden fremden Frauen einweihen darf. Schließlich entschied sie sich dafür.

»Meine Schwester Zoe. Die ist schon zehn. Ich bin acht. Und sie hat den Bruder von Fips dabei. Der heißt Justin.« Dabei verdrehte sie etwas verächtlich die Augen.

»Heh!« Oonaghs unvermittelter Aufruf ließ die anderen beiden fast erschrecken. »Jetzt weiß ich es wieder. Ich habe euch doch gestern Abend schon mal gesehen! Oben am Dorfende!«

Das Kind musterte sie genauer. »Stimmt. Das war noch bevor Zoe zu Nan sollte. Sie sollte unserer Oma noch etwas bringen. Und dann kam der Sturm.«

Oonagh streichelte noch immer den kleinen schwarzweißen Hund. »Omas passen immer gut auf ihre Enkel auf. Da musst du dir keine Sorgen machen.«

Das Mädchen trat nun einen Schritt zurück und schaute Oonagh zweifelnd an.

»Das stimmt. Aber Zoe ist ja gar nicht bei Nan angekommen. Der Nebel hat sie verschluckt. Ganz bestimmt haben sie die Kleinen Leute mitgenommen. Nun suchen wir sie alle.«

39

Mit dem offiziellen Suchtrupp der Garda Galway erschienen nicht nur Rory und zehn Kollegen mit Suchhunden, sondern auch Peter.

Er platzte unvermittelt in das Gespräch, das Grace gerade mit seiner Mutter führte, winkte kurz und zog sich gleich wieder zurück. Als Pattie Burke ihren Sohn erblickte, lief sie rot an, und es dauerte einen Augenblick, bis sie sich wieder gefangen hatte. Grace hatte das sehr aufmerksam registriert.

»Also, wegen der Yacht, die Oonagh am Südzipfel gesehen haben will«, fuhr Pattie zögernd fort. »Das verstehe ich einfach nicht. Da hat sie sich in ihrer Angst und Orientierungslosigkeit sicher getäuscht. Der einzige Anleger für jede Art von Boot ist der alte Hafen am Dorf oder der neue Pier.«

Außerdem hielt Pattie es für ausgeschlossen, dass Donal noch vor Ausbruch des Unwetters die Insel unbemerkt hätte verlassen können. Zu dem Zeitpunkt konnte niemand mehr rauf oder runter. Die beiden Gäste im Helikopter, Stammgäste übrigens, ein Ehepaar aus Paris, waren definitiv die Letzten gewesen, die das geschafft hatten. Wie hätte Donal das also bewerkstelligen sollen? Und vor allem, warum?

»Hat Donal vielleicht eine SMS oder einen Anruf erhalten an dem Tag?«, fragte Grace, obwohl sie sich schon dachte, dass Pattie so etwas nicht wissen würde.

Pattie zuckte hilflos mit den Schultern. »Das weiß ich wirklich nicht. Aber wir können Sarah fragen. Sie hilft mir am Wochenende etwas und geht mir beim Eindecken und Servieren zur Hand. Sie hat überhaupt erst festgestellt, dass Donal verschwunden war.«

Die Befragung des Mädchens ergab jedoch auch nichts Neues. Sarah erzählte, dass Donal wie immer gewesen sei. »Plötzlich ist er dann fluchend durch die Hintertür nach draußen gestürzt. Ich habe angenommen, er hat etwas vergessen, zum Beispiel Kräuter, die er schnell aus dem Garten holen will.« Als er nach einer Weile immer noch nicht zurückgekehrt sei, habe sie sich Sorgen gemacht und die Chefin benachrichtigt. Zu dem Zeitpunkt wälzte sich schon die Nebelwand über das Dorf. »Auf der Insel kennt jeder das Wetter. Da geht man nicht mehr raus. Donal hat das gewusst.«

Kurz nach sieben Uhr abends kehrte Rory mit seinem Suchtrupp und der Nachricht zurück, dass sie weder den Koch noch das Kind gefunden hätten. In Rorys gutmütiges Gesicht hatten sich tiefe Sorgenfalten gelegt.

»Wir stoppen die Suche jetzt und machen morgen früh weiter.« Grace wollte etwas einwenden, aber Rory kam ihr zuvor. »Selbstverständlich haben wir alle Curraghs auf der Nordseite der Insel umgedreht, Grace. Außer Müll und seltsamem Strandgut haben wir nichts gefunden. Ich habe gerade mit den verzweifelten Eltern und der Großmutter gesprochen. Mehr können wir momentan nicht tun.« Erschöpft strich sich Rory die Haare aus der verschwitzten Stirn.

Grace nickte. Sie hatte schon mitbekommen, dass die ganze Insel in Aufruhr und im Ausnahmezustand war. Erste Gerüchte machten sich breit, dass der beliebte Koch etwas mit dem Verschwinden des Kindes zu tun haben sollte. Die Zeit rannte ihnen davon. Und noch von einer anderen Seite kam Druck.

Mit der letzten Fähre waren ein paar Journalisten von RTE angekommen. Die Reporter des irischen Fernsehsenders hatten nicht lange gefackelt und bereits einige Einheimische auf der Straße vor laufender Kamera zu dem Fall befragt. Grace ärgerte sich maßlos. Sie hatte gehofft, dass die Abgeschiedenheit der Insel ihnen eine Suche ohne Presserummel bescheren würde.

Wenigstens hielt Pattie Burke ihre Haustür verschlossen. Für sie bedeutete das Verschwinden des berühmtesten Kochs Irlands ausschließlich negative Schlagzeilen, wenn nicht sogar eine wirtschaftliche Tragödie.

Da sich inzwischen auch Robin Byrne telefonisch in den Fall eingeschaltet und Grace aufgefordert hatte, mit der Presse zu kooperieren, sah sich Grace gezwungen, zusammen mit Rory im Pub gegenüber eine kleine Pressekonferenz abzuhalten. Grace wollte versuchen, den Ball flach zu halten und vor allem den Mordfall an Annie McDoughall mit keinem Wort zu erwähnen. Interessanterweise ging dieser Plan auf, denn keiner der Handvoll Journalisten fragte nach. Routiniert und sachlich gab Grace einen kurzen Bericht über den Sachverhalt und unterband geschickt jegliche Spekulationen. Und sie versuchte alles, um die Lage nicht hoffnungslos erscheinen zu lassen. Das war sie allein schon den Eltern Zoes schuldig.

Sie hatte überhaupt keine Ahnung, in welchem Zusammenhang die Geschehnisse standen. Vielleicht gab es ja gar keinen Zusammenhang, und alles war nur zufällig zeitgleich geschehen? Eigentlich konnte sie das nicht glauben, auch wenn Zoe eher wie ein zufälliges Opfer wirkte. Sie hoffte inständig, dass man das Kind bald wohlbehalten wieder auffinden würde. Was Donal betraf, hatte sie ein ganz anderes Bauchgefühl. Ein sehr beunruhigendes.

Peter Burke hatte sie während der kleinen Konferenz von der einen Ecke des Pubs aus beobachtet und rutschte nun auf den freien Platz neben ihr an der Theke, wo sie sich gerade ein Wasser bestellte.

»Können wir irgendwo ungestört reden?«

Sie schaute ihn an und ignorierte das kleine Kribbeln, das sie in dem Moment in ihrem Magen spürte. Stattdessen sagte sie mit betont kühler Stimme: »Ich muss mich später wieder um Oonagh kümmern, sie hat sich hingelegt, aber wir können gern ein Stück laufen. Hier ist es unerträglich.« Ihr Blick wanderte über die Menschenmenge im vollgepackten Schankraum, und sie winkte Rory zu, der umringt von seinen Kollegen mit einem Glas Guinness in der Hand gerade wild gestikulierte. Er winkte zurück.

Als sie vor die Tür gingen, war es draußen noch hell. Grace hatte eine Idee. »Lass uns den Weg zum Südufer nehmen. Heute ist es ja ungefährlich. Ich würde gerne den Weg, den Oonagh gestern gegangen ist, rekonstruieren. Wenn das überhaupt möglich ist.«

Peter schien nichts dagegen zu haben, und so bogen sie kurz hinter der Kirche auf einen Feldweg ein. Stumm liefen sie nebeneinanderher, bis Peter das Schweigen brach. »Meine Mutter war der Meinung, dass sich Donal in den letzten Tagen irgendwie bedroht gefühlt hat. Er war gereizt und hat sich komisch benommen.«

»Seltsam, davon hat sie mir gar nichts gesagt.«

»Es war auch nicht einfach, das aus ihr herauszulocken. Meine Mutter weiß genau, was sie wem sagt und was nicht. Wenn sie wüsste, dass ich dir das jetzt gerade erzähle, würde sie mir das nie verzeihen.« Peter lächelte sie entschuldigend an.

»Wusste sie denn, von wem er sich bedroht fühlte?«

Peter schüttelte den Kopf. »Nein, und das glaube ich ihr auch. Anscheinend wusste Donal es selbst nicht.«

»Er hat seine Aussage, Annie am Samstagabend in der Nähe von Murphys Haus gesehen zu haben, komplett widerrufen. Seine Begründung war mehr als dünn. Wir haben schon einen Durchsuchungsbefehl für seine Wohnung beantragt, vielleicht finden wir dort etwas oder in seinem Kochstudio. Weißt du eigentlich etwas über Doping unter Köchen?«

Peter war stehen geblieben und schaute sie perplex an.

»Okay, deiner Reaktion entnehme ich, dass du nichts darüber weißt, genau wie ich. Beruhigend.« Dann erzählte sie ihm kurz von der Unterredung mit Donals Agent Terry Jones.

Peter strich sich über den Dreitagebart. »Das bedeutet doch wohl eher, dass nicht der Koch gedopt ist, sondern sein Essen. Ich hab da mal was gelesen. Es gibt Zusatzstoffe, die bei uns nicht zugelassen sind – und ich spreche nicht von Glutamat. Sie werden aus Asien illegal eingeführt und anscheinend nur in der Spitzengastronomie verwendet. Wenn du damit erwischt wirst, hast du allerdings ein echtes Problem. Der Ruf ist nachhaltig geschädigt, und die Fernsehkarriere kannst du knicken. Ich erkundige mich mal.«

Grace betrachtete ihn von der Seite und musste unwillkürlich lächeln. Peters Detektivspürnase hatte anscheinend Witterung aufgenommen.

Über ihnen kreischten ein paar Möwen, die beunruhigend niedrig flogen. Möglicherweise gab es in der Nähe ein Nest, das sie beschützen wollten. Aber Peter war schon auf das nächste Thema zu sprechen gekommen.

»Glaubst du wirklich, dass deine Schwägerin am Südzipfel eine Yacht gesehen hat? Ich halte das für äußerst unwahrscheinlich.«

»Ich eigentlich auch, trotzdem war Oonagh in ihrer Schilderung so präzise, dass ich glaube, dass da etwas dran ist. Weißt du, ob man die Curraghs auch noch woanders als am Hafen parken kann?« Sie leckte sich über die Unterlippe und schmeckte, wie salzig sie war.

Er lächelte. Dass Grace von parkenden Curraghs sprach, amüsierte ihn offensichtlich. »Nein, nur auf der Nordseite. Woanders ist es viel zu schwierig, sie ins Wasser zu lassen und wieder rauszuziehen.«

»Wie weit ist es eigentlich noch?« Etwas beunruhigt stellte Grace fest, dass es langsam dämmerig wurde.

»Es dauert nicht mehr lang. Wir müssten die Südseite der Insel bald erreicht haben.«

Sie gingen eine Zeitlang schweigend nebeneinanderher. Um sie herum nichts als Steine. Steine, die hier seit Urzeiten zu Wällen aufgeschichtet warteten, oder die einfach nur auf dem kargen felsigen Boden lagen, als hätten die keltischen Götter nach einer Runde Boule keine Lust mehr gehabt, sie wegzuräumen. Die archaische Landschaft strömte etwas Beruhigendes aus.

»Hast du Neuigkeiten von deiner Tochter?« Peter wollte offensichtlich so behutsam wie möglich klingen, aber auf keinen Fall neugierig. Es war das erste Mal, dass sie über Roisin sprachen. Und Grace merkte auf einmal, dass sie jetzt bereit war, ihm davon zu erzählen, und auch davon, dass ihre Tochter im Moment jeglichen Kontakt zu ihr ablehnte.

»Was ist mit Roisins Vater? Kann der nichts machen?«

»Dara und Oonagh sind ja da.«

Peter räusperte sich und schaute sie dann zweifelnd an. »Ich meinte eigentlich ihren leiblichen Vater.«

Grace blieb stehen. Sie schwieg und schaute angestrengt geradeaus, als würde sie schon das südliche Ende der Insel erkennen können. Es war windstill, kein Laut war zu hören. Schließlich sagte sie: »Es gibt keinen Vater.«

Peter blickte sie ungläubig an. Dann verzog er sein attraktives Gesicht zu einem breiten Lächeln. Schließlich lachte er laut auf. »Du bist nicht die heilige Mutter

St. Grainne. Die unbefleckte Empfängnis ist schon seit Längerem wissenschaftlich widerlegt worden.«

Erst stutzte Grace, dann lachte sie erleichtert mit. Sie war ihm dankbar, dass er sie zum Lachen gebracht hatte.

»Nach dem plötzlichen Tod meines Vaters und nach Abschluss der Schule bin ich erst mal ins Ausland gegangen, um Abstand zu bekommen. Liv war damals in der Psychiatrie. Darüber sprachen wir ja schon. Ich ließ mich treiben, in das wiedervereinigte Berlin, nach Prag, Neapel, London, Stockholm. Überallhin, wo etwas los war. Nach irgendwelchen Partys wachte ich in irgendeinem Bett neben irgendeinem Mann auf, dessen Namen ich kurz darauf schon wieder vergessen hatte. Roisin ist das Ergebnis einer solchen Nacht. Ich wollte das Kind. Dara hatte gerade geheiratet, und er und Oonagh haben Roisin ein richtiges Zuhause geben können. Kurz darauf bekam ich den Ausbildungsplatz, den ich so dringend gewollt hatte, und begann das Studium in Tempelmore. End of story.« Ihr resolutes Schlusswort signalisierte Peter »Bitte keine weiteren Nachfragen«. Er akzeptierte es.

Plötzlich waren sie stehen geblieben. Grace schirmte ihre Augen mit einer Hand ab und starrte angestrengt auf die Felsen, die sich vor ihnen am Ufer auftürmten und bis ins Meer hineinragten. Die Wellen schwappten gegen die Steine.

»Was ist das denn, da drüben?«

»Das scheint der Eingang zu einer Höhle zu sein, die aber nur bei Ebbe sichtbar wird. Interessant, die kannte ich gar nicht. Komm, das schauen wir uns mal an. Die Ebbe hat gerade ihren niedrigsten Stand erreicht.«

Sie rannten auf die Spalte in den Klippen zu. Peter rief: »Wenn wir von rechts über die Steinplatten klettern, können wir vielleicht von da aus reinkommen.«

Kurz darauf standen sie vor dem Eingang zu einer

Höhle, die aus der Nähe wesentlich größer wirkte. Grace kramte bereits in ihrer Schultertasche nach ihrer Stabtaschenlampe. Der Schein der Lampe beleuchtete einen niedrigen Raum, dessen silbrige Wände Feuchtigkeit ausatmeten. Der feine Sandfußboden wurde von kleinen, lebendig wirkenden Rinnsalen durchzogen. Mitten in der Höhle lag ein umgedrehtes Curragh, das mit einem Seil an einer der Wände festgemacht war.

»Sieh an, es gibt also doch noch andere Parkplätze. Los, pack mal mit an, Peter.« Grace konnte ihre Aufregung kaum unterdrücken.

Gemeinsam drehten sie das leichte und doch äußerst tragfähige Boot um. Fast geräuschlos fiel der Bootsrumpf auf die Seite. Als Grace den Strahl ihrer Taschenlampe auf den Boden richtete, entfuhr ihnen beiden gleichzeitig ein entsetzter Schrei.

Vor ihnen lag der leblose Körper eines Mannes mit grotesk verrenkten Gliedern. Das Schlimmste war sein Gesicht: Es war nicht mehr vorhanden. Jemand musste es zertrümmert, zerstört, einfach ausgelöscht haben. Die einstmals blonden Locken schwammen in einer Pfütze aus blutigem Wasser.

»Wer hat Donal so gehasst?«, fragte Grace heiser.

40

Pattie Burke konnte Donal anhand der Kleider, die er trug, sofort eindeutig identifizieren. Den Rest Unsicherheit würde die Obduktion mit der DNA-Analyse ausräumen. Die Höhle wurde am Morgen von Rory und der Spurensicherung genauestens untersucht. Es war nicht einfach gewesen, am Sonntag ein vollständiges Team dafür zusammenzubekommen. Gleichzeitig galt es, den richtigen Stand der Gezeiten zu erwischen. Die meiste Zeit war der Eingang der Höhle nicht zugänglich.

Nach dem grausigen Fund war Grace gleich am nächsten Morgen auf das Festland zurückgeflogen, um die Wohnung von Joyce in Galway zu untersuchen. Doch sie hatte nichts Ungewöhnliches dort gefunden. Byrne hatte Kevin Day beauftragt, sich das Kochstudio in Rossaveel vorzunehmen, da Rory am Morgen noch auf Inis Meáin beschäftigt war. Von Zoe und ihrem kleinen Hund fehlte nach wie vor jede Spur. Man hatte die Mutter mit einem Nervenzusammenbruch ins Krankenhaus in Galway einliefern müssen.

Mittags um eins war auch Rory von der Spurensicherung auf der Insel zurückgekehrt und sollte sich zusammen mit Grace, Day und O'Grady umgehend bei Byrne im Büro einfinden, um sich gegenseitig auf den neusten Stand zu bringen. Die Stimmung war angespannt.

»Wir gehen nach der Identifizierung durch Mrs Burke davon aus, dass es sich bei der männlichen Leiche um Donal Joyce handelt.« Graces Stimme klang ruhig und besonnen. »Was kannst du zum Fundort der Leiche sagen, Rory?«

Rory hatte bereits sein Zettelsammelsurium aus der Uniformtasche gezogen und sich darin vertieft. »Also, der Fundort ist identisch mit dem Tatort. Es herrschte Ebbe zu dem fraglichen Zeitpunkt am Abend des Unwetters. Wir gehen davon aus, dass beide, Opfer wie Mörder, diese abgelegene Stelle gekannt haben müssen.«

»Und sich dort verabredet haben?«, fragte Robin Byrne.

Grace und Rory nickten gleichzeitig. »Der Curragh legt die Vermutung nahe, dass die Höhle zuvor regelmäßig für geheime Treffen genutzt wurde.« Rory klang sehr sicher, und O'Grady warf ihm einen aufmunternden Blick zu.

Kevin Day grinste breit. »Du meinst Piraterie oder so etwas? Bei euch in besten Händen. Da kennt sich Graces Clan gut mit aus.« Kevin Day lachte über seinen eigenen Witz.

Rory warf ihm einen vernichtenden Blick zu. »Du weißt ganz genau, dass wir an der Küste von Galway und Clare in den letzten Jahren durchgängig Probleme mit Drogenschmuggel haben. Wir wissen auch ziemlich genau, an welchen Stellen an der Küste sie das Zeug abliefern oder abholen. Inis Meáin stand zwar bis jetzt nicht auf unserer Liste, aber das hat nichts zu bedeuten.«

Byrne hob beschwichtigend die Arme.

»Ich dachte, es geht im Fall McDoughall um Erpressung. Oder hab ich das falsch in Erinnerung?« In Days Stimme schwang bereits eine Mischung aus Hohn und Triumph mit.

Grace verzog keine Miene und nickte stumm.

»Aber wenn Annie McDoughall unseren Koch erpresst hat und daraufhin umgebracht wurde, wie bitte kann sie dann mit diesem Mord an ihm in Verbindung gebracht werden? Haben wir dafür auch eine Theorie, Ms Piratenkönigin?«

Grace ignorierte ihren Kollegen und wandte sich stattdessen ganz bewusst an die drei anderen im Raum. »Es ist nicht auszuschließen, dass beide Verbrechen zusammenhängen. Aber Genaues wissen wir zu diesem Zeitpunkt noch nicht. Es können auch zwei unabhängige Taten sein, begangen von zwei Tätern, die völlig unterschiedliche Motive hatten.« Den letzten Teil des Satzes hatte sie wesentlich leiser geäußert. Zu ihrer Unterstützung nickte Rory heftig und atmete dabei lautstark aus.

»Du willst ernsthaft behaupten, dass beide Morde nichts miteinander zu tun haben? Das kann doch wohl nicht dein Ernst sein! Du tappst auch nach einer Woche noch komplett im Dunkeln, Grace. Das ist leider alles andere als professionell. Man wusste ja, dass du kaum Erfahrung mitbringst, aber dass du so überfordert bist, hätte ich wirklich nicht gedacht.«

Es fiel Grace unendlich schwer, sich davon nicht provozieren zu lassen. Sie schaffte es nur, indem sie betont desinteressiert auf ihrem Tablet herumscrollte. Dumme Menschen galt es zu ignorieren, hatte ihr Vater ihr immer eingeschärft. Sie würden sich eines Tages selbst der Lächerlichkeit preisgeben. Day blickte triumphierend in die Runde. Alle Augen waren auf ihn gerichtet. Grace hielt den Blick gesenkt.

»Kevin, nun bleib mal fair.« Byrne schien sich auf die Schiedsrichterrolle beschränken zu wollen. Aber ihm schien der Auftritt Days sehr unangenehm zu sein. »Hast du irgendetwas Konstruktives beizusteuern?«

Day rutschte von der Tischkante, auf die er sich gesetzt hatte, und hielt einen weißen Plastikbeutel hoch.

»Was ist das?«, fragte Rory scharf, der sich nur mühsam zurückhalten konnte, dem Kollegen in die Parade zu fahren.

Day verzog das Gesicht und grinste schief. »Ist doch interessant, mit was moderne Köche heute so alles kochen! Das habe ich doch tatsächlich in seinem Gefrierschrank im Kochstudio gefunden!« Er warf den Beutel auf den Tisch und zog einen schwarzen Damenschuh mit halbhohem Absatz heraus.

Grace zog sich Handschuhe über und inspizierte ihn genau. »Das ist Annies Schuh, da bin ich mir sicher! Größe vier, das würde passen. Aber wie kommt …« Sie brach mitten im Satz ab. »Danke, Kevin. Das hilft uns wirklich weiter«, sagte sie kühl.

Er grinste sie unverschämt an und verließ ohne ein weiteres Wort den Raum.

Als Grace und Rory kurze Zeit später wieder allein in ihrem Büro saßen, konnte Rory nicht mehr an sich halten. »Du hast völlig recht mit den zwei Tätern, Grace. Das liegt doch offensichtlich auf der Hand. Day ist ein solcher Idiot!« Er schaute sie wieder mit seinem treuherzigen Blick an, der ihr jedes Mal das Herz erwärmte. Sie strich beruhigend über seinen Arm.

»Ja, er ist ein Idiot, Rory. Aber lassen wir das jetzt. Warum glaubst du an die Theorie der zwei Täter?«

Er überlegte einen Moment. »Annie wurde sehr überlegt, geradezu professionell getötet. Bei Donal dagegen, da steckte so viel Emotionalität, so viel Hass dahinter. Anders kann man sich den Zustand der Leiche nicht erklären.«

Grace nickte zustimmend. Sie hatte wieder zum Schuh gegriffen. Nachdenklich drehte sie ihn in den Händen. »Der Schuh hier, Rory, der ist ganz wichtig. Der könnte ein Schlüssel zu den beiden Morden sein.«

»Aber warum bewahrte ihn Joyce in seinem Gefrierschrank auf? Warum macht man so etwas?«

»Annies Leiche wird mit diesen Stilettos gefunden.« Grace zeigte auf die giftgrünen Pumps hinter sich im Regal. »Dieser hier ist jedoch ziemlich sicher einer der Schuhe, die sie tatsächlich an dem Abend getragen hat. Joyce gibt an, Annie am Samstagabend von Weitem in der Nähe von Murphys Haus gesehen zu haben. Da war sie angeblich zum Ausgehen gekleidet.«

»Kurz darauf widerruft er diese Aussage und behauptet, er habe sich im Tag getäuscht und rede Unsinn. Aber er besitzt den Schuh, den Annie wirklich am Tag vor ihrem Tod trug. Und den sie an dem Samstagabend verloren hat.« Vor lauter Nachdenken wurden Rorys Augen zu schmalen Schlitzen. Dann schluckte er. »Annie erpresste Joyce, das scheint sicher. Annie wird ermordet. Wir können jetzt annehmen, nicht von ihm. Aber nun hatte Joyce auf einmal etwas in der Hand: den Schuh, den Annie, vielleicht ohne dass es jemand bemerkte, verloren hatte. Ein Beweisstück, das ihm unter Umständen noch nützlich sein konnte. Das aber würde bedeuten, dass nach Annies Tod ein zweiter Erpresser auftauchte.«

»Du meinst, Annie hatte einen Komplizen?«

»Oder eine Komplizin. Joyce wollte sich mit diesem Schuh wappnen, zum Beispiel vor einem weiteren Erpressungsversuch nach Annies Tod. Joyce schien mir nicht der Typ, der einfach so mal kriminelle Energie aufstaut.«

»Außer es geht um ein bisschen illegales Turbo im Essen. Das könnte tatsächlich der Erpressungsgrund gewesen sein. Immerhin standen sein guter Ruf und seine Karriere auf dem Spiel.«

»Und dann? Was passierte dann auf Inis Meáin?«

»Sein Mörder oder seine Mörderin bestellte ihn dort zu einem Platz, den beide gut kannten. Die versteckte Höhle. Die Verabredung muss vor dem Unwetter getroffen worden sein. Wir können ja auch nicht sicher sein, dass beide die Höhle im Nebel erreichten. Wahrscheinlich erreichte Joyce den verabredeten Ort erst danach. Von dem Gezeitenstand her wäre es möglich gewesen.«

»Wir müssen alle überprüfen: Carol, Cadogan, Onkel Jim.« Sie hustete.

»Und Murphy?«

»Vincent Murphy habe ich am Morgen nach dem Mord an Joyce besucht. Da konnte noch keiner von der Insel runtergekommen sein. Vielleicht hat er aber auch noch einmal seinen Zwillingsbruder geschickt. Den müssen wir über die deutsche Polizei in Berlin kontaktieren. Sofort.« Sie griff zum Telefon.

Rory stand auf und strich seine Uniformjacke glatt. »Sag ich doch. Wir sind ein super Team, Grace! Das wollte ich dir nur mal sagen.«

In dem Moment flog ohne voriges Anklopfen die Tür zu Graces Büro auf, und Jim O'Malley stand im Raum. Er zitterte am ganzen Körper. »Eben habe ich von der Leiche auf Inis Meáin erfahren. Ist es Donal Joyce?«, fragte er mit heiserer, sich überschlagender Stimme.

Grace hatte ihren Onkel schon in vielen Gemütsverfassungen erlebt, doch so hatte sie ihn noch nie gesehen: Jim O'Malley hatte Angst, nackte, unverhohlene Angst.

41

Ungewohnt kleinlaut saß Jim O'Malley in Graces Büro, was ihn jedoch nicht daran hinderte, vehement zu bestreiten, dass er von Annie erpresst worden war. Die Überweisung der Summe auf Annies Konto durch seinen Patensohn Murray Finnigan konnte er sich nicht erklären, und selbstverständlich habe er mit all dem nichts zu tun.

»Weißt du eigentlich, in was für Schwierigkeiten du dich und, nebenbei bemerkt, auch mich bringst mit deiner Sturheit, Onkel Jim? Es ist doch offensichtlich, dass es eine Verbindung zwischen dir und Annie gab.«

Grace war aufgestanden und hatte sich neben ihn gestellt. Er war gezwungen, zu ihr aufzublicken, was ihm spürbar missfiel. Wie klein er heute wirkte, ging es ihr durch den Kopf. Normalerweise war ihr Onkel ein

Mensch, der mit seiner puren Anwesenheit einen ganzen Raum beherrschte. Heute war davon nichts zu spüren. Als sie ungefähr acht Jahre alt war, hatte sie mit ihrem Onkel einen Ausflug auf den Mwillrea gemacht. Der höchste Berg Cannachts galt schon immer als tückisch, denn innerhalb kürzester Zeit konnte vom Meer her dicker Nebel aufziehen und ihn auf Tage unsichtbar machen und mit ihm alle, die gerade auf ihm saßen. Mehr als einmal waren selbst erfahrene Wanderer überrascht und später aus dem Massiv tot geborgen worden. Auch sie wurden damals vom Nebel überrascht. Auf halber Höhe waren sie in eine Felsnische gekrochen, und hatten sich eng aneinandergekauert. Sie wusste noch, dass sie selber keine Angst verspürte, obwohl Kälte und Nässe sie umgab. Irgendwann fragte sie ihren Onkel, ob er Angst habe. Er verneinte das, doch sie hatte geradezu körperlich spüren können, wie die Angst ihn lähmte. Seit diesem Tag wusste sie, dass sie kein Vertrauen mehr in ihren Onkel haben konnte. Der Nebel auf dem Mwillrea hatte sich dann glücklicherweise nach einiger Zeit verzogen, sodass sie den Abstieg im Hellen noch sicher schafften.

»Du hast Angst, Onkel Jim«, stellte Grace mit ruhiger Stimme fest.

Jim schüttelte langsam den Kopf.

»Doch, du hast Angst«, wiederholte sie ohne Anflug von Genugtuung. »Warum spielst du nicht mit offenen Karten? Ich könnte dir vielleicht helfen. Vergiss nicht, ich bin deine Nichte.«

Jim schaute sie auf einmal überrascht an und stand ebenfalls auf.

»Deshalb habe ich dich nicht hierhergeholt. Da hast du etwas ganz falsch verstanden, Grainne.«

Sie wich seinem Blick aus.

»Wie geht es Roisin?«, fragte er, weicher als sonst.

Grace kniff die Augen zusammen. Unweigerlich ging sie wieder auf Abstand. »Danke der Nachfrage, sie hält sich in einem Kloster auf und weigert sich, es zu verlassen«, antwortete sie kühl.

»In welchem?«

Als er den Namen des Klosters hörte, grinste er. »Überrascht dich das? Sie hat offenbar den dicken O'Malley-Schädel geerbt. Du solltest zu ihr fahren.« Mit diesen Worten wollte er den Raum verlassen, als er an der Tür fast mit einem gedrungenen Mann in Jeansjacke zusammenstieß, der gerade anklopfen wollte. »Mein Gott, für einen Sonntag ist aber viel los bei dir.« Er machte dem etwa gleichaltrigen Mann mit dem langen grauschwarzen Zopf Platz. Dann drehte er sich noch einmal zu Grace um. »Und was die Überweisung betrifft, Grace, solltest du mal persönlich mit Murray reden. Er wird es dir erklären können. Ihr kennt euch ja nicht. Sympathischer Kerl, glaub mir.«

Dann marschierte Jim O'Malley leise pfeifend den sonntagsleeren Korridor der Garda-Zentrale entlang.

Grace merkte erst jetzt, dass sie die Schreibtischkante so fest umklammert hielt, dass ihre Knöchel weiß hervortraten.

42

»So eine Scheiße!« Terry Jones wirkte mitgenommen, als er sich in den bequemen Sessel vor Graces Schreibtisch fallen ließ. Die Lehne knackste laut. Nachdem Grace ihn angerufen hatte, war er sofort in die Zentrale gekommen.

Grace sprach dem Agenten ihr Mitgefühl aus. Ihr war bewusst, dass Jones gerade seinen lukrativsten Klienten verloren hatte.

»Wer waren Donals Partner bei diesen illegalen Deals, Terry? Das ist für uns wichtig zu wissen, verstehen Sie?«

Der Althippie mit dem gutmütigen Gesichtsausdruck zuckte nur müde mit den Schultern. »Ach, das hat er mir nie erzählt, und wenn ich ehrlich bin, hat es mich auch nicht groß interessiert. Er zog das Ding durch und damit hatte es sich.«

»Aber Inis Meáin war der Umschlagplatz?«

Jones nickte und schaute gedankenverloren aus dem Fenster. Dann zog er eine Packung Papiertaschentücher aus der Brusttasche, musterte deren Inhalt genau, wählte schließlich ein Taschentuch sorgsam aus und schnäuzte sich umständlich. Grace beobachtete ihn fasziniert.

»Ist wohl eine Grippe im Anmarsch. Krieg ich immer um die Jahreszeit«, murmelte er und warf dabei seine Arme in die Luft wie ein Ertrinkender.

»Wäre er in ernsthafte Schwierigkeiten gekommen, wenn man ihn erwischt hätte? Es waren doch keine illegalen Drogen, oder?«, fragte Grace nach.

Jones strich sich über sein Kinn und nickte schließlich bedächtig. »Wissen Sie, das ist wie bei der Tour de France. Ich gebrauche gerne diesen Vergleich: Es wissen alle im Top-Radsport, dass man dopen muss, um überhaupt eine Chance auf die vorderen Plätze zu haben. Niemand gibt es zu, alle leugnen es, und doch wissen alle, dass es jeder tut. Genauso ist es auch in der Spitzengastronomie.«

Jones zupfte an seinem geflochtenen grauen Zopf herum und warf Grace einen freundlichen Blick zu. Sie schwieg abwartend.

»Und wenn man dann erwischt wird, als Koch oder Radsportler, ist das Gezeter groß und der Ruf ist ruiniert. Und zwar nachhaltig.« Er schnippte laut mit zwei Fingern der rechten Hand. »Ich will mal so sagen: Der Konsument möchte betrogen werden, aber er will um Gottes willen nicht wissen, wie.« Jones beugte sich nach vorn und blinzelte Grace aus seinen wasserblauen Augen komplizenhaft zu. »Aber deshalb bringt man trotzdem niemanden um, Gnädigste.«

Grace gab ihm recht und musste sich ein Schmunzeln verkneifen. »Hat sich Donal am Freitag noch mal bei Ihnen gemeldet?«

»Ich hab geschlafen. Die Grippe ... Sie wissen schon ... ich fühlte mich da schon nicht so gut.«

Grace hatte den Eindruck, dass Jones ihr auswich, deshalb hakte sie noch einmal nach. Mit Erfolg. Jones erinnerte sich auf einmal.

»Ja, da fällt mir ein: Er hatte mir noch eine SMS geschickt. Der Inhalt war ein bisschen kryptisch, deshalb hab ich ihr keine große Bedeutung beigemessen.«

»Und was stand da drin? Wir haben übrigens kein Handy bei ihm gefunden.«

»Den genauen Wortlaut weiß ich nicht mehr, aber so was wie ›Nimm den Schuh aus dem Gefrierschrank und bring ihn zu dir‹.«

Graces Augen blitzten auf. »Fanden Sie das nicht merkwürdig?«

Jones überlegte kurz und zuckte wieder mit den Schultern. »Geht so. In meiner Branche erlebt man so allerhand.«

»Und? Haben Sie den Schuh aus dem Gefrierschrank geholt?«

Jones rutschte im Sessel etwas tiefer. »Nö. Ich hab's vergessen.«

»Sie wussten also, warum Joyce in seinem Gefrierschrank einen Schuh aufbewahrte?«

»Nö. Aber er wird wohl einen Grund gehabt haben. Ich hab deswegen nicht bei ihm nachgefragt. In der Regel erfülle ich meinen Kunden ihre Wünsche, wenn sie nicht zu blöd sind.«

Offenbar fiel der Wunsch, einen Damenschuh aus dem Eisfach zu holen, nicht unter die Kategorie »zu blöd«, dachte Grace und musste nun wirklich grinsen. Da stand Rory plötzlich in der Tür, und Grace beendete das Gespräch mit Terry Jones. Er verabschiedete sich mit den Worten: »Ich muss auch am Sonntag noch etwas arbeiten. Genau wie Garda!« Er tippte sich als Abschiedsgruß kurz an die Stirn.

Rory brachte leider keine Neuigkeiten von dem vermissten kleinen Mädchen. Fatalerweise war ihr Verschwinden erst am nächsten Morgen aufgefallen, denn die Eltern hatten angenommen, Zoe sei sicher bei der Großmutter angekommen, diese wiederum nahm an, dass sich das Kind wegen des nahenden Sturms gar nicht erst auf den Weg gemacht hatte. Eine telefonische Verständigung war in dieser Nacht ja nicht möglich gewesen.

Außerdem berichtete Rory, dass Carol Lonnigan nicht auffindbar war. Er hatte immer wieder erfolglos versucht, sie telefonisch zu erreichen. Über einen Nachbarn hatte er in Erfahrung gebracht, dass sie am Freitagmorgen angeblich zu einem Kurzurlaub nach England aufgebrochen sei. »Ich bleib dran. Oder sollen wir gleich eine Fahndung rausgeben?«

Grace zögerte und entschied sich dann dagegen. Im Grunde hatten sie nichts gegen Carol in der Hand, was diesen Schritt rechtfertigen würde.

»Was glaubst du, was mit dem Kind passiert ist, Grace?« Rory hatte sehr leise gesprochen, und man konnte ihm anhören, wie nah ihm das Verschwinden des Kindes ging.

»Ich glaube, sie ist zufällig Zeuge des Mordes geworden. Entweder war sie schon in der Höhle, weil sie Schutz vor dem Wetter suchte, oder sie war in der Nähe, als der Täter sie bemerkte. Ich nehme an, er hat sie mitgenommen.«

Rory nickte zustimmend. »Und was war mit ihrem Hund? Vielleicht hat der sogar erst durch Bellen oder Jaulen den Täter auf sie aufmerksam gemacht.«

»Vielleicht. Oonagh meinte auch, ein Geräusch gehört zu haben, das an ein Tier erinnerte.«

In dem Augenblick klingelte ihr Handy. Grace warf einen Blick auf das Display. »Und da ist sie schon ...« Sie nahm ab und begrüßte ihre Schwägerin. Rory zog sich dezent in sein Büro zurück.

Oonagh war noch bei Pattie Burke auf der Insel. Sie klang äußerst aufgeregt.

»Grace, ich habe gerade einen Anruf von der Schwester Oberin erhalten, die mir sagte, dass Roisin verschwunden sei. Seit der Messe heute Morgen haben sie sie nicht mehr gesehen. Sie wollte uns auf jeden Fall informieren, meint aber, dass es momentan nicht nötig sei, Garda einzuschalten. Wir sollen uns keine Sorgen machen. Aber ich mach mir Sorgen, Grace.«

Grace saß wie versteinert da. Sofort spürte sie den Angstklumpen in ihrem Bauch wieder. »Ist Liv schon da?«, fragte sie mit belegter Stimme.

»Das weiß ich nicht, Grace. Ruf bitte Dara an.«

Grace wickelte nervös eine Haarsträhne um den Finger. »Ja, mach ich. Danke, dass du mich angerufen hast, Oonagh. Ich ... ich weiß auch nicht, was wir tun sollen. Lass mich nachdenken. Ich bin im Büro ...«

»Es ist Sonntag«, warf ihre Schwägerin vorwurfsvoll ein.

»Ja, es ist Sonntag. Na und? Ich melde mich wieder,

ja?« Grace wollte jetzt nicht weiterreden und beendete das Gespräch wortkarger, als sie eigentlich wollte. Sie fühlte sich mit einem Mal so erschöpft und leer. Wie um alles in der Welt hatte sie annehmen können, dass sie die Sache mit Roisin aus der Ferne und am Telefon regeln konnte. Sie musste hinfahren. Es ging nicht anders. Mein Gott, sie war so unfähig. Sie hatte auf der ganzen Linie versagt, als Mutter und als Polizistin. Ihre Tochter wollte nichts von ihr wissen, und von ihren Kollegen sehnte jeder ihr Scheitern herbei, von Rory mal abgesehen. Bei dem Gedanken an Rory musste sie fast lächeln. Der würde für sie durchs Feuer gehen. Und Peter? Der auch? Warum kam ihr auf einmal Peter in den Sinn? Sie musste sich zusammenreißen. Wenn sie hier jetzt losheulen würde, wäre das ein gefundenes Fressen für die Kollegen.

Ihr Telefon auf dem Schreibtisch klingelte. Es war Terry Jones, der von seinem Büro aus anrief. Er wollte einen Einbruch melden, der etwas komisch sei.

»Warum komisch?« Grace hatte Mühe, ihrer Stimme einen normalen Klang zu geben.

»Äh, was sagten Sie? Ich kann Sie so schlecht verstehen!«

Grace räusperte sich. »Warum ist der Einbruch komisch?«

»Na, die haben mein ganzes Büro durchwühlt, aber sie haben nichts mitgenommen! Zumindest vermisse ich nichts.«

43

Am Morgen hatte es sich zugezogen, und es sah nach Regen aus, das erste Mal seit dem Unwetter vor drei Tagen. Byrne hatte Grace kurzfristig in sein Büro bestellt, und so musste sie sich schneller als geplant auf den Weg in die Zentrale machen. Als sie durch die engen, gewundenen Gassen Galways hastete, konnte sie das Gedankenkarussell in ihrem Kopf nicht mehr anhalten. Ihre innere Unruhe machte sie schier verrückt. Einzig das kurze Gespräch gestern Abend mit ihrer Mutter war ein kleiner Trost gewesen. Liv war mittlerweile in Dublin eingetroffen und hatte offenbar umgehend mit der Mutter Oberin telefoniert. Und Grace konnte sich lebhaft vorstellen, wie die dunkle, melodische Stimme ihrer Mutter mit der leicht schroffen Diktion ihre Wirkung nicht verfehlt hatte. Eine Liv O'Malley duldete keinen Widerspruch.

»Ich bin mir sicher, Grace, dass sie Roisin dort mit ihrer Einwilligung versteckt halten. Sie ist nicht abgehauen, glaube mir. Deshalb bin ich mir genauso sicher, dass sie morgen wieder bei uns ist. Was nicht heißt, dass dann das Problem gelöst ist, das ist dir klar, oder?«

Wie sicher Liv geklungen hatte, wie selbstbewusst und entschlossen. Und für einen Moment hatte sich Grace gewünscht, selbst wieder Kind zu sein, um sich in die schützenden Arme der Mutter fallen lassen zu können. Natürlich war es ihr klar, dass die Probleme sich nicht so leicht lösen ließen.

Als Grace um die Ecke bog, sah sie gerade noch, wie Kevin Day in seinen Dienstwagen stieg, der vor der Zentrale geparkt war. Als er sie sah, überzog ein zufriedenes Grinsen sein Gesicht. Grußlos fuhr er davon.

Kurz darauf betrat sie Robin Byrnes unaufgeräumtes

Büro. Der Chef bot ihr die bequemere der beiden abgenutzten Sitzgelegenheiten inmitten seines Schlachtfelds an. Byrne war ein Messie, das stand für Grace fest.

Von Grace erbat er sich ein kurzes Update über den Stand der Ermittlungen. So knapp wie möglich informierte sie ihn, dass Murphy mittlerweile wieder zu dem Kreis der Verdächtigen im Mordfall McDoughall gehörte, nachdem man mit Hilfe der Kollegen aus Belfast den Identitätstausch der Zwillingsbrüder bestätigen konnte. Alfred Murphy checkte anstelle seines Bruders Vincent um sechs Uhr abends im Britannia Hotel ein, während Vincent gegen 23 Uhr unter dem Namen des Bruders im Fitzwilliam Hotel eintraf. Der Plan war sicherlich nicht optimal vorbereitet gewesen, schien aber kurzfristig notwendig geworden zu sein, da Vincent wegen des Vorfalls mit Annie offenbar ein Alibi brauchte.

Byrne nickte zufrieden. »Was ist mit dieser Carol, wo hält die sich auf? Sie gehört doch auch zu den Verdächtigen in beiden Mordfällen, oder?«

»Im Fall McDoughall steht sie unter Verdacht, das stimmt, doch für den Mord an Joyce kommt sie wohl nicht in Frage. Anscheinend ist sie am Freitagmorgen zu einer Freundin nach Manchester aufgebrochen. Das wird im Moment von der britischen Polizei noch überprüft. Sobald sie wieder in Galway eintrifft, werden wir sie vernehmen.« Grace hatte inzwischen ihr Notebook geöffnet und hochgefahren.

»Glauben Sie an einen Zusammenhang zwischen beiden Morden?« Byrne beobachtete sie genau, was ihr unangenehm war.

Sie nickte. »Den gibt es mit Sicherheit. Rory und ich arbeiten daran. Dreh- und Angelpunkt sind Annies Erpressungen. Hier laufen die Fäden zusammen.«

»Dann müssen Sie wohl auch Ihrem Onkel genau auf

die Finger schauen.« In Byrnes Stimme schwang eine Art Genugtuung mit, die Grace nicht entgangen war. Aber sie war wild entschlossen, sich nicht provozieren zu lassen.

»Selbstverständlich. Wir sind mittendrin in den Ermittlungen. Und das schließt alle Personen ein, bei denen Annie putzte. Das kann ich Ihnen versichern.«

Byrne lächelte spitzbübisch. »Das glaube ich Ihnen auch aufs Wort, Grace.« Er lehnte sich zurück und spielte mit seinem Kugelschreiber, den er sich vom Tisch geangelt hatte. Bewusst schaute er nicht in ihre Richtung, als er fragte: »Neuigkeiten von dem verschwundenen Kind?«

Grace schluckte und schüttelte den Kopf. »Nein, leider nicht. Selbstverständlich wird weiter nach der kleinen Zoe gesucht. Ein Suchtrupp mit Hunden durchkämmt Inis Meáin gerade zum vierten Mal.«

Byrne seufzte laut. »Ich meinte eigentlich, was mit Ihrem verschwundenen Kind ist?«

Grace zuckte unwillkürlich zusammen. Das war also der Satz, den er von Anfang an hatte loswerden wollen. »Wie meinen Sie das?« Sie zwang sich, ihrer Stimme Festigkeit zu verleihen.

»Nun, das Bild ihrer Tochter ging ja Anfang der Woche durch die Medien. Und ich habe gehört, dass sie wieder aus dem Kloster abgehauen ist, in dem sie kurz vorher untergekommen war.« Er hüstelte verlegen.

»Wer sagt das?« Graces Frage kam schnell und fast aggressiv.

»Das tut doch nichts zur Sache, Grace. Fakt ist, dass Sie als ihre Mutter in der Situation einer besonderen Belastung ausgesetzt sind. Und ich finde, dass Sie sich um Ihr Kind kümmern sollten.«

Grace war blass geworden. Sie schluckte und atmete tief durch. »Danke für Ihr Einfühlungsvermögen, Robin.

Es wiegt in der Tat schwer. Allerdings sehe ich meine primäre Aufgabe hier. Ich werde diese Mordfälle lösen, und zwar schnell. Darauf haben Sie und Gardai Galway ein Recht. Meine Arbeit hat höchste Priorität, auch wenn ich gedanklich selbstverständlich immer wieder bei meiner Tochter bin. Und ich weiß, dass sie sich nicht in Gefahr befindet.«

Grace war aufgestanden und wollte ihren Stuhl zurückschieben. Ihr Vorhaben scheiterte an einem unordentlich aufgeschichteten Zeitschriftenstoß, der sofort zur Seite kippte.

Byrne hatte sich ebenfalls erhoben und sah sie zum ersten Mal offen und direkt an. »Familie, Grace, hat Priorität. Immer und überall. Besonders hier in Irland, das muss ich Ihnen nicht sagen. Rory wird selbstverständlich weiter mit dem Fall beschäftigt sein. Aber Sie werden freigestellt, bis die Sache mit Ihrer Tochter geklärt ist. Fahren Sie rüber. Solange wird Kevin Day Rory zur Seite stehen.« Ohne eine Antwort von ihr abzuwarten, begann Byrne, ein paar Akten vor sich auf dem Tisch zu verschieben, um damit das Ende des Gesprächs zu signalisieren.

Doch so schnell wollte sich Grace nicht geschlagen geben. Sie blieb demonstrativ sitzen und fixierte ihren Vorgesetzten.

»Ich gebe Ihnen voll und ganz recht, Sir. Die Familie hat auch für mich höchste Priorität. Deshalb kümmern sich nicht nur mein Bruder und meine Schwägerin in ihrer Eigenschaft als Pflegeeltern um Roisin, sondern auch meine Mutter. Sie ist gerade aus Dänemark in Dublin eingetroffen. In alle drei habe ich höchstes Vertrauen. Meine Anwesenheit vor Ort ist also absolut überflüssig. Deshalb werde ich auch weiter hier die Ermittlungen leiten, gemäß meiner Position. Ich danke Ihnen jedoch für

Ihr großes Verständnis und schätze Ihre Sensibilität und Aufmerksamkeit. Und jetzt bitte ich Sie, mich zu entschuldigen. Ich muss mich um einen unserer Hauptverdächtigen kümmern.«

Grace war aufgestanden und zur Tür gegangen. Sie hatte die Türklinke bereits in der Hand und spürte die angenehme Kühle und Glätte des Metalls, was ihr eine Art Sicherheit gab. Mit aufgezwungener Ruhe drehte sie sich noch einmal zu Byrne um.

»Noch etwas: Man hat mir erzählt, dass Sie es waren, der Kevin Day, als seine Mutter in Cork im Sterben lag, den Urlaub verweigerte, weil die Ermittlungen in einem komplizierten Fall absoluten Vorrang hatten. Es ist gut zu wissen, dass man nun gelernt hat, wie wichtig die Familie doch ist. Aber in meinem Fall ist die Lage Gott sei Dank nicht so dramatisch wie bei dem Kollegen damals.«

Mit diesen Worten hatte Grace die Tür geöffnet und war aus dem Zimmer verschwunden, noch ehe Byrne etwas erwidern konnte.

44

Kurz nach elf am Vormittag war der Spaniard's Heads noch spärlich besucht, und Fitz wischte gerade ein paar Tische ab. Peter Burke war da und las in der Irish Times. Und der alte Hilary hockte zusammengesunken in der Ecke mit einem halben Pint dunkelbraunem Guinness und verfolgte das stumme Fernsehprogramm. Als die Tür sich öffnete, und eine Frau den Pub betrat, lächelte Fitz seinen neuen Gast an. Es war Carol Lonnigan.

»Was darf ich bringen?«, fragte er freundlich. Einen Moment schien sie unschlüssig zu sein, ob sie bleiben sollte, doch dann bestellte sie ein Ballygowan und setzte sich auf einen Barhocker. Sie beachtete die anderen beiden Gäste nicht. Fitz brachte ihr das Wasser mit etwas Eis und Zitrone und blieb bei ihr stehen.

»Es tut mir sehr leid um Donal«, sagte er leise. Fragend hob Carol ihre dünn nachgezogenen Augenbrauen. Da drehte sich plötzlich Hilary anzüglich grinsend zu Carol um und raunte ihr mit heiserer Stimme zu: »Na, er meint, dass der arme Koch ganz tragisch ums Leben gekommen ist. Sag bloß, du wusstest das nicht?«

Fitz warf einen ärgerlichen Blick auf den alten Mann, sagte aber nichts. Carol schüttelte ungläubig den Kopf mit dem perfekt frisierten blonden Haar. Dass Peter Burke hinter seiner Zeitung sehr aufmerksam das Gespräch verfolgte, bemerkte sie anscheinend nicht.

»Donal Joyce ist tot? Das kann nicht sein! Was ist denn passiert? Hatte er einen Unfall?« Carols Stimme klang aufgeregt hoch.

Der Alte nahm langsam einen Schluck von seinem Bier und genoss sichtlich die Aufmerksamkeit, die ihm seine Aussage eingebracht hatte.

»Na, wenn man es als Unfall betrachtet, wenn man von der Bühne des Lebens mit einem zerschmetterten Schädel und einem verschwundenen Gesicht abtritt …« Er grinste breit und wischte sich den Bierschaum mit dem Handrücken ab. Carol wandte sich angeekelt ab. »Joyce ist am Freitagabend während eines heftigen Unwetters auf Inis Meáin vermisst worden. Man fand ihn später tot in einer Bucht«, erklärte Fitz rasch.

»In einer Bucht?« Carol fuhr sich nervös durchs Haar. »Das ist ja furchtbar, das hat er nicht verdient«, sagte sie mit dünner Stimme.

Fitz zog seine Augenbrauen zusammen. »Wer hätte denn so etwas verdient?«

Carol lächelte unsicher. »Das habe ich nicht so gemeint, Fitz.«

Langsam füllte sich der Pub mit Mittagskundschaft, und der Geräuschpegel in dem niedrigen Raum stieg rapide an. Fiona, heute mit knallroten Plastikohrringen geschmückt, kam aus der Küche und balancierte souverän die ersten Mittagessen auf einem Tablett. Fitz musste sich wieder hinter die Theke begeben, um die Getränkebestellungen aufzunehmen. Das nutzte der alte Hilary, um Carol zuzuzischen: »Hast du eigentlich keine Angst?«

Carol warf ihm einen misstrauischen Blick zu. »Warum sollte ich Angst haben?«

Hilary grinste meckernd und zeigte dabei kurz seine gelben Zahnstümpfe. »Na, dir sterben doch offenbar die guten Freunde unter den Händen weg.« Seine Zunge fuhr wie ein hässlicher rotbrauner Wurm über seine Oberlippe.

»Ich weiß nicht, was Sie meinen.« Carol nippte an ihrem Wasser, hielt ihren Blick aber fest auf den Alten gerichtet, als könne sie seine Fragen dadurch in Schach halten.

»Erst diese Putze mit Diplom. Das war doch deine Freundin, oder?«

»Annie?« Carol starrte ihn angewidert an.

»Genau! Und nun der Fernsehkoch, mit dem du, wenn ich mich recht entsinne, vor noch nicht allzu langer Zeit da drüben in der Ecke rumgeknutscht hast. Kein schlechter Fang, hab ich mir damals gedacht. Und jetzt willst du von nichts eine Ahnung haben? Das kannst du mir nicht erzählen«, lachte der Alte höhnisch.

Fitz versuchte offensichtlich, den Wortwechsel zwischen Carol und Hilary mitzuverfolgen. Aber es war so viel los an der Theke, dass er immer wieder daran gehindert wurde. Beunruhigt starrte er zu ihnen hinüber. Auch Peter hatte seinen Beobachtungsposten nicht verlassen und hielt schützend die Zeitung vor sich. Er kramte in seiner Jackentasche und zog sein Handy hervor, welches er unauffällig auf dem Tisch positionierte.

»Nein«, erwiderte Carol jetzt ohne zu zögern und fast trotzig. »Ich weiß wirklich von nichts. Ich war seit Freitagmorgen bei einer Freundin in England. Ich bin eben erst zurückgekommen.«

Hilary musterte Carol amüsiert von oben bis unten, spitzte dann die Lippen und schmatzte genüsslich. »Soso. Am Freitagmorgen habe ich dich aber noch am Eyre Square gesehen, wie du aus dem Taxi gesprungen und zum Busbahnhof gerannt bist.«

Carol wurde eine Spur blasser. »Ich sagte doch, ich war auf dem Weg nach England.«

»Wohl zum Flughafen?« Hilary ließ nicht locker.

»Nein, ich leide unter Flugangst. Ich bin mit dem Katamaran von Dublin aus rüber.«

»Oho!«, grinste der Alte. »Dann kannst du aber nicht vor Mitternacht da gewesen sein.«

Carol nickte zerstreut und schaute nun gebannt auf den Fernseher, wo die Mittagsnachrichten liefen. Gerade wurde ein Foto der kleinen Zoe eingeblendet. Fitz griff zur Fernbedienung und stellte den Ton lauter.

»… wurde heute Morgen das vermisste Kind aus Inis Meáin schwer verletzt am Strand von Cashel gefunden. Das zehnjährige Mädchen war während des schweren Unwetters am Freitagabend verschwunden und galt seitdem als vermisst. Garda schließt einen Unfall nicht aus.«

Fitz starrte fassungslos auf den Bildschirm. In Carols Augen schimmerten Angst und Unsicherheit. In dem Moment packte Peter sein Handy in die Tasche, faltete die Times zusammen und stand auf.

45

Am späten Vormittag war Zoe an der Küste bei Cashel schwer verletzt aufgefunden worden. Der felsige Küstenstreifen Connemaras lag den Aran Inseln genau gegenüber. Zoes Zustand war lebensbedrohlich, und nun kämpften die Ärzte im Distriktkrankenhaus in Galway um ihr Leben. Rory hatte Grace, die gerade auf dem Weg nach Clifden zu Murphys Forschungscamp war, umgehend informiert und war sofort zur Fundstelle gefahren. Dass das Mädchen überlebt hatte, schien ein Wunder zu sein, und man hoffte inständig, dass der kleine, schwache Körper des Kindes den Kampf gegen den Tod gewinnen würde.

Von der deutschen Polizei hatten sie die Bestätigung erhalten, dass sich Alfred Murphy zur fraglichen Zeit am Freitag nachweislich in seiner Wohnung in Berlin aufgehalten hatte. Nun wollte Grace Vincent Murphy noch einmal zu den Ereignissen des Samstags befragen. Irgendetwas stimmte nicht mit dem Ablauf dieses Tages, so, wie man ihn aufgrund der Aussagen der Befragten rekonstruiert hatte. Doch Grace kam einfach nicht drauf, was es war.

Von Murphys Institut hatte sie eine genaue Wegbeschreibung gemailt bekommen, und so nahm sie vom malerischen Küstenort Clifden mit seinen pastellfarbenen Cottages die spektakuläre Sky Road nach Norden Richtung Cleggan. Hier begegneten sich das Meer und die Berge auf atemberaubende Weise, und man verstand auch tausend Jahre später, warum die Kelten diesem Landstrich den Namen Connemara, »Berge und Meer«, gegeben hatten.

In einiger Entfernung konnte Grace unten am Strand

ein paar helle Caravans ausmachen, die man ihr als Base Camp des Forschungsteams beschrieben hatte. Da klingelte ihr Handy. Es war Peter, der direkt aus der Finanzbehörde der Grafschaft kam und interessante Neuigkeiten für sie hatte. »Blue Finn schreibt seit geraumer Zeit rote Zahlen. Von florierendem Business, Import, Export keine Spur mehr.«

Grace musste lachen. »Peter, Cadogan hat sicherlich ausgebuffte Steuerberater, so was kann dich doch nicht hinters Licht führen. Das, was da steht und was am Fiskus vorbeifließt, sind zwei verschiedene Dinge, das muss ich dir doch nicht erzählen.«

»Das weiß ich auch, aber wie er den aktuellen Deal mit den Chinesen vorfinanzieren will, ist trotzdem absolut unklar. Das meinen zumindest meine informellen Informanten von der Bank, und die werden ja wohl wissen, worüber sie reden.« Er klang leicht beleidigt.

»Das heißt, Cadogan hat keine Rücklagen?«

Peter schwieg einen Moment. »Korrekt. Er bekommt auch keine Kredite, die er aber dringend bräuchte. Vor der Wirtschaftskrise hätte man ihm das Geld hinterhergeschmissen, aber nun zögern alle, seit die Troika in Irland das Zepter schwingt.«

»Wenn man von den offiziellen Zahlen ausgeht. Willst du das sagen?«

»Genau das, meine Liebe.«

Sie versuchte, seine Anrede zu ignorieren, merkte aber, dass sie trotzdem lächeln musste. »Er muss andere Quellen haben. Ist Blue Finn nur sein sauberes Aushängeschild?«, fragte sie.

»Könnte man annehmen. Und was ebenso interessant ist: Der Deal ist keinesfalls in trockenen Tüchern. Er steht und fällt mit Cadogans Zugriff auf die Forschungsergebnisse Murphys oder, korrekter gesagt, des PC.«

Für ein paar Sekunden herrschte Stille zwischen ihnen. Unten näherte sich ein Schlauchboot dem Strand, und nun kam etwas Leben in das Camp, das vorher ziemlich verwaist gewirkt hatte. Grace konnte allerdings keinen Murphy ausmachen, aber sie war auch noch ein ganzes Stück weit entfernt.

»Wie soll ich das verstehen, Peter? Die Ergebnisse gehören doch dem PC, oder etwa nicht?«, nahm sie das Gespräch wieder auf.

»Richtig. Nur munkelt man, dass Cadogan seinen Fuß dort bereits in der Tür hat und, jetzt pass auf, dass er nicht der Einzige ist.«

Grace schüttelte den Kopf. »Peter, wir müssen uns sehen, und du musst mir das in Ruhe erklären. Ich bin gerade draußen an der Küste bei Murphys Camp und rede hoffentlich gleich mit ihm.«

»Schon mal was von illegalem Wissenschaftshandel gehört? Fällt im weitesten wie engeren Sinn in den Bereich Biopiraterie. Und da sind wir ja dran.«

»Sind wir das wirklich, Peter? Ich habe den Eindruck, wir laufen mit verbundenen Augen im Kreis und kriegen das Entscheidende gar nicht zu fassen.«

Unten am Strand wurde ein Boot auf den Sand gezogen, und Stimmen wurden laut.

»Dann müssen wir alles daransetzen, uns die Augenbinde gegenseitig herunterzureißen. Nur dann haben wir eine Chance, du, Rory und ich. Wir drei.«

Wir drei, dachte sie. So etwas hatte sie noch nie gedacht. Sie dachte immer nur im Singular. Sie atmete tief durch. »Ich muss jetzt aufhören.« Sie verabredeten sich für später, und Grace fuhr hinunter zum Camp.

Als sie dort ausstieg, nahm zunächst niemand von ihr Notiz. Etwa ein halbes Dutzend junger Leute, meist Männer, liefen geschäftig zwischen Meer und Caravans hin und her. Einige trugen Tabletts mit kleinen Flaschen, andere warteten in Tauchermontur, offenbar bereit, in das kleine Schlauchboot mit Außenmotor zu steigen, das dort vertaut lag und das sie von oben gesehen hatte. Vincent Murphy war nirgends zu entdecken. Schließlich kam ein hochaufgeschossener rothaariger junger Mann mit besorgter Miene auf sie zu.

»Kann ich Ihnen weiterhelfen?« Er klang nicht sehr freundlich und baute sich mit seiner ganzen Größe sehr nah vor ihr auf, als wolle er ihr die Sicht versperren.

Grace wies sich aus und fragte nach Murphy. Sofort entspannte sich der Mann sichtlich. Ein Lächeln überzog nun das ganze sommersprossige Gesicht.

»Entschuldigen Sie bitte, Guard, aber hier kommen in letzter Zeit merkwürdige Typen raus. Die wollen sich angeblich nur mal umschauen und stellen dann blöde Fragen. Wir sind einfach auf der Hut.« Grace nickte verständnisvoll. Er nahm sein Handy und telefonierte anscheinend mit Murphy. Dann lächelte er sie an.

»Er wird gleich hier sein. Kommen Sie doch solange in den Caravan. Ich denke, es fängt gleich an zu regnen.« Mit skeptischer Miene schaute er in den grauen Himmel, auf dem sich in der letzten halben Stunde schieferfarbene Schlieren gebildet hatten. Sie kletterten in einen recht geräumigen Wagen, der mit fünf Notebooks auf schmalen Tischen bestückt war. In der Ecke lud eine gemütlich aussehende Bank zum Hinsetzen ein.

»Ich bin übrigens Malachy. Einen Tee? Wir sind hier draußen bestens ausgerüstet.« Er warf ihr ein sympathisches Lachen zu und schenkte ihr schwarzen, fast dickflüssigen Tee in einen weißen Porzellanhumpen ein, auf dem ein einsam grinsendes Schaf prangte.

»Haben Sie eine Ahnung, wer bei ihnen vorbeikommt und blöde Fragen stellt? Vielleicht Leute von der Gemeinde, die das Projekt hier verhindern wollen? Das PC hatte doch mal Probleme mit der örtlichen Behörde?«

Malachy zuckte ratlos mit den Schultern. »Vielleicht. Aber die hatten wir eher direkt am Anfang, als das hier losging, vor ein, zwei Jahren. Die machten gleich Ärger, nee ...« Er strich sich durch das schüttere Haar am Kopf. »Das sind andere. Vince ist mit denen immer sehr souverän umgegangen, aber ...« Er brach ab und schaute sie offen an.

»Aber?«

»Seit der Sache mit Annie ist er irgendwie anders.«

Malachys Stimme verriet Grace, dass er um seinen Chef ernsthaft besorgt war. Ihre fragende Miene reichte, um ihn fortfahren zu lassen.

»Er ist nicht mehr so aufmerksam bei der Sache. Das ist uns übrigens allen aufgefallen. Er ist langsamer geworden, als sei er in den paar Tagen seit dem Mord um einiges gealtert. Ist das normal in seinem Alter? Manchmal sitzt er nur da und grübelt, ist gedanklich meilenweit weg. Das kennen wir so nicht von Vince.«

»Glauben Sie, dass ihm etwas Angst oder Sorgen bereitet?«

Malachy blickte sie an. »Das weiß ich nicht, Guard. Natürlich nimmt es einen mit, wenn jemand, den man kannte, auch wenn es kein enger Freund war, plötzlich ermordet wird. Das steckt man nicht so einfach weg, klar. Er ist seitdem einfach nicht mehr der Alte.« Er trank seinen Tee.

»Wer sind die anderen, die Sie eben erwähnten?« Malachy schwieg und verzog unsicher den Mund. »Blue Finn?«

Seine Augen verrieten, dass er genau wusste, von wem die Rede war. Er erwiderte nichts und wippte nur mit seinen schmalen Schultern.

»Was genau ist Biopiraterie, Malachy? Und was hat das hier draußen damit zu tun?« Grace hatte die plötzliche Eingebung, dass dieser rothaarige junge Mann ihr wirklich weiterhelfen konnte.

»Unter Biopiraterie versteht man seit den Neunzigern im Allgemeinen die kommerzielle Weiterentwicklung natürlich vorkommender biologischer Materien.« Er hörte sich an, als gäbe er ein Fernsehinterview.

»Wie zum Beispiel pflanzliche Substanzen?«

Malachy nickte und stellte die Tasse vorsichtig auf den kleinen Tisch neben sich.

»Ja, oder auch genetische Zelllinien.«

»Das begreife ich noch gerade. Also wären das hier die natürlich vorkommenden Mikroorganismen vor der Küste, die das PC analysiert und auf seine Weiterverwertung testet?«

Wieder nickte der junge Mann.

»Das verstehe ich als Laie unter ›bio‹. Wie kommt die Piraterie ins Spiel?«

Malachy hustete. »Das bedeutet, dass jemand anderes, meist ein technisch fortgeschrittenes Land, es kann aber auch eine private Organisation sein, dann das ganze kommerziell weiterentwickelt und seinen eigenen Nutzen daraus zieht.« Mit seinen blauen Augen hatte er einen kleinen Punkt direkt neben ihr fixiert.

»Ohne den- oder diejenigen, die es gefunden haben oder denen es gehört, am Gewinn zu beteiligen. Richtig? Deshalb der Begriff Piraterie?«

Nun kam Leben in Malachy. Er war aufgestanden und hatte sich zum Fenster gebeugt, um auf den Ozean zu schauen. Seine bleichen schmalen Hände wirkten wie aufgescheuchte Vögel.

»Genau. So war es vor zehn Jahren am Amazonas, so passiert es überall im Moment in Afrika. Meistens sind es Eingeborene, die bestimmte Substanzen als Heil- oder Lebensmittel schon immer genutzt haben und von ihnen wissen, und dann wird ihnen dieses Wissen und manchmal auch noch die Pflanzen geklaut. Ganz oft hat die Pharmaindustrie ihre Finger da drin – und die Saatgutmultis.«

»Und wer steckt hier dahinter?« Grace war hinter ihn getreten und hielt für einen Moment den Atem an.

»Ich wünschte, ich wüsste es. Hier geht etwas vor, das weiß ich. Ich wünschte, ich wüsste mehr.«

»Worüber wüsstest du gerne mehr, Malachy?«

Vincent Murphy hatte die Tür des Caravans aufgemacht und die letzten Worte seines jungen Kollegen noch mitbekommen. Er reichte Grace zur Begrüßung die Hand und drückte sie fest. Malachy schickte sich sogleich an, den Wohnwagen zu verlassen.

»Ach nichts, Vince. Ich hab nur so dahergeplappert. Die sympathische Dame von Gardai stellt Fragen, die einen ins Grübeln bringen.« Malachy lachte beiden zu, hob eine Hand und zog schnell die Tür hinter sich zu.

»So, tut sie das?«, fragte Murphy und blickte Grace neugierig an. Er schenkte sich ebenfalls Tee aus der matt glänzenden Thermoskanne ein.

Grace wiegte ihren Kopf. »Ich habe noch ein paar Fragen an Sie, Mr Murphy. Warum haben Sie uns angelogen? Es war ihr Bruder, der in Belfast um sechs Uhr statt Ihrer ins Hotel unter Ihrem Namen eincheckte.«

Murphy nickte bedächtig. »Das war dumm von mir, und ich hätte ihn nicht mit reinziehen sollen.«

»In was nicht mit reinziehen? In einen Mord?«

Der Wissenschaftler sah auf und hielt ihrem Blick stand.

»Ich bin in keinen Mord verwickelt, bitte glauben Sie mir das.« Murphy sah sie eindringlich an. Grace schwieg, doch ihre grauen Augen mit den türkisfarbenen Sprenkeln blieben aufmerksam.

»Ich habe nur Angst bekommen, und da ich wusste, dass mein Bruder am späten Nachmittag in Belfast landen würde, bat ich ihn, für ein paar Stunden so zu tun, als sei er ich. Für alle Fälle.«

»Für alle Fälle? Um sich ein Alibi zu verschaffen?«

»Nein!«, rief Murphy fast verzweifelt aus.

»Dann erzählen Sie mir doch jetzt endlich ganz genau, was sich an dem Samstagnachmittag zugetragen hat.«

Einen Moment lang schien es, als müsse er mühsam sein Erinnerungsvermögen in Gang setzen und sich genau konzentrieren, um es richtig wiederzugeben. Grace wartete. Schließlich begann er zu reden.

»Ich habe an dem Samstagnachmittag, als ich nach Belfast abreisen wollte, viel zu lange herumgetrödelt. Eigentlich wollte ich um drei Uhr losfahren, plötzlich war es schon weit nach fünf. Ich habe noch kurz ein paar Unterlagen aus meinem Schlafzimmer im ersten Stock holen wollen, als ich ein Geräusch unten hörte.« Er stockte. Grace nickte ihm aufmunternd zu.

»Was war das für ein Geräusch?«

»Es war die Haustür. Von oben habe ich gesehen, dass es Annie war, was mich verwunderte. Eigentlich kommt sie an ganz anderen Tagen zum Putzen. Ich hatte schon so ein komisches Gefühl, daher war ich neugierig, was sie wohl vorhaben könnte. Ich ließ sie für ein paar Minuten ungestört unten agieren. Dann schlich ich mich ins Erdgeschoss. Sie saß in meinem Arbeitszimmer und kopierte Dateien auf einen USB-Stick. Sie hatte meine Schränke geöffnet und diverse Papiere vor sich auf dem Tisch liegen.« Allein die Erinnerung an den Vorfall schien Murphy in tiefe Erregung zu stürzen. Aufgewühlt lief er auf und ab. »Ich war bestürzt und unsicher, wie ich mich verhalten sollte. Wie Sie sich sicher vorstellen können, habe ich einige Unterlagen, die nicht in falsche Hände geraten dürfen. Ich habe ihr heftige Vorwürfe gemacht, habe sie angeschrien. Sie hat dagegengehalten. Es kam zu einer heftigen Auseinandersetzung, und ich wurde auf einmal in dem Gefühl bestärkt, dass sie im Auftrag einer dritten Person handelte und dass sie das schon öfter getan hatte. Ich war empört, das können Sie sich doch vorstellen, oder? Als ich daraufhin Garda anrufen wollte, kam es zu einem Gerangel. Sie versuchte, mir mein Handy aus der Hand zu nehmen, ich stieß sie weg, und dann …« Hier versagte ihm die Stimme.

»Und dann?«, fragte Grace nach.

Murphy atmete tief ein. »Und dann fiel Annie so unglücklich, dass sie bewusstlos liegen blieb. Im ersten Moment dachte ich, sie sei tot. Aber dann sah ich, dass sie offenbar nur benommen war und kurz ohnmächtig war. Sie konnte höchstens leicht verletzt gewesen sein.«

Grace schaute den Wissenschaftler lange an. Murphy strich sich verlegen die grauweißen Haare aus dem Gesicht und leerte seinen Tee in einem Zug.

»Und dann, Mr Murphy? Was taten Sie dann? Ließen Sie die bewusstlose Annie einfach liegen und fuhren fröhlich nach Belfast?«

»Nein, natürlich nicht. Ich war ziemlich durcheinander und wusste ja, dass ich dringend wegmusste. Also rief ich in meiner Not Annies Freundin an, Carol, und die versicherte mir, sie würde sofort kommen und sich um ihre Freundin kümmern. Ich erklärte ihr noch, dass ich dringend wegmüsse. Ich könne ruhig fahren, meinte sie, und solle die Haustür angelehnt lassen, damit sie ins Haus komme.«

Jetzt herrschte Stille im Wohnwagen. Man hörte lediglich ein paar gut gelaunte junge Stimmen draußen am

Strand. Plötzlich wurde die Tür aufgerissen und eine junge, kleinwüchsige Frau steckte kurz ihren Kopf durch die Tür. Mit einer knappen Entschuldigung zog sie ihn sofort wieder zurück und warf die Tür zu.

»Mr Murphy, ich muss Sie bitten, so schnell wie möglich zu uns in die Zentrale zu kommen, damit wir ein Protokoll aufnehmen können. Wir behalten uns selbstverständlich weitere Schritte vor. Unterlassene Hilfeleistung, Mr Murphy. Ich muss mit unserer Pathologin reden. Es wird weitere Vernehmungen geben. Ich muss Sie bitten, Galway ab jetzt nicht mehr zu verlassen.«

Murphy nickte zerknirscht.

»Ich nehme an, es handelte sich bei den Unterlagen, für die sich Annie interessierte, um die Ergebnisse dieses Projekts?«

Wieder nickte Murphy. Er hielt dabei die Augen geschlossen.

Grace überlegte kurz. »Ich kann Ihnen trotzdem nur bis zu einem gewissen Punkt wirklich folgen, Mr Murphy. Sie sind doch ein verantwortungsbewusster Mensch. Ich kann mir einfach nicht vorstellen, dass Sie Annie in diesem Zustand einfach liegen gelassen haben. Das passt nicht zu Ihnen. Kann es sein, dass Sie mir etwas Entscheidendes verschweigen, Mr Murphy?«

Murphy hatte die ganze Zeit auf den mit feinem Meeressand übersäten und zerkratzten Fußboden gestarrt. Schließlich hob er den Kopf mit der silbernen Mähne und schaute Grace durchdringend an. Er wirkte, als sei er aus einem tiefen Schlaf plötzlich aufgeschreckt. Seine Stimme klang fast flehend, als er antwortete: »Manchmal weiß man eben nicht, warum man etwas tut. Man tut es einfach. Mein Gott, Guard, kennen Sie das denn nicht?«

46

Auf dem Rückweg regnete es bereits stark, und Grace hielt kurz in Cashel an, um Rory mitzunehmen. Aus dem Krankenhaus gab es keine Neuigkeiten von der kleinen Zoe. Außer Fesselspuren an den Handgelenken und Knebelspuren hatten sie keine Zeichen von Gewalt an ihr feststellen können. Das bestätigte ihre Vermutung, dass das Mädchen eine zufällige Zeugin des Treffens zwischen Joyce und seinem Mörder gewesen sein musste. Vielleicht hatte sie sich hinter einem Steinwall oder auch in der Höhle selbst versteckt gehalten. Wahrscheinlich hatte der kleine Hund sie durch Bellen oder Jaulen verraten. Über den genauen Ablauf konnten sie momentan nur spekulieren.

Bei prasselndem Regen erreichten sie den Ortseingang von Spiddal. Grace hatte Rory detailliert über Murphys Verhör berichtet.

»Was könnte er denn verschwiegen haben?«, fragte Rory nach.

Grace saugte nachdenklich an ihrer Unterlippe. »Das habe ich mich auch gefragt.« Sie fuhr langsam auf die Hauptampel des kleinen Orts zu, die gerade auf Rot schaltete, und hielt an.

»Könnte es sein, dass er Annie aus einem anderen Grund niedergeschlagen hat?«

Grace drehte sich überrascht zu ihm um und zog die Brauen hoch. »Und welcher Grund könnte das sein?«

Rory zuckte mit den Schultern. »Das weiß ich auch nicht, aber es könnte doch sein? Dann würde seine überstürzte Flucht eher einen Sinn ergeben, oder?«

»Du meinst, dass Annie ihn bei etwas überrascht hat und nicht umgekehrt?«

»Vielleicht. Andererseits wird er kaum in sein eigenes Haus eingebrochen sein, und sie hat zufällig vorbeigeschaut und ihn dabei erwischt. Das ist blanker Unsinn. Ich glaube, wir verrennen uns da gerade.« Nun klang er kleinlaut.

»Schau mal, wer da steht!« Grace zeigte auf eine Frau an der Fußgängerampel, die mit einem aufgespannten Schirm kämpfte. Neben ihr standen brav zwei Kinder und warteten, dass die Ampel grün wurde. Als der Junge das Polizeiauto erkannte, riss er sich von seiner Mutter los und lief auf sie zu. Rory ließ die Scheibe herunter.

»Hallo, Colm!« Der Kleine strahlte und lehnte sich zu ihnen in das Auto hinein.

»Hi, Guard. Ich hoffe, Sie sind meiner Spur nachgegangen.« In dem Moment war auch Maggie Cadogan mit ihrer Tochter zum Auto gekommen und zog ihren Sohn zurück.

»Der Guard ist sehr beschäftigt, Colm, du darfst ihn nicht unnötig aufhalten.«

Doch Rory hatte Grace schon gebeten, links auf den Bürgersteig zu fahren, um den nachfolgenden Verkehr nicht aufzuhalten, und war ausgestiegen. Innerhalb weniger Sekunden war Rory von dem Regen völlig durchnässt, was ihn jedoch nicht zu stören schien. Grace zog es vor, im Trockenen sitzen zu bleiben, und beobachtete die Szene hinter laufenden Scheibenwischern.

»Was erzählst du da immer, Colm? Ich habe dir doch mehrmals erklärt, dass das eine Verwechslung gewesen sein muss. Du hast die Tochter von Seamus gesehen und nicht Annie.« Maggie Cadogan redete vorwurfsvoll auf den Jungen ein, und diesmal klang sie ganz und gar nicht verständnisvoll. »Du musst dich nicht immer so wichtig machen.«

Der Zehnjährige schaute seine Mutter empört an, gab

aber nicht nach. »Ich will auch mal zur Garda, und man muss helfen, wo man kann. Das sagt ihr doch immer. Und dazu gehört, dass man alles erzählt, was man weiß, oder?«

Rory hatte interessiert dem Wortgefecht zwischen Mutter und Sohn zugehört, nickte Colm aufmunternd zu und klopfte ihm auf die Schulter. »Das ist völlig richtig, Colm. Ist dir noch etwas anderes eingefallen?«

Maggie Cadogan konnte ihre Wut kaum kontrollieren. »Wir müssen wirklich weiter, Guard, und es regnet in Strömen. Wir werden noch komplett nass. Ich habe keine Lust, kranke Kinder zu Hause zu haben.« Sie verabschiedete sich hastig und zog die Kinder mit sich zum nahen Parkplatz. Colm ging widerstrebend mit und schaute noch einmal kurz zu Rory.

Rory sah ihnen nach und setzte sich dann triefend nass wieder neben Grace ins Auto. Umständlich schnallte er sich an.

»Sie kann ganz schön energisch werden, die gute Mrs Cadogan«, sagte Grace grinsend und betrachtete mitleidig ihren pudelnassen Kollegen.

»Wir müssen das mit der Nachbarstochter ganz schnell überprüfen«, meinte Rory. »Ich mache das und fahr vor dem Feierabend noch nach Oughterard. Mit dieser Familie stimmt etwas nicht. Irgendwie hatte ich die in den letzten Tagen etwas aus dem Blick verloren.«

Grace fädelte sich wieder in den Verkehr ein und stellte die Scheibenwischer eine Stufe schneller ein, um dem dichter werdenden Regen Herr zu werden. »Peter hat sich übrigens noch mal intensiv mit Cadogans Firma beschäftigt. Da stinkt auch etwas.« Sie erzählte Rory kurz von Peters neuesten Erkenntnissen und fügte hinzu: »Eigentlich waren die Cadogans ja von Anfang an involviert. Wir haben nur noch nicht die Zusammenhänge erkannt.«

Auf der Küstenstraße nach Salthill konnte Grace zügiger fahren. Es war wenig Verkehr, was sie erstaunte. Aber vielleicht lag das auch am Wetter. Der Regen prasselte gegen die Frontscheibe und verlieh dem Inneren des Autos einen Hauch von Geborgenheit. Als fiele man aus der Zeit.

»Grace, ist dir schon mal aufgefallen, dass wir es bei diesem Fall fast nur mit Familien und Familienkonstellationen zu tun haben?«, fragte Rory nach einer Weile.

»Hat man das nicht immer? Jeder von uns hat schließlich Familie, ob es uns passt oder nicht.« Grace versuchte, so neutral wie möglich zu klingen.

»Da hast du recht, aber das ist hier noch mal was anderes, findest du nicht? Da haben wir zum Beispiel Annie mit ihrer Familie. Die McDoughalls leben mit der behinderten Schwester mittellos auf einem Bauernhof und hatten große Erwartungen an die ältere Tochter, die dadurch unter enormem Druck stand. Dann die Cadogans: die perfekte moderne irische Wohlstandsfamilie, in der sich die Eltern liebevoll um die Kinder kümmern und gleichzeitig das große Geld scheffeln. Nur weiß keiner, wo das herkommt. Dann Vincent Murphy, der seinen eineiigen Zwillingsbruder mal eben als Alibi benutzt und bei diesem auch nicht auf Widerstand stößt. Oder dein Onkel Jim, der mit dir, entschuldige bitte, familiär verbandelt ist und vielleicht auch irgendwie in dem Fall Annie drinhängt. Außerdem hat er sein eigenes Patenkind angestiftet, um die heißen Kohlen aus dem Feuer zu klauben.«

Grace warf ihrem Kollegen einen anerkennenden Seitenblick zu. »Mach weiter, das ist gut, Rory.«

»Die Einzigen, bei denen bisher keine familiären Verbindungen eine Rolle zu spielen scheinen, sind Carol und Donal Joyce.«

»Die hatten übrigens mal was miteinander«, warf Grace ein.

»Okay, aber das zählt nicht gleich als familiär. Nein, ich spreche vom keltischen Ei, Grace.«

Sie musste scharf bremsen, um einen Hund über die Fahrbahn zu lassen. »Das keltische Ei?« Sie lächelte. »Was meinst du damit?«

»Meinetwegen kannst du es auch das keltische Komplott nennen. Familie ist immer irgendwie auch ein Komplott, finde ich. Die drinnen halten zusammen gegen die da draußen. Sag ich doch.«

»Das erinnert mich eher an Süditalien als an Irland.«

Rory nickte. »Ja, da existiert das Ei auch noch in dieser Perfektion wie bei uns. Wo sie zusammenhalten und der Omertá huldigen, der ehernen Schweigepflicht …«

»Wo man entschlossen ist, um der Familie willen alles zu geben, egal, was es kostet? Meinst du das?« Grace klang eher amüsiert als ernst, aber Rory ging nicht darauf ein.

»Wo die Familie Kraft spendet und einen befähigt, über sich selbst hinauszuwachsen.«

»Die Familie, die einen blind macht für Gut und Böse, wo die Leidenschaft und die Loyalität über den Verstand und die Vernunft regiert …« Grace brach ab. »Glaubst du das wirklich, Rory?«

»Von außen erscheint alles immer so rein, so gleichmäßig. Da gibt es keinen Kratzer, keine Schramme. Alles sieht einfach perfekt aus, wie ein Ei eben. Wenn es hochkommt, klebt vielleicht ein bisschen Stallmist dran. Den kann man leicht abkratzen. Aber …« Rory machte eine Pause, um tief einzuatmen. Grace beobachtete ihn aus den Augenwinkeln.

»Aber wenn du es aufschlägst, fällst du fast um vor Gestank. Es stinkt zum Himmel! Es ist vergiftet! Es vergiftet.« Eine Handbewegung unterstrich seinen theatralischen Ausruf. Fast hätte Grace die große Kreuzung überfahren. »Mein Gott, Rory. Hast du mich erschreckt.«

Rory wischte sich mit einem großen Stofftaschentuch über das Gesicht und war auf einmal wieder die Ruhe selbst. »Da fällt mir ein, gibt es eigentlich Neuigkeiten von Roisin?«

Grace nickte. »Meine Mutter ist heute Morgen zum Kloster gefahren, um ihre Enkeltochter abzuholen.«

»Du meinst, um sie zu befreien«, korrigierte Rory sie ernst.

47

Tock, tock, tock. Das harte Geräusch des Stocks auf dem schwarzbraunen Holzboden hallte durch den langen Gang wie ein Metronom.

»Es sind nur noch ein paar Meter.« Die Mutter Oberin ging ein paar Schritte vor Liv O'Malley her und steuerte ihr Büro an, während ihr die ältere Frau mit der flammend rot gefärbten Mähne langsam folgte. Sie zog das linke Bein nach und stützte sich auf einen altmodischen Mahagoni-Stock, der einen silbernen Knauf in Form eines Entenschnabels besaß.

»Hier herein, bitte.« Die Nonne hatte die Tür geöffnet und bat ihren Gast, Platz zu nehmen. Liv blieb an der Schwelle stehen und schaute sich um. Sie sah einen schlicht möblierten Raum mit eierschalfarbenen Wänden, der als einzigen Schmuck ein Kreuzigungsbild an der Wand hinter dem Schreibtisch duldete. Dann steuerte sie einen Stuhl mit einer hohen Lehne an, den sie sich so zurechtrückte, dass sie ihr Gegenüber genau im Blick haben würde.

»Möchten Sie sich nicht lieber in einen der Sessel setzen, die sind weitaus bequemer, Mrs O'Malley?«, fragte die Ordensschwester mit einem angedeuteten Lächeln.

»Danke. Ich nehme den Stuhl, wenn es nichts ausmacht.« Liv lächelte freundlich zurück. Der Lehnstuhl war hart, und man war gezwungen, aufrecht und gerade darauf zu sitzen. Das war in Ordnung, dachte sich Liv. So würde sie von Anfang klarmachen können, mit wem man es hier zu tun hatte. Die Mutter Oberin lächelte höflich und sichtbar bemüht. Sie wirkte angespannt, was Liv zufrieden feststellte, und balancierte unruhig auf der Kante ihres Schreibtischstuhls.

»Ich bin gekommen, um meine Enkeltochter Roisin O'Malley mit nach Hause zu nehmen.« Liv sprach mit dunkler, sonorer Stimme, die an die Garbo erinnerte. Ihr warmes Timbre stand jedoch im krassen Gegensatz zu dem kalten, durchdringenden Blick, den sie ihrem Gegenüber zuwarf. Ein Phänomen, das die Nonne nur zu gut kannte, deshalb versuchte sie, dem Blick auszuweichen.

»Sie ist, wie Sie wissen, nicht mehr bei uns. Sie erschien gestern nicht zum Mittagessen, und als wir in dem Zimmer, das sie seit ihrer Ankunft bewohnte, nachschauten, waren auch ihre Sachen verschwunden.«

»Welche Sachen?«

Die Oberin wirkte irritiert. »Nun, die paar wenigen Sachen, die sie mitgebracht hatte. Was in ihre kleine Reisetasche eben hineinpasste. Was genau das ist, entzieht sich natürlich unserer Kenntnis.«

»Sie wollen mir nicht ernsthaft weismachen, dass Sie den Inhalt der Tasche nicht überprüft haben?«

Nun wurde die Nonne verlegen.

»Alkohol, Drogen, Pornografie, das alles kann man

also bei Ihnen problemlos mitbringen, ohne dass das jemand kontrolliert? Natürlich immer vorausgesetzt, es passt in eine kleine Reisetasche.«

»Nein, selbstverständlich nicht!« Die Mutter Oberin wand sich wie ein Wurm an der Angel.

Liv schaute sie prüfend an. »Das Handy. Ich möchte jetzt bitte das Handy ausgehändigt bekommen, da meine Enkelin das ja großzügigerweise abgegeben hatte bei ihrem Einzug.«

Die Nonne zuckte zusammen. »Das haben wir Roisin wiedergegeben.«

»Ach? Damit sie bei ihrer Flucht technisch keinen Nachteil haben müsste?«

Die Schwester Oberin schüttelte nervös den Kopf und antwortete leise. »Nein, weil sie es zurückhaben wollte.«

Liv fixierte sie noch schärfer. Sie benötigte noch keine Brille. Überhaupt sprühte die hochgewachsene Dänin auch mit Mitte sechzig nur so vor Energie und vor Unternehmungslust, die nur wenig durch ihre Gehbehinderung beeinträchtigt zu sein schien. »Weil Roisin es wollte, haben Sie ihr das Handy zurückgegeben? Das können Sie sonst wem erzählen. Ich lasse mich nicht gern an der Nase herumführen. Geben Sie es zu: Sie halten meine Enkelin versteckt und wollen sie nicht so einfach gehen lassen.«

Die Mutter Oberin klang nun ehrlich entrüstet. »Niemand wird bei uns gegen seinen Willen festgehalten!« Ihre Stimme überschlug sich fast.

Da beugte sich Liv zu ihr vor und flüsterte: »Na, das ist ja mal etwas echt Neues in irischen Klöstern.«

Die Nonne war rot angelaufen und rutschte unruhig auf ihrem Stuhl hin und her, nicht wissend, wie sie aus der Situation wieder herauskommen könnte.

Da schien Liv O'Malley auf einmal einzulenken. Ihr

Englisch war perfekt. Doch obwohl sie mit einem deutlichen Dubliner Akzent sprach, hatte sie die leicht wässrigen S-Laute ihrer Muttersprache beibehalten. Fast freundlich sagte sie jetzt: »Ich unterstelle Ihnen ja auch nicht, dass Sie Roisin gegen ihren Willen hierbehalten. Ganz im Gegenteil. Ich kenne meine Enkeltochter ziemlich gut und weiß, zu was sie fähig ist. Aber sie ist gerade mal vierzehn und hat hier nichts, aber auch gar nichts verloren, gute Frau!« Dann lehnte sie sich zurück und schaute auf die Uhr. Sie griff zu ihrem Stock und stand auf. Der schwarze Hosenanzug, der wie ein eleganter Herrenanzug geschnitten war, verlieh ihr zusammen mit dem Stock ein geradezu würdevolles Aussehen. Lediglich die wilde unordentliche Frisur schmälerte den seriösen Gesamteindruck ein wenig. Sie blickte auf die Mutter Oberin hinunter, die entgegen aller Höflichkeit sitzen geblieben war und sie anstarrte. Mit fester Stimme sagte sie: »Hören Sie mir genau zu. Es ist jetzt halb zwölf. Um genau sieben Uhr heute Abend komme ich wieder. Sollten Roisin und ihre kleine Reisetasche dann nicht auf mich hier warten, werden Sie und Ihre verehrten Ordensschwestern bedauern, dem Kind überhaupt das Tor geöffnet zu haben. Denn nur eine Stunde später wird Gardai mit einem Durchsuchungsbefehl und den Vertretern der wichtigsten irischen Medien bei Ihnen auf der Matte stehen. Das wird ein Fest sein, allerdings nicht für das Heilige Herz Marias. Das wird nur noch zucken.« Dann verließ sie den Raum und hinkte langsam den Gang hinunter. Ein Lächeln umspielte ihre Lippen.

48

Es war fast dunkel, als Grace durch die menschenleeren Straßen zum Hafen hinunterlief, um sich mit Peter Burke zu treffen. Vor einer halben Stunde hatte sie von ihrer Mutter die erlösende SMS erhalten, in der sie ihr mitteilte, dass sie mit Roisin auf dem Weg zu Dara sei. Sie war unendlich erleichtert. Auch Oonagh war mittlerweile wieder in Dalkey eingetroffen, was Grace beruhigte. Ihr Bruder wäre mit dieser Situation alleine sicherlich überfordert. Sein Leben lang war Dara von starken Frauen umgeben gewesen, die ihm zur Seite standen. Mittlerweile war klar, dass das für seine Persönlichkeitsentwicklung nicht nur vorteilhaft gewesen war. In dem Zusammenhang fiel Grace wieder Rorys Vergleich der irischen Familie mit einem Ei ein. Für sie war ihre eigene Familie auch immer perfekt gewesen, bis durch den Tod des Vaters die glatte, unversehrte Schale Risse bekommen hatte, um schließlich gänzlich zu zerbrechen.

Mittlerweile war sie in Galways Gewerbegebiet angekommen, das zu dieser Zeit menschenleer war. Nervös schaute sie sich um. Irgendwie hatte sie das Gefühl, dass ihr jemand folgte. Doch es war niemand zu sehen. Die quirlige Shop Street mit ihren bunten Läden und Restaurants war nur einen Steinwurf entfernt, und man konnte auch um diese Uhrzeit die Menschen von dort reden und lachen hören. Doch hier, nur zwei, drei Gassen weiter, fand man sich ganz schnell in einem unübersichtlichen Gewirr von Garagen, Werkstätten und einstöckigen Bürogebäuden wieder, wohin sich nach sechs Uhr abends kaum noch jemand verirrte, es sei denn, er wohnte hier. Peter war einer der wenigen ständigen Bewohner des Dockviertels.

In Gedanken ließ Grace noch einmal die Ereignisse des Tages rekapitulieren. Aus dem Krankenhaus waren keine neue Informationen gekommen. Der Zustand der kleinen Zoe war weiterhin instabil, und an eine Vernehmung war momentan nicht zu denken. Die Ärzte hofften jedoch, sie bald aus der Intensivstation verlegen zu können. Robin Byrne war seit der unerfreulichen Unterredung am frühen Morgen unsichtbar geblieben, und darüber war sie mehr als froh gewesen. In der Rechtsmedizin hatte sie noch einmal mit O'Grady über Annie geredet und versucht, Klarheit über das Ausmaß ihrer Verletzung durch das Gerangel mit Murphy zu gewinnen. Doch sie kamen nicht über Spekulationen hinaus. Unterdessen hatte Alfred Murphy aus Berlin versucht, sie im Büro zu erreichen, und eine Nachricht hinterlassen. Als sie ihn zurückrief, war sie sehr erstaunt, als er ihr eröffnete, dass sich sein Bruder bedroht fühle.

»Von wem?«

»Das wissen wir nicht.«

»Sagt Ihnen der Name Cadogan etwas? Oder vielleicht Blue Finn?«

»Ja, mein Bruder hat da mal etwas erwähnt … aber wissen Sie, es geht uns eigentlich nur darum, dass Sie Bescheid wissen.«

Als ihm Grace Polizeischutz vorschlug, lehnte Murphy jedoch entschieden ab. Das würde sein Bruder sicher nicht wollen. Zu Graces Verwunderung beendete er das Gespräch dann sehr abrupt. Sie konnte sich aus all dem keinen Reim machen. Mit was hielten die Murphy-Brüder hinter dem Berg?

Plötzlich hörte Grace hinter sich ein Geräusch. Blitzschnell drehte sie sich um, aber es war niemand zu sehen. Misstrauisch beobachtete sie die diversen dunklen Einfahrten von Kraftfahrzeugwerkstätten, die in der Nähe waren. Dort könnte sich ein Verfolger problemlos verstecken. Doch sie verzichtete darauf, nachzusehen, und beschleunigte vielmehr ihre Schritte. Bis zu Peter waren es nur noch knapp zweihundert Meter. Im Laufen zog sie ihr Handy aus der Tasche und befolgte dabei den Ratschlag der Gardai, die Frauen in solchen Situationen empfahlen, jemanden auf dem Handy anzurufen, um eine Verbindung zur Außenwelt herzustellen. Sie tippte Peters Nummer ein. In dem Moment, als er antwortete, spürte sie einen heftigen Schlag an der linken Schulter, bekam einen gezielten Stoß von hinten und fiel nach vorn auf die Straße. Während sie instinktiv versuchte, ihr Gesicht beim Fallen zu schützen, konnte sie noch jemanden weglaufen hören. Dann verlor sie für ein paar Sekunden das Bewusstsein. Als sie kurz darauf wieder zu sich kam und sich benommen aufsetzte, hörte sie wie im Nebel Peters Stimme. »Gráinne! Was ist denn passiert?« Aber sie brachte nur ein Stöhnen hervor. Dann half er ihr auf und führte sie vorsichtig zu seinem Haus.

»Wäre jetzt blöd zu fragen, ob ich Gardai rufen soll, oder?« witzelte er, als sie ein paar Minuten später auf seinem Sofa lag. Er hatte ihr ein dickwandiges Glas mit Armagnac gebracht, das sie mit beiden Händen umfasste und dann zögernd daran nippte. Sie verzog das Gesicht.

»Sehr komisch. Aber mal ehrlich: Das war doch kein ernst gemeinter Angriff, Peter. Das war bestenfalls ein Warnschuss.«

In ihrer Stimme schwang so viel Empörung mit, dass Peter laut auflachte. Dass sein Blick dabei voller Zärtlichkeit war, bemerkte Grace nicht. Oder wollte es nicht bemerken, denn sie widmete sich wieder ihrem Armagnac.

Peter hatte sich neben das Sofa auf den Boden gesetzt.

»Aber man kann durchaus sagen, dass es jemand auf dich abgesehen hatte, oder?«

»Jemand hat mich verfolgt, so viel ist klar. Ich hatte die ganze Zeit so ein komisches Gefühl, aber ich habe niemanden entdecken können.«

Ihr Blick fiel auf eine gerahmte Fotografie an der Wand, die Peter im Alter von etwa neun oder zehn Jahren zeigte. Neben ihm stand Pattie, stolz und glücklich, wie Mütter überall auf der Welt neben ihren Kindern stehen.

»Meinst du, es hat etwas mit deinem Fall zu tun?«, fragte Peter.

Grace rieb sich die geprellte Schulter und überlegte kurz. »Ich hab Glück gehabt, dass ich den Sturz noch abfangen konnte und auf die Seite gerollt bin. Das ist in ein, zwei Tagen wieder in Ordnung.«

Peter runzelte die Stirn. »Grace, ich habe dich gefragt, ob du glaubst, dass das etwas mit dem Fall Annie zu tun hat?«

Ihre Blicke trafen sich. Schließlich sagte sie zögernd: »Vielleicht, aber es kann auch sein, dass mich jemand vergraulen will. Hier ein bisschen einschüchtern, da ein wenig stupsen, dort eine wohldosierte Prise Mobbing …« Ihr Gespräch mit Robin Byrne vom Morgen kam ihr wieder in den Sinn. »Vielleicht war es jemand, der einfach will, dass ich aus Galway verschwinde.« Jetzt schaute sie ihm wieder direkt in die Augen.

»Du meinst, das war einer deiner Kollegen?« Peter sah sie fassungslos an. »Ist das dein Ernst?«

Sie wollte mit den Schultern zucken, verzog aber dabei das Gesicht. »Au, Schulterzucken tut weh.«

Beide mussten lachen. »Solange man dich nicht von den Klippen von Moher stößt. Die sind dann doch zu hoch und zu steil«, sagte Peter. »Du brauchst ganz offensichtlich Unterstützung eines vertrauenswürdigen Kollegen, der nicht auf der Gehaltsliste von Garda Galway steht«, fuhr er grinsend fort.

Sie grinste zurück. Sie hatte sehr wohl verstanden, worauf er hinauswollte. Entspannt kuschelte sie sich in die karierte weiche Decke, in die Peter sie zuvor fürsorglich eingewickelt hatte. Ein bisschen wunderte sie sich über dieses Gefühl von Wärme, das in ihr hochstieg. Fühlte sich so Geborgenheit an?

»Weißt du was, ich mach uns gleich was zu essen, aber erst mal erzähle ich dir, was es Neues gibt«, sagte Peter und fuhr sich durchs Haar.

»Das klingt vielversprechend. Leg los.« Langsam spürte Grace ihre Energie wieder zurückkehren.

Peter hatte sich noch mal eingehend mit Cadogan beschäftigt, und ihm waren einige interessante Parallelen zu den Ermittlungen gegen seine Firma vor knapp zwei Jahren aufgefallen.

»Auch damals war das PC involviert gewesen. Und auch damals war es um Forschungsergebnisse gegangen, mit denen Cadogan einen lukrativen Deal machen wollte. Damals war Grønmo der Projektleiter gewesen, nicht Murphy. Anscheinend war Blue Finn die einzige Firma, die involviert war. Dennoch hat es dann vonseiten eines potenziellen Konkurrenten plötzlich eine Anzeige gegeben. Die Justiz hatte zunächst auf illegale Vorteilsnahme durch Insiderwissen hin ermittelt, konnte aber letztlich nichts nachweisen. Dann hatte das PC selbst Anzeige gegen Cadogan erstattet. Kurz darauf hat das Institut seine Klage wieder zurückgezogen und auf weitere Schritte verzichtet, angeblich, um Anwaltskosten zu sparen. Alles sei ein Missverständnis gewesen.« Peter schüttelte zweifelnd den Kopf.

Grace hatte dem Bericht Peters konzentriert zugehört. Dann erzählte sie ihm kurz von der Begegnung mit

Maggie Cadogan und den Kindern an der Ampel in Spiddal und natürlich von dem hochinteressanten Gespräch mit Murphy im Forschungscamp.

»Murphy verheimlicht etwas Entscheidendes. Ich glaube ihm, dass er mit dem Mord nichts zu tun hat. Komischerweise tue ich das, aber ...« Sie brach ab und suchte nach Worten.

»Du nimmst ihm nicht die ganze Story ab, stimmt's?«

»Richtig. Irgendwas ist nicht plausibel an seiner Geschichte, aber ich komm nicht drauf, was.« Sie sah Peter mit gerunzelter Stirn an. »Da fällt mir ein, dass ich unbedingt dran denken muss, Murphy noch mal aufzusuchen. Sein Bruder macht sich ernsthafte Sorgen um ihn. Und ich hab ihm versprochen, bei Vincent noch einmal nachzuhaken, von wem er sich bedroht fühlt.«

Peter schenkte sich nun auch einen Armagnac ein und ließ die goldbraune Flüssigkeit wie feines Öl im Glas vorsichtig hin und her schwappen.

»Peter«, Grace stockte, als wüsste sie nicht, wie sie weitersprechen sollte. »Peter, glaubst du, dass mein Onkel auch bei Cadogans Geschäften mit drinhängt?«

Peter schaute sie über das Glas hinweg an. »Damals gab es keine konkreten Anhaltspunkte dafür. Aber du weißt besser als ich, dass hier in der Grafschaft nichts ohne Jim läuft.« Jetzt fixierte er wieder das Glas in seiner Hand, als er leise sagte: »Ich kann mir gut vorstellen, wie dich das beschäftigt, Grace. Genau wie es mich rasend macht, nicht herauszufinden, wovon meine Mutter eigentlich lebt.«

Sie blickte ihn an und fühlte in diesem Moment eine Verbundenheit, die sie aber weder näher benennen konnte noch wollte. Stattdessen langte sie rasch über die Sofalehne und drückte kurz und fest seinen Arm, ohne ihn dabei anzuschauen.

49

Schon früh am nächsten Morgen war Grace zusammen mit Rory zu Murphys Haus gefahren. Es hatte in der Nacht wieder geregnet, und der Wind, der den Regen begleitete, hatte die Blüten von den Rotdornbäumen gewischt und mit ihnen auf der schmalen, baumbestandenen Straße einen rosafarbenen Teppich ausgerollt. Ein atemberaubender Anblick.

Den Überfall auf sie, so hatte Grace beschlossen, wollte sie vorerst für sich behalten. Die geprellte Schulter schmerzte zwar ziemlich, aber sonst sah man ihr Gott sei Dank nichts an. Sie hatte lange darüber gegrübelt, ob Kevin Day und sein Fanclub dahinterstecken könnten. Ihr Bauchgefühl sagte ihr, dass es nichts mit ihrem aktuellen Fall zu tun hatte. Vor dem Einschlafen hatte sie noch mit ihrer Mutter telefoniert, die sie etwas beruhigen konnte. Roisin allerdings wollte mit niemandem reden und hatte sich auf ihr Zimmer zurückgezogen.

»Du musst ihr Zeit geben, Grace«, hatte Liv sie getröstet. »Morgen werde ich versuchen, Roisin davon zu überzeugen, dass sie dich anrufen soll, okay?« Mit dem mütterlichen Rat, möglichst bald zu ihnen zu kommen, verabschiedete sich Liv. Ja, sie werde kommen, ganz bestimmt, hatte Grace versprochen.

»Wir sollten das Alibi von Jim für Freitagabend vor Annies Ermordung nochmals überprüfen«, sagte Rory, der dabei betont zurückhaltend klang. Sie waren aus dem Auto gestiegen und liefen auf Murphys Haus zu.

Grace nickte zustimmend.

»Er hat angegeben, dass er erst gegen Mitternacht auf Achill angekommen ist.«

Grace stutzte. »Wo war er dazwischen? Er hat doch zu Protokoll gegeben, dass er Galway um sechs verlassen hat, oder habe ich das falsch in Erinnerung?«

Rory nickte. »Das stimmt schon, Grace. Er hielt sich in Cong auf. Bei seinem Patensohn. Hat er zumindest angegeben.«

Sofort verdunkelte sich Graces Miene. »Kannst du das übernehmen, Rory?«, fragte sie schnell.

Er schaute sie zweifelnd an, dann stimmte er zu. »Wenn du willst, dann mach ich das natürlich. Ich werde Murray Finnegan anrufen und einen Termin vereinbaren. Hoffentlich ist er überhaupt da.«

»Und ich habe Carol für zehn Uhr bestellt.«

Sie gingen durch den Vorgarten und klingelten. Sie hatten sein Auto in der Einfahrt stehen sehen. Es war also zu erwarten, dass er zu Hause anzutreffen war. Als sich nach mehrmaligem Klingeln und Klopfen nichts rührte, liefen sie um das Haus herum in den Garten. Keiner sprach es aus, doch anscheinend war ihnen der gleiche Gedanke durch den Kopf geschossen.

Sie betraten das geräumige Wohnzimmer durch die Terrassentür, die nur angelehnt war. Es sah aus, als ob ein Kampf stattgefunden hatte. Bücher waren aus den Regalen gezogen und auf den Teppich geworfen worden. Ein Kupferstich, der das Magdalene College in Cambridge zeigte, lag auf dem Boden und gab den Blick auf einen halb geöffneten Wandtresor frei. In der Eingangshalle fanden sie Murphy. Er lag mit dem Gesicht nach unten auf dem Steinboden. Schon kniete Rory neben dem Mann und versuchte, am Hals dessen Puls zu ertasten. Er schaute zu Grace hoch und schüttelte den Kopf. »Offensichtlich ist er erschossen worden.«

Grace telefonierte bereits mit der Spurensicherung und der Forensik.

Rory hatte sich wieder aufgerichtet und schaute sich um. »Soll nach Einbruch aussehen, was? Oder ist es tatsächlich einer?«

»Verdammt noch mal!« Grace hatte sich an einen Türstock gelehnt und betrachtete das grausame Bild, das sich ihnen darbot.

»Drei verdammte Leichen, drei, Rory! Und ein schwer verletztes Kind. Und wir kommen einfach nicht weiter! Ich dreh noch durch!«

Rory raufte sich die Haare und versuchte, optimistisch und souverän zu wirken, was ihm allerdings nicht gelang.

»Na ja, Grace, ganz so würde ich das nicht sehen«, murmelte er. »Wir haben doch schon einiges herausgefunden, vergiss das nicht.«

»Aber wir müssen zusehen, wie einer nach dem anderen stirbt, Rory! Das ist doch zum Kotzen! Warum musste Murphy sterben? Kannst du mir das sagen? Wir müssen besser sein als die! Schneller, schlauer, effizienter! Wir müssen verhindern, dass noch mehr Menschen sterben!« Erschöpft hatte sie sich auf einen Stuhl gesetzt.

Rory nickte betreten und wusste dem Gefühlsausbruch seiner Vorgesetzten offensichtlich nichts entgegenzusetzen. Sie mussten warten, bis die Kollegen eintrafen. Rory holte sich noch einen Stuhl und setzte sich neben Grace. Vorsichtig nahm er ihre Hand, wie die eines Kindes. Und ganz ausnahmsweise ließ sie es geschehen.

»Na, so komplett fischen wir ja nicht im Trüben, wenn ich das mal so sagen darf. Es geht um Erpressung, und es geht um Biopiraterie, soviel ich weiß. Es muss um sehr viel Geld gehen.« Er wollte überzeugend klingen.

»Rory. Sind wir uns da so sicher?«

»Es geht doch fast immer um Geld auf die eine oder

andere Art, sag ich doch. Es ist ein echt großes Ding, Grace. Das konnten wir bei Annie noch nicht ahnen.«

»Jeder, der etwas weiß oder auch nur zufällig etwas mitbekommt, wird gnadenlos aus dem Weg geräumt. Mitwisser wie Annie. Vermutlich fiel der freundliche Dr. Murphy auch darunter.«

»Und Zeugen wie Joyce und das unglückliche Kind. Wissen wir, dass Joyce denn wirklich etwas wusste?«

»Er besaß den Schuh, den er im Eisfach versteckt hielt. Er muss gewusst haben, wie und wo Annie diesen Schuh verloren hat und vor allem in welcher Begleitung sie da war. Dann zählte er zwei und zwei zusammen. Denk daran, dass bei seinem Agenten eingebrochen wurde. Vermutlich waren die hinter dem Schuh her.«

In dem Moment hörte man vor dem Haus Autotüren knallen. Froh, dass er der Situation entkommen konnte, öffnete Rory den Kollegen die Tür. Im Nu schwärmte ein halbes Dutzend Menschen in Schutzanzügen herein. Ganz zum Schluss erschien O'Grady mit ihrem Koffer, gefolgt von Robin Byrne, der das Handy ans Ohr hielt. Er warf einen Blick auf den toten Wissenschaftler und marschierte dann ins Wohnzimmer. »Tja, was für eine Pechsträhne.«

Grace war sich nicht ganz klar darüber, was ihr Vorgesetzter damit genau meinte. Murphy als Opfer dieser »Pechsträhne« zu bezeichnen, wäre mehr als zynisch gewesen. Eher waren sie und Rory damit gemeint, die in seinen Augen mit drei ungeklärten Mordfällen nun schon das Soll von Jahren erfüllt hatten.

»Das war gerade RTE«, sagte Byrne knapp. »Ich habe für heute Mittag eine Pressekonferenz in der Zentrale einberufen …«, er zögerte kurz, »… einberufen müssen. Du wirst sie leiten, Grace. Zwölf Uhr.« Damit verschwand er wieder. Grußlos.

Grace hatte die Augenbrauen hochgezogen, sparte sich aber einen Kommentar, und Rory ordnete seine Uniformjacke, die hochgerutscht war. Dann ging er zu der jungen Gerichtsmedizinerin und erkundigte sich nach dem vermutlichen Zeitpunkt des Mordes.

»Das kann ich noch nicht sagen, Rory, aber irgendwann im Laufe des gestrigen Abends«, sagte O'Grady.

Da klingelte Graces Handy, und sofort schoss ihr der Gedanke durch den Kopf, dass es Roisin sein könnte. Dann erkannte sie aber die deutsche Nummer. Es war Fred Murphy. Sie räusperte sich erst, bevor sie den Anruf annahm. In atemberaubendem Tempo und ohne, dass sie irgendeine Gelegenheit hatte, Fred Murphy von dem Tod seines Bruders zu unterrichten, erzählte er ihr, dass er seit gestern Abend, zweiundzwanzig Uhr, vergeblich versuche, seinen Bruder zu erreichen, und dass er sich große Sorgen mache.

»Mr Murphy, ich muss Ihnen leider mitteilen, dass Ihr Bruder gestern Abend gestorben ist. Offenbar wurde er erschossen. Näheres werden wir erst nach der Obduktion erfahren. Es tut mir wirklich sehr leid, Mr Murphy.« Grace hatte schnell und mit leiser Stimme gesprochen. Es war immer unangenehm, die Überbringerin solcher Nachrichten zu sein. Fred Murphy war schlagartig verstummt. Grace hielt das Handy nach endlosen Sekunden in die Höhe und schaute ratlos und unsicher. Rory warf ihr einen fragenden Blick zu.

»Mr. Murphy? Sind Sie noch da?« Sie steckte sich den Finger ins andere Ohr, um die Geräusche der Umgebung zu dämpfen. Am anderen Ende der Leitung atmete jemand schwer. »Oh, mein Gott«, hörte sie Murphy flüstern. Dann eine Spur lauter: »Oh, mein Gott!« Dann wurde aufgelegt.

Grace starrte ihr Handy an, welches unmittelbar danach gleich wieder klingelte. Diesmal war es tatsächlich Roisin. Hastig ging Grace in den Garten hinaus, um allein zu sein.

»Roisin, wie geht es dir? Ich bin so froh, dich zu hören.«

»Hi, ich wollte dir nur sagen, dass es mir gut geht und ich bei Dara bin. Großmutter ist auch hier.«

Grace hatte den Eindruck, ihre Tochter ratterte ein auswendig gelerntes Gedicht herunter, was sie so schnell wie möglich hinter sich bringen wollte. Dann wurde ihr offenbar der Hörer aus der Hand genommen, und Livs energische Stimme drang zu ihr durch.

»Grace?«

»Ma? Was ist passiert?«

»Kein Grund zur Panik. Es ist alles in Ordnung. Aber vielleicht solltest du dann doch mal persönlich bei uns vorbeischauen. So etwas kann man nicht über das Telefon besprechen.«

50

Grace hatte Carol Lonnigan in die Gardai-Zentrale bestellt. Von der Ermordung Murphys sagte sie erst mal nichts. Die Medien würden es in Kürze überall auf der Insel verbreiten. Zu ihrem großen Ärger widersprach Carol sämtlichen Aussagen von Murphy. Zu keinem Zeitpunkt habe er sie an jenem Samstag angerufen, weder auf dem Handy noch auf dem Festnetz. Das sei eine glatte Lüge. Und auch der Hinweis von Grace, dass man alle Anrufe über ihren Provider überprüfen lassen könne, riefen nur ein Achselzucken hervor. Als Beleg für ihr Wochenende in Manchester legte Carol die abgestempelten Tickets des Katamarans von Dublin nach Holyhead vor und verwies auf die Aussage ihrer Freundin bei den britischen Kollegen.

»Waren Sie schon mal in Vincent Murphys Haus?«, hakte Grace noch einmal nach. Carol überlegte ein paar Sekunden lang, verneinte dann jedoch mit einem energischen Kopfschütteln.

Grace fand den Verlauf der Vernehmung höchst unbefriedigend. Sie ahnte, dass sie gerade gnadenlos angelogen wurde, doch sie konnte der Frau zu diesem Zeitpunkt einfach nichts Gegenteiliges beweisen. Außerdem war es gleich zwölf Uhr, und sie musste zur Pressekonferenz. Es blieb ihr nichts anderes übrig, als Carol Lonnigan wieder gehen zu lassen.

Auf dem Weg in den kleinen Konferenzsaal fuhr sich Grace hastig durch die Haare. Widerwillig musste sie sich eingestehen, dass sie sehr nervös war.

Der kleine Raum im ersten Stock der Garda-Zentrale quoll über vor Menschen. Er war so voll, dass ungefähr ein Dutzend Journalisten vor der offenen Tür standen, weil sie nicht mehr hineinkamen. An der Schmalseite des Raumes, hinter zwei provisorisch hingestellten Tischen, saßen bereits Byrne und Rory. Der Stuhl neben ihnen war für sie frei gelassen worden. An der einen Seite des Raums stand Kevin Day, der wieder mit seiner Lesebrille spielte und eine eher belustigte Miene zur Schau stellte. Aisling O'Grady lehnte an der gegenüberliegenden Wand und überprüfte gerade etwas auf ihrem Tablet. Die Luft war bereits zum Schneiden, und eine unangenehme Spannung schwebte über allem. Als Grace sich ihren Weg zu dem Tisch bahnte, lächelte Rory ihr aufmunternd zu, während Byrne eine kühle Distanz ausstrahlte, die befürchten ließ, dass er der Pressemeute ohne zu zögern jemanden zum Fraß vorwerfen würde, wenn es eng werden sollte. Und das würde sie sein, da war sich Grace sicher.

Grace versuchte, ruhig und souverän zu wirken. Mehrmals atmete sie tief ein und aus und drückte die Luft so gut es ging in den Bauch, um sich zu erden. Sie hatte keinerlei Notizen dabei, was Byrne mit einem Stirnrunzeln quittierte. Rory rollte gerade verschiedene Zettelchen vor sich aus und versuchte, sie mehr oder weniger erfolgreich mit den Handflächen zu glätten. Als sie aufschaute, entdeckte sie plötzlich Peter Burke ganz hinten in der Ecke. Ihre Blicke trafen sich kurz, und er nickte ihr fast unmerklich zu.

Dann eröffnete Byrne die Konferenz, begrüßte kurz die Presse und gab einen kurzen Bericht ab über Vincent Murphys Ermordung, um dann ohne lange Umschweife Grace O'Malley als die neue Chefin des Dezernats für Kapitalverbrechen vorzustellen, die die Ermittlungen in den Mordfällen leitete.

»Oho!« Das war die einzige laute Reaktion auf die Nennung ihres historisch besetzten Namens. Andere im Raum grinsten. Allen voran Day.

Grace beugte sich leicht nach vorne und stützte ihre Unterarme auf. Dabei fühlte sie wieder ihre Schulter schmerzen.

»Wir gehen davon aus, dass wir den oder die Täter in Kürze festnehmen werden. Mehr möchte ich im Moment nicht dazu sagen, wie Sie sicher verstehen können.« Sie hatte ruhig und überzeugend geklungen. Sie spürte, wie sich der Schweiß an ihren Handflächen sammelte.

»Welche Verdachtsmomente gibt es denn bisher und gegen wen?« Eine ältere Journalistin aus Limerick war aufgestanden, um sich besser Gehör zu verschaffen.

»Bedauere, aber kein Kommentar zum jetzigen Zeitpunkt.« Graces Lächeln hätte hervorragend in eine Hotelrezeption gepasst.

»Sind es Zufallsopfer oder handelt es sich um Beziehungstaten?«

»Dazu können wir im Moment keine Angaben machen, ohne die Ermittlungen zu gefährden.«

»Könnte es sein, dass wir es hier mit organisierter Kriminalität zu tun haben?«, fragte eine weibliche Stimme mit hörbar britischem Akzent.

Grace reckte ihren Hals, um zu sehen, wer diese Frage gestellt hatte. Es war eine junge Frau in weißem T-Shirt mit einem schwarzen, akkurat geschnittenen Zwanzigerjahre-Bob, die seitlich in der vierten Reihe Platz genommen hatte. Winzige Kopfhörer baumelten wie eine Kette um ihren Hals.

»Das ist durchaus ein wichtiger Hinweis, dem wir auch nachgehen«, bestätigte Grace und wunderte sich, dass eine Engländerin anwesend war. Welches Presseorgan sie wohl vertrat? Vielleicht war sie ja schon vor dem Mord hier gewesen. Ein beleibter Mann im braunen Donegal Tweed stand jetzt auf und schaute sich Beifall heischend um.

»Ich bin aus Dublin. Vom Independent.« Das musste er vorausschicken, um seine eigene Wichtigkeit hervorzuheben. »Deshalb frage ich mich, ob Gardai hier in Galway tatsächlich den Mut aufbringt, auch gegen einflussreiche Personen des öffentlichen Lebens zu ermitteln, falls das notwendig wird. Schließlich gibt es Hinweise auf die Verwicklung eines bekannten Politikers in den Fall.«

Byrne lehnte sich zurück und verschränkte abwartend die Arme. Day grinste und spielte weiter mit seiner Brille. Als Grace ansetzte, um auf den Beitrag einzugehen, legte Rory ihr die Hand auf den Arm und bat sie leise, das übernehmen zu dürfen. Sie nickte.

»Selbstverständlich behandelt Garda auch in Galway jeden gleich. Und in diesem Fall ist besagter Politiker, auf den Sie ja offenbar anspielen, bereits eine konstruktive Hilfe. Noch andere Fragen?«

Da löste sich Kevin Day von der Wand, an der er zuvor gelehnt hatte, und sprach den Dubliner Journalisten direkt an: »Gehe ich recht in der Annahme, dass Sie wissen wollten, ob es bei uns zu einem Interessenskonflikt kommen könnte aufgrund der Tatsache, dass ein Tatverdächtiger ein naher Verwandter der leitenden Kommissarin ist?«

Wer es bis jetzt in diesem Raum nicht gewusst hatte, war nun bestens informiert.

Der dicke Journalist nickte lächelnd und zog einen imaginären Hut vor Day. Grace presste die Lippen zusammen, und Rory lief rot an. Doch bevor er etwas entgegnen konnte, schaltete sich Byrne ein: »Auch wenn uns allen die Familie heilig ist, bedeutet das nicht, dass es sich hier um einen rechtsfreien Raum handelt. Natürlich würde jeder bei Garda auch innerhalb der eigenen Familie ermitteln, wenn es die Umstände erfordern. Das ist hier ja wohl jedem klar.«

Dabei blickte er herausfordernd in die Runde, wich aber dem stechenden Blick Kevin Days aus. Grace konnte nur mit größter Mühe ihre Wut kontrollieren. Sie hätte ahnen müssen, dass Day ihren ersten öffentlichen Auftritt nutzen würde, um sie vor allen bloßzustellen.

Als Byrne die Pressekonferenz beenden wollte, stand die schwarzhaarige Britin auf. Sie sprach mit klarer, gut verständlicher Stimme: »Cressida Silverleaf. Ich bin freie Journalistin aus London und war zufällig hier, als Dr. Murphy ermordet wurde. Mein Spezialgebiet ist der illegale Handel mit Forschungsergebnissen, Wissenschaftsspionage und Biopiraterie.«

Augenblicklich war Ruhe eingekehrt. Wenn zuvor noch geschäftiges Stühlerücken und Gemurmel zu vernehmen war, hätte man nun eine Stecknadel fallen hören können. Mit einem Kopfnicken bedeutete Grace der Journalistin, fortzufahren.

»Man kann in diesem Bereich nicht nur eine Ausweitung der bekannt gewordenen Fälle in den letzten Jahren feststellen, sondern wir haben bedauerlicherweise auch eine zunehmende Brutalisierung dokumentieren können, was das Vorgehen betrifft, um an die entsprechenden Daten zu gelangen. Ich meine damit auch Mord. Wir hatten in England kürzlich eine ganze Serie davon. Haben Sie sich als Ermittler schon einmal gefragt, ob das als Motiv auch hinter Ihren Morden stecken könnte?« Die Frau setzte sich wieder hin. Alle im Raum schienen die Luft anzuhalten.

Während die Journalistin gesprochen hatte, hatte Grace schnell etwas auf einen von Rorys Zettelchen geschrieben, mehrmals gefaltet und ihm hingeschoben. Jetzt überlegte sie einen Augenblick, bevor sie antwortete. »Ein interessanter Hinweis, und wir danken Ihnen dafür. Wir halten Sie alle auf dem Laufenden. Ich danke Ihnen für Ihre Aufmerksamkeit.« Mit diesen Worten stand Grace auf und verließ unter den erstaunten Blicken von Byrne und Rory schnellstmöglich den Konferenzraum.

Vor der Tür bahnte sie sich einen Weg durch die wartende Journalistenmenge, die die Konferenz von draußen verfolgt hatte. Darunter war auch Peter, der ihr zuraunte, dass er vorhin auch Carol Lonnigan bemerkt habe.

Im Konferenzsaal hatte inzwischen Rory den Zettel von Grace auseinandergefaltet und las: »Bin im Magpie Café in Salthill. Ich muss unbedingt die britische Journalistin alleine sprechen. Halte sie auf. Unauffällig!«

51

Am frühen Nachmittag war Grace der einzige Gast in dem kleinen Café in Salthill. Sie bestellte eine Latte macchiato und ging noch einmal das Alibi von Carol Lonnigan durch. Diese hatte laut eigenen Angaben am Freitag, 13 Uhr 50, den Expressbus nach Dublin genommen. Der Fahrer, den sie bereits überprüft hatten, konnte sich nicht an sie erinnern, räumte aber ein, dass der Bus an Freitagnachmittagen so stark frequentiert sei, dass er sich nicht die Gesichter der Fahrgäste merken könnte. Ein Ticket hatte Carol auch nicht vorlegen können, was aber nicht ungewöhnlich war. Grace wusste aus eigener Erfahrung, dass der winzige Papierschnipsel gerne einen unbeabsichtigten Weg von der Jackentasche ins Freie fand. Um achtzehn Uhr hatte Carol dann mit dem schnellen Katamaran nach Holyhead von Dublin Port abgelegt, wie das abgestempelte Ticket auf ihren Namen bestätigt hatte. Von dort aus war sie um 20 Uhr mit dem Schnellzug nach Manchester zu ihrer Freundin Paula gefahren, wo sie gegen 23 Uhr eintraf. Angeblich sei sie bis Montagmorgen, 5 Uhr, bei ihr geblieben. Abgesehen von zwei kurzen Spaziergängen hatten sie zu Hause entspannt, was wiederum Paula den britischen Kollegen bestätigte. Auf die Frage, warum sie denn den umständlichen Weg nach Manchester gewählt habe und nicht einfach geflogen sei, hatte Carol Lonnigan von ihrer extremen Flugangst berichtet, unter der sie schon seit Jahren leide. Sie sei bis vor einem Jahr ausschließlich mit starken Beruhigungstabletten geflogen. Leider sei es in ihrer Branche unumgänglich, viel zu fliegen. Seit ein paar Monaten allerdings habe sie sich nicht mehr imstande gesehen, überhaupt noch zu fliegen, und müsse daher wohl oder übel umständliche Alternativen in Kauf nehmen. Sie arbeite jedoch daran und habe vor, einen Antiflugangstkurs bei Aer Lingus zu buchen.

Grace dachte nach. Ihr Bauch wisperte, so hatte es ihr Vater Shaun immer genannt, wenn sie etwas nur fühlen, aber nicht näher erklären konnte. Was stimmte an Carols Geschichte nicht?

»Darf ich mich setzen?« Die britische Journalistin stand vor Graces Tisch und lächelte unverbindlich, doch betont rätselhaft. Sie stellte sich als Cressida Silverleaf vor und nahm, ohne eine Antwort abzuwarten, Platz. »Ist das ein Verhör?«

Grace hatte sofort das Gefühl, dass sie angeflirtet wurde, was sie amüsierte.

Sie lächelte zurück. Sie waren nach wie vor die einzigen Gäste. Cressida bestellte sich ein getoastetes Sandwich und einen Tee und schaute sich um. Sie konnte kaum älter als dreißig Jahre alt sein, und Grace vermutete, dass ihr schlichtes weißes T-Shirt nicht unter zweihundert Euro gekostet hatte. Das passte zum unverwechselbaren Akzent der britischen oberen Mittelschicht, dachte sie sich. »Ich glaube nicht, dass Sie rein zufällig hier in Galway sind«, begann Grace die Unterredung und beobachtete die Reaktion ihres Gegenübers. Die junge Frau lehnte sich entspannt zurück und grinste breit.

»Genauso wenig, wie ich Ihnen glaube, dass Sie das Mordmotiv im Fall Murphy nicht im Zusammenhang mit seiner Arbeit gesucht haben. Es ist zu offensichtlich.«

»Nach was suchen Sie hier?«, überging Grace diese Bemerkung.

Cressida wurde jetzt ernst. »Meine Londoner Kollegen und ich sind schon seit Längerem einer internationalen und höchst professionell operierenden Agentur auf der

Spur, die illegal mit brisanten Forschungsergebnissen handelt.«

Eine ältere Kellnerin servierte den Toast mütterlich eifrig ohne die Tasse Tee, die noch aufgebrüht wurde.

»Eine Agentur?«, fragte Grace nach. Die Journalistin biss von ihrem Toast ab, und der geschmolzene Käse tropfte an der Seite heraus. Sie leckte sich genüsslich die Finger ab. Das Besteck mit der Papierserviette hatte sie nicht weiter beachtet. Grace grinste innerlich. Mitglieder der britischen oberen Mittelschicht beeindruckten gerne mal durch schlechte Tischmanieren und nachlässige Kleidung, wobei Letzteres auf Cressida nicht zutraf: Ihr sündhaft teures T-Shirt war fleckenfrei und wies kein einziges Loch auf.

»Wir glauben nicht an einen ›Ring‹ von Forschungsgangstern. So etwas wird normalerweise von einer, höchstens zwei Personen sehr diskret geführt. Deshalb sagen wir auch ›Agentur‹. Agenturkunden sind meistens verdeckt arbeitende Global Player aus China oder Osteuropa, aber auch von Indien aus geht man dort gern mal ›shoppen‹. Weniger Anfragen kommen heutzutage aus Nord- oder Südamerika. Kommt aber auch schon mal vor.«

Inzwischen hatte die Kellnerin, die gleichzeitig auch die Küche machte, den frisch zubereiteten Tee an den Tisch gebracht. Sie strahlte die beiden Frauen an.

In dem Moment hielt direkt vor dem Café ein weißer Lieferwagen. Grace registrierte das, weil hier eigentlich absolutes Halteverbot galt. Er hielt kurz an und fuhr dann weiter. Der Fahrer war nicht zu erkennen gewesen. Cressida folgte Graces Blick und sah sie dann fragend an. Doch sie wischte ihre Bedenken mit einer kurzen Handbewegung weg und bat die Journalistin, fortzufahren.

»Bei diesem Geschäft sind immense Summen im Spiel, wobei es interessanterweise nicht immer darum geht, die gestohlenen Erkenntnisse dafür einzusetzen, um selbst neue Produkte auf den Markt zu werfen. Mindestens genauso häufig geht es auch darum, Forschungsergebnisse verschwinden zu lassen, um geplante oder bereits vorhandene eigene Produkte auf dem Weltmarkt nicht zu gefährden.«

»Und diese Recherche hat Sie hierhergeführt?«

Cressida nickte und stopfte sich den Rest des Käseschinkentoasts, in den Mund. »Ich hatte gestern für den frühen Abend mit Murphy eine Verabredung ausgemacht. Aber dazu ist es bedauerlicherweise ja nicht mehr gekommen.«

Ihre Augenlider flackerten leicht und erinnerten Grace entfernt an die Bewegungen eines Kolibris. »Wer, außer Murphy, wusste von dieser Verabredung? Bitte denken Sie genau nach. Das ist jetzt äußerst wichtig.«

Cressida Silverleaf überlegte und ließ sich Zeit damit. »Niemand. Von mir hat niemand etwas erfahren. Ich war gestern auch mit dem Norweger vom PC verabredet gewesen. Grønmo. Aber auch der kam nicht. Stattdessen erhielt ich von seinem Institut eine Nachricht auf mein Handy, dass er kurzfristig nach Norwegen fliegen musste. Auch komisch, wenn gerade ein enger Mitarbeiter ermordet wurde.«

»Wir haben Murphy erst heute Morgen gefunden. Ermordet wurde er gestern Abend«, sagte Grace.

Cressida zögerte und nahm einen Schluck Tee. Über den Tassenrand beobachtete sie Grace. Dann stellte sie entschlossen die Tasse zurück auf die Untertasse. »Also gut. Ich habe Ihnen nicht alles gesagt. Ich war schon gestern Nachmittag im PC, um Vincent Murphy dort abzufangen. Verabredet waren wir eigentlich erst später bei ihm zu Hause. Aber irgendwie hatte ich so eine Ahnung, dass da was stinkt. Ich kann sehr hartnäckig sein, wissen Sie. Muss man manchmal in meinem Job. Man hat mich abgewimmelt im PC, aber ich bin sicher, dass er in seinem Büro war. Später klingelte ich dann bei ihm zu Hause, aber es machte niemand auf. Er war offenbar vor mir mit dem Auto zurückgekehrt. Der Wagen stand in der Einfahrt.«

Sie spielte an ihren Kopfhörern, die immer noch um ihren Hals baumelten. Ein junger Mann in Jeans und dunkelgrünem Pulli hatte mittlerweile das Café betreten. Er nahm in Hörweite von ihnen Platz, ohne sie zu beachten, und vertiefte sich in die Speisekarte. Grace beobachtete ihn genau, stand dann abrupt auf, um an der Theke zu zahlen. Cressida folgte ihr. Beim Hinausgehen fotografierte die Journalistin wie eine Touristin die nette ältere Dame, die sie bedient hatte und die nun fröhlich winkte, und hatte damit auch den einzigen anderen Gast, der sich zu spät abgewandt hatte, auf das Bild gebannt.

Draußen überquerten die beiden Frauen zügig die Uferpromenade und nahmen den Weg Richtung Ortsausgang. Grace hatte zunächst zu ihrem Wagen zurückkehren wollen, entschloss sich jedoch spontan, mit der Journalistin auf der stark befahrenen Uferpromenade zu bleiben. Ihr Bauchgefühl sagte ihr, dass das im Moment sicherer war. Sie schaute sich um, doch niemand folgte ihnen. »Werden Sie beobachtet?«, fragte sie Cressida, die bis jetzt ohne zu fragen neben ihr hergelaufen war.

Die Journalistin nickte erstaunlich gleichgültig. »Ich glaube schon. Zumindest habe ich den Eindruck, als folge mir jemand, seitdem ich hier bin. Aber das sind wir gewöhnt, das ist nichts Besonderes.«

In Graces Ohren klang das einen Hauch zu abgebrüht.

Auf alle Fälle wusste die Journalistin, wovon sie sprach. »Wie wichtig war Murphy in der Wissenschaftsszene?«

»Sehr wichtig. Sein wissenschaftliches Renommee ist immens, und seine Aufrichtigkeit wird überall respektiert und geschätzt. Ich selbst habe ihn im letzten Jahr mehrmals persönlich getroffen und kann mir überhaupt nicht vorstellen, dass er in den Mordfall mit der jungen Frau verwickelt sein könnte.«

Grace lachte kurz auf. »Sie glauben bei Ihrem Job trotzdem noch an das Gute im Menschen?«

Jetzt blieb die Journalistin stehen und schaute Grace ernst an. »Nein, das tue ich selbstverständlich nicht. Aber Murphy und ein Mordkomplott? Das passt einfach nicht zusammen.« Sie lief wieder weiter, und Grace hatte auf einmal Mühe, mit ihr Schritt zu halten. Nach einem kurzen Schweigen sagte Cressida: »Irgendwie hatte ich von Anfang an das komische Gefühl, zu spät zu kommen. Und das hat sich ja leider auf grauenhafte Weise bestätigt.«

Der lange weiße Sandstrand links von ihnen war fast menschenleer, obwohl das Wetter gar nicht mal so schlecht war. Die Ebbe hatte den Strand großzügig verbreitert. Lediglich ein paar Kinder konnten sie in der Ferne entdecken, die jauchzend in die Wellen rannten. Dann sahen sie auch wieder den weißen Lieferwagen, der einige Meter weg vom Strand parkte. Grace deutete mit dem Kopf in seine Richtung, und Cressida nickte, ohne sich aus der Ruhe bringen zu lassen.

»Mein Kollege und ich werden jetzt weiteren Hinweisen nachgehen.«

»Da das sicherlich in unmittelbarem Zusammenhang mit unseren Ermittlungen steht, muss ich darauf bestehen, wirklich alles zu erfahren!« Warum hatte sie auf einmal das Gefühl, eine Bittstellerin bei der Britin zu sein?

Cressida wiegte nachdenklich ihren Kopf. »Es ist noch zu früh, aber ich verspreche, Sie selbstverständlich sofort zu informieren, wenn ich etwas habe. Wirklich.« Wie zur Bekräftigung hielt sie Grace die Hand hin, die darin einschlug. Als sie ihre Visitenkarten austauschten, ließ der Lieferwagen plötzlich den Motor an und fuhr langsam in ihre Richtung.

Grace behagte die Situation nicht. Unauffällig griff sie nach der Waffe. Langsam rollte der Wagen vorbei, aber sie konnte nicht erkennen, wer am Steuer saß. Wenigstens merkte sie sich das Kennzeichen.

»Wir werden beobachtet, das ist eindeutig.« Grace rief die Garda-Zentrale an und bat darum, eine Streife zu schicken. Sie gab das Kennzeichen durch und blickte dem Auto hinterher, bis es abbog und verschwunden war. »Ich traue dem Frieden hier nicht, Cressida«, sagte sie und spürte ihre eigene Nervosität. »Wir sollten an einem anderen Ort weiterreden.«

»Ich habe nicht viel Zeit, Superintendent. Wenn Sie etwas wissen wollen, dann fragen Sie mich hier und jetzt.«

»Wissen Sie, wer hinter dieser sogenannten Agentur steckt? Irgendwelche Vermutungen müssen Sie doch haben.« Grace ahnte, dass sie an einem entscheidenden Wendepunkt in ihren Ermittlungen standen.

»Leider wissen wir noch nichts Konkretes. Glauben Sie mir, ich würde es Ihnen sagen. Aber wir sind dran.«

Diese Formulierung hatte Grace selbst schon unzählige Male benutzt, und sie wusste, was sie wert war. Nichts. Obwohl Cressida sie offen anschaute, glaubte Grace ihr nicht.

Die Journalistin schien die Zweifel zu sehen, denn nach ein paar Sekunden fügte sie leise hinzu: »Alles, was ich Ihnen sagen kann, ist, dass eine Spur nach Shanghai führt, eine andere direkt zu uns nach London. Da ist mein Kollege dran. China dagegen ist kompliziert.« Sie pfiff leicht durch die Zähne. »Da hilft uns ein chinesischer Kollege vor Ort, aber der ist auch noch nicht viel weiter.« Sie kramte in ihrem Louis-Vuitton-Rucksack.

In dem Moment sah Grace den weißen Lieferwagen um die Ecke biegen. Er hielt 200 Meter vor ihnen am Straßenrand und ließ den jungen Mann aus dem Café zusteigen, der sie vorher offenbar aus der Ferne beobachtet hatte. Als zur gleichen Zeit der Streifenwagen von Garda auftauchte, fuhr der Wagen mit quietschenden Reifen an, beschleunigte in kürzester Zeit und raste die Uferstraße entlang Richtung Innenstadt. Das alles hatte nur wenige Sekunden gedauert. Grace löste die Hand von ihrer Waffe, zu der sie instinktiv gegriffen hatte.

»Sie sollten extrem vorsichtig sein, Cressida. Versprechen Sie mir das. Was ich hier sehe, gefällt mir überhaupt nicht.«

Die junge Frau nickte und steckte sich eine Zigarette an. »Solange ich hier bin, gehe ich nirgendwohin, ohne Sie zu unterrichten. Abgemacht?«

»Wie lange haben Sie noch vor zu bleiben?«

Die Journalistin zuckte unschlüssig mit den Schultern. »Kommt drauf an«, antwortete sie knapp.

»Falls ich nicht greifbar bin, informieren Sie bitte meinen Kollegen Rory Coyne. Sie haben ihn ja kennengelernt. Seine Nummer steht auch auf der Karte.« Das war eine zusätzliche Absicherung, wenn sie nicht da sein würde. Sie wollte ihr nicht sagen, dass sie in einer guten Stunde die Maschine nach Dublin nehmen würde. Niemand außer Rory wusste das. Dann fiel ihr noch etwas ein: »Haben Sie eigentlich auch mal Murphys Zwillingsbruder Fred Murphy kennengelernt?«

Cressidas überraschtes Gesicht verriet ihr die Antwort sofort. »Nein! Ich wusste ja gar nicht, dass Murphy einen

Zwillingsbruder hat. Ist ja ein Ding! Den hatte er aber gut versteckt, oder?«

Auf Graces Gesicht fiel ein Schatten. »Hoffentlich«, murmelte sie.

52

»Der Junge ist alt und intelligent genug, um zu wissen, dass er seine Eltern mit dieser Behauptung in Schwierigkeiten bringt! Warum tut er es dann? Und nicht nur einmal!« Grace hatte bereits eingecheckt und wartete auf dem kleinen Flughafen von Galway auf ihren Abflug nach Dublin. Sie telefonierte gerade mit Rory, hielt das Handy mit der gesunden Schulter ans Ohr geklemmt und in der freien Hand einen Pappbecher mit Tee.

»Mein Gott, Grace, der Junge ist zehn«, entgegnete Rory. »Das ist, wie ich mich bei meinen Töchtern gut erinnern kann, genau das Alter, in dem sich Kinder berufen und stark genug fühlen, ihren Eltern immer und unter allen Umständen zu helfen.«

»Was hat denn die Befragung der Nachbarstochter ergeben, die laut Maggie Cadogan bei ihnen gewesen sein soll?« Hastig nahm Grace einen Schluck aus dem Pappbecher, verbrannte sich die Zunge und unterdrückte einen Fluch.

»Die absolviert praktischerweise für die Cadogans seit zwei Wochen ein soziales Jahr in Chile. Der Vater konnte sich nicht mehr erinnern, ob seine Tochter an dem Abend bei den Nachbarn gewesen war, fragt sie aber, wenn er das nächste Mal mit ihr telefoniert. Übrigens hat er mir eine Fotografie seiner Tochter gezeigt, und ich muss zugeben, dass eine entfernte Ähnlichkeit mit Annie McDoughall besteht. Und noch was: Maggie Cadogan hat behauptet, dass beide Kinder in Limerick bei der Großmutter seien. Ich kann Colm momentan also leider nicht noch einmal befragen.«

»Bitte gehen Sie zu Gate 3. Der Flug nach Dublin ist nun zum Einsteigen bereit.« Die Durchsage tönte blechern aus dem Lautsprecher und wurde auf Irisch wiederholt. Grace trank hastig aus und nahm ihr leichtes Handgepäck. Während sie zur Security schlenderte, erzählte sie Rory von dem Gespräch mit Cressida. »Wir müssen unbedingt herauskriegen, wer die sogenannte Agentur ist. Vielleicht verbirgt sich ja Blue Finn dahinter. Grønmo ist übrigens verschwunden. Man könnte auch sagen: abgetaucht. Ich habe schon über die Kollegen in Norwegen angefragt, ob er sich in Oslo aufhält. Aber ich habe noch keine Antwort erhalten. Habt ihr den Halter des Lieferwagens?«

»Eine kleine Firma zwischen Roundhouse und Cashel. Wir haben jemanden hingeschickt«, sagte Rory.

Grace stellte ihre Tasche und ihren Laptop auf das Fließband am Securitycheck und machte dem Mann dahinter ein Zeichen, dass sie auch gleich folgen würde. Prompt hob er beides wieder vom Band, bevor es den Scanner passieren konnte, und stellte es zu ihr zurück.

»Tut mir leid, Ma'm, aber hier läuft nichts ohne den dazugehörigen Passagier durch. Und bitte halten Sie noch einmal Ihr Ticket und Ihre ID bereit.«

Grace schaute ihn irritiert an und ging einen Schritt zur Seite. »Mein Gott, hier sind die ja noch pedantischer als in Skandinavien«, murmelte sie in ihr Handy.

»Von wem sprichst du, Grace?« Rory klang amüsiert.

»Ich meine die Security, Rory, hier am Flughafen. Übrigens: Ich fliege nicht nur wegen Roisin nach Dublin.

Ich treffe mich morgen mit Fred Murphy. Das Familiengrab ist in Howth, und er bereitet dort die Beerdigung vor.«

»Du musst den Besuch bei deiner Tochter nicht vor mir rechtfertigen, Grace.« Rory klang ruhig und freundlich. Grace schüttelte trotzdem irritiert den Kopf und ging dann nicht weiter darauf ein.

»Ich halte Murphys Bruder für gefährdet. Ich bin sicher, dass Vincent bei ihm Sicherheitskopien deponiert hat. Darüber muss ich mit ihm sprechen.«

»Wir wissen nun, dass Murphy zwischen sechs und acht Uhr abends umgebracht worden ist und dass er seinen Mörder selbst hereingelassen haben muss. Es gab keine Einbruchsspuren.«

»Wo ist Day?«, fragte Grace abrupt und runzelte die Stirn.

Rory hustete. »Robin hat darauf bestanden, dass er etwas zu tun kriegt. Du hast mir ja eine Liste mit ein paar hübschen Aufgaben hinterlassen, die ich bis morgen abarbeiten soll. Da müsste doch was für ihn dabei sein, wo er kein Unheil stiften kann. Sag ich doch.«

Grace sah sich um. Die letzten zwei Passagiere für den Dublin-Flug warteten noch vor der Security. »Schick ihn zu Jones, dem Agenten von Joyce, und notfalls noch mal zu Annies Eltern hoch nach Mayo. Dann ist er beschäftigt und weit weg«, sagte sie rasch.

»Ma'm wollen Sie nun nach Dublin oder nicht? Sie sind die Letzte!« Der Mann in der beigen Uniform hielt seine Arme verschränkt.

Grace nickte ihm bestätigend zu und sprach rasch weiter: »Rory, du übernimmst Pattie Burke, die habe ich ins Präsidium bestellt, meinen Onkel, Carol und …«, sie zögerte, bevor sie weitersprach, »… und Murray Finnigan. Ich muss jetzt gehen. Und noch was, Rory: Bitte behalte meinen Aufenthalt in Dublin für dich. Ich will nicht, dass Robin im Moment etwas davon erfährt. Denk dir was aus, wenn er fragen sollte.«

Sie hatte währenddessen noch einmal Tasche und Laptop auf das Band gestellt und versuchte umständlich, ihre Lederjacke auszuziehen, um sie dazuzulegen. Der Security-Mann sah ihr ungeduldig dabei zu.

»Rory, bist du noch dran?«

»Ja.«

»Wenn dir gar nichts einfällt, kannst du ihm ja sagen, ich verhöre gerade die Witwe Malone. Bis später.« Sie legte grinsend auf.

»Und nun brauche ich noch Ihr Ticket und Ihre ID, Ma'm.«

Seufzend fingerte Grace das Ticket und ihren Führerschein hervor und gab ihm beides. »Ich habe vor wenigen Minuten dem Kollegen da vorne all das schon einmal vorgezeigt. Halten Sie das nicht für ein bisschen übertrieben?«

Der Angestellte gab ihr beides zurück, nachdem er einen langen und sehr genauen Blick darauf geworfen hatte, und sagte mit stoischer Miene: »Ach Ma'm, wenn Ihnen das zu viel ist, dann nehmen Sie doch das nächste Mal das Boot nach Dublin. Die haben laschere Security-Vorschriften.«

Grace schaute ihn wütend an. »Es geht kein Boot von Galway nach Dublin.«

Er lächelte spröde. »Das ist Pech für Sie, Ma'm.«

53

Zaghaft klopfte Grace an die Zimmertür. Sie stand im ersten Stock der geräumigen Stadtvilla von Dara und Oonagh. Das Haus stammte aus den frühen Jahren des zwanzigsten Jahrhunderts, als James Joyce seine Dubliner in solchen Häusern leben und leiden ließ. Grace war erst vor wenigen Minuten angekommen. Liv hatte sie fest in die Arme genommen und gedrückt, Dara und Oonagh saßen mit versteinerten Mienen im Wohnzimmer und winkten ihr müde zu. Declan war bei einem Freund zum Übernachten. Eine gedrückte und angespannte Atmosphäre lag über allem. Roisin hatte sich seit Stunden in ihrem Zimmer verkrochen, und Grace wollte sie sofort sehen.

Als sie auch nach dem zweiten Klopfen keine Antwort erhielt, drückte sie einfach die Klinke herunter und betrat das halbdunkle Zimmer.

Roisin lag mit abgewandtem Kopf auf dem Bett. Sie sah so zart und verletzlich aus, als habe sie sich in einen unsichtbaren und doch undurchdringlichen Kokon eingesponnen. Grace war sofort an ihre eigene Teenagerzeit erinnert. Sie wusste noch genau, wie sie sich selbst damals gefühlt hatte in dieser Hülle aus Abwehr, Verweigerung, aber auch der Sehnsucht nach Verständnis und Liebe. Wenn sie ehrlich war, hatte sie diese Hülle bis heute nicht richtig abgelegt.

Vorsichtig setzte sie sich neben ihre Tochter aufs Bett und wartete. Sie blickte in die weichen Züge eines Kindergesichts, das im Begriff war, älter zu werden. Die geschwungenen, vollen Lippen waren etwas energischer, fast härter geworden, die großen grauen Augen wirkten verschattet. Zögernd nahm Grace Roisins Hand. Das

Mädchen ließ es geschehen. Mit einem kleinen Lächeln betrachtete Grace ihre Tochter, die auf einer auffallend roten Tagesdecke lag.

»Warum bist du unglücklich? Fühlst du dich hier allein?«

Das Mädchen sah sie an. Sie schien geweint zu haben. Ihre Schultern zuckten fast unmerklich. Als sie antwortete, klang sie erstaunlicherweise nicht trotzig. »Ich gehöre halt irgendwie nicht dazu.«

»Weil Dara und Oonagh nicht deine echten Eltern sind?«

»Nein, das ist es nicht, aber ihre Welt ist halt nicht meine. Ich habe die Nase voll von dem ewigen Streit ums Geld. Es kotzt mich an.«

Sie drehte sich zur Wand und zog dabei ihre Hand aus der von Grace.

»Weißt du, für Dara und Oonagh ist das nicht immer leicht. Die haben auch ihre Probleme miteinander. Und dazu gehören auch Geldsorgen. Aber sie lieben dich wie ihr leibliches Kind, das kann ich dir versichern.« Grace tat ihr Bestes, um bei Roisin Verständnis zu wecken, aber sie zog es vor, zu schweigen. Grace betrachtete die Wand hinter dem Bett, an die ihre Tochter eine etwas schräge, punkige Darstellung der Mutter Gottes geheftet hatte.

»Und du glaubst, dass ein Kloster dir dieses Gefühl des Dazugehörens geben kann?«

»Keine Ahnung. Ist einen Versuch wert. Zumindest haben sie dort andere Werte als die hier.« Das »die« hatte hart und abschätzig geklungen. Bevor Grace reagieren konnte, traf sie eine unerwartete Gegenfrage des Mädchens.

»Weißt du eigentlich, wohin du gehörst?«

Grace war irritiert, und sie wusste so schnell darauf

keine Antwort. Roisin hatte sich plötzlich aufgesetzt und brachte ihr Gesicht bedrohlich nah an das von Grace. Ihre Augen glitzerten.

»Bin ich eigentlich wie mein Vater? Irgendjemandem muss ich doch ähnlich sein, wenn ich schon nicht auf die O'Malleys komme.«

Grace antwortete ihr nicht und rutschte instinktiv ein Stück weg. Roisin wurde wütend. Sie schlug mit einer Hand kräftig auf die Bettdecke, als es aus ihr herausbrach: »Verdammt noch mal! Ich will mit vierzehn endlich wissen, wer mein Vater ist, und ich habe ein Recht darauf! Ihr O'Malleys habt doch alle einen Schuss weg!«

Erschrocken über die heftige Reaktion und überrumpelt von Roisins Vorwürfen, kam Grace ins Stottern: »Roisin, das kann ich dir nicht sagen, weil ich es selbst nicht weiß … ich war damals jung und …«

»Das glaub ich dir nicht, dass du nicht weißt, wer mein Vater ist! Das glaube ich dir einfach nicht. So bist du nicht.«

Grace spürte die Röte, die ihr ins Gesicht zog. Roisin war jetzt aufgesprungen und lief wie ein gehetztes Tier im Zimmer auf und ab. Sie schaute Grace nicht an. »Weißt du was? Die O'Malleys rühmen sich doch immer wegen ihres ach so unbeugsamen Charakters. Jedenfalls labert Dara davon tagaus, tagein. Da kann ich nur schon mal ankündigen: Ich hab noch ein paar kleine Überraschungen für euch alle in petto!«

In dem Moment klopfte es, und Liv stand, auf ihren Stock gestützt, in der Tür. Sofort rannte Roisin auf sie zu und verbarg sich in ihren Armen. Über Roisin hinweg blickte Liv Grace merkwürdig hilflos und entschuldigend an. Eine heiße Welle des Neides schwappte über Grace. Ihre Tochter suchte Schutz und Geborgenheit bei der Großmutter. Sie selbst hatte ihr das nie geben können, und dieses Gefühl der eigenen Unzulänglichkeit lastete wieder einmal schwer auf ihr. Zusammengesunken saß Grace auf dem Bett und schaute auf den Boden, der mit einem grellbunten skandinavischen Flickenteppich bedeckt war. Er erinnerte ein wenig an die Robe der grellbunten Muttergottes über dem Bett.

»Roisin, mein Kind, hättest du Lust, nach diesem Schuljahr zu mir nach Aarhus zu kommen und dort zu leben?« Livs dunkle ruhige Stimme hatte den ganzen Raum ausgefüllt.

Grace sah mindestens so überrascht aus wie Roisin, die aber sofort verstanden hatte, sich aus Livs Armen löste und laut zu lachen begann.

»Das wäre absolut geil! Ja, natürlich habe ich Lust! Ich war ja schon oft in Dänemark und kann die Sprache ein wenig. Das krieg ich hin!« Roisin strahlte das erste Mal seit Langem.

»Aber hier hast du alle deine Freunde, und dort kennst du erst einmal niemanden in deinem Alter. Denk darüber in Ruhe nach, aber mein Angebot steht«, gab Liv zu bedenken. Sie lächelte Grace zu, dann hinkte sie aus dem Zimmer und fuhr sich dabei durch die Haare, als wolle sie überprüfen, ob das wirre Ungetüm noch da war. »Kommt ihr dann bitte runter? Oonagh hat uns etwas zu essen gemacht.«

Beide nickten gehorsam, und Liv schloss die Tür hinter sich. Grace war vom Bett aufgestanden, um ein paar Schritte auf Roisin zuzugehen, die aber zurückwich und eine abwehrende Handbewegung machte. Grace ignorierte es und schluckte tapfer den Kloß in ihrem Hals hinunter.

»Das wäre doch eine gute Lösung, oder?«, sagte sie aufmunternd.

Roisin gab ihr keine Antwort, sondern schien nachzudenken. »Weißt du, was mir am meisten stinkt? Dass hier immer die Familie über alles gestellt wird: Papa, Mama, Kinder – über alles.«

Grace ließ ihren Blick ein paar Sekunden auf ihrer Tochter ruhen, bevor sie etwas sagte. »Und was ist daran nicht in Ordnung?«

Roisins Lippen bebten, dann leckte sie kurz darüber, eine Angewohnheit, die Grace von sich kannte. »Weil es total verlogen ist. Weil es einfach nicht stimmt. Niemand traut sich hier, die Wahrheit auszusprechen. Glaubst du, dass hier einer mal darüber spricht, dass Dara Tabletten nimmt? Auch Declan weiß es. Nicht von mir! Aber der ist doch nicht blöd! Mit zehn bist du nicht mehr blöd!«

Blitzartig musste Grace an Colm denken, den zehnjährigen Sohn der Cadogans. Doch da redete Roisin schon weiter: »Nach außen tun alle immer so, als sei alles super. So sieht es nämlich überall aus. Bei allen meinen Freunden. Das hängt mir zum Hals raus. Aber weißt du, was ich noch beschissener finde? Wenn du dich hinstellst und so tust, als hättest du gar keine Familie!«

Roisin stand jetzt ganz dicht vor Grace. Sie war noch ein Stückchen kleiner als Grace und musste etwas zu ihr hochschauen. Sie zischte: »Wie krank ist das denn?« Dann drehte sie sich um und verließ das Zimmer, hocherhobenen Hauptes, mit einem entschlossenen Gesichtsausdruck und barfuß.

Grace starrte ihr entsetzt hinterher.

54

Der Wind peitschte den Regen gegen den Holzpavillon am Strand von Howth, in dem Grace seit einer Viertelstunde wartete. Die bunten Lichterketten, die man über die Promenade gespannt hatte, schaukelten in den Böen. Sie hatte ihren tannengrünen Anorak bis zum Hals zugezogen und das Handy unter der Kapuze ans Ohr geklemmt. Gerade hatte sie Rory den Namen der Frau mitgeteilt, die in Oonaghs Wellnesstempel die giftgrünen Stilettos getragen hatte. Oonagh hatte inzwischen den Namen recherchieren können.

»Ja, Rory, hört sich Russisch an. Sie hat auch eine Adresse hinterlassen, interessanterweise bei uns in der Nähe, in Cashel, keine Dubliner Anschrift.« Auch die nannte sie ihm.

»Am besten, du fährst da noch heute raus und schaust dich um. Das ist doch ganz in der Nähe, wo auch der Lieferwagen gemeldet ist, der hinter Cressida her war, oder?«

»Ja. Das stimmt«, sagte Rory am anderen Ende der Leitung. »Übrigens habe ich gerade erfahren, dass der Zustand der kleinen Zoe nach wie vor kritisch ist.«

»Das tut mir wahnsinnig leid.«

Beide schwiegen einvernehmlich für einen Moment. Grace hörte die Wellen an die Kaimauern klatschen. Ab und zu spritzte die Gischt so hoch, dass sie die großen Pfützen am Uferweg neu befüllte. Grace lehnte sich zurück und warf kurz einen Blick auf die Uhr. Murphy hätte eigentlich schon da sein müssen. Sie war sicher, dass dies der Treffpunkt war, den er gemeint hatte.

»Was gibt's Neues bei dir, Rory?«, fragte sie.

»Nun ja, Pattie Burke hat darauf bestanden, nichts von

Donals illegalen Deals gewusst zu haben. Carol Lonnigan hat ihn ihr damals vorgestellt, als sie noch ein Paar waren. Nachdem man sich gut verstand und sich sympathisch war, hat Pattie ihm kostenlose Logis gegen professionelle Verköstigung angeboten. Für ihre Gäste sei der Spitzenkoch natürlich eine zusätzliche Attraktion gewesen. So haben alle davon profitiert. Dass er die Aufenthalte auf der Insel auch für andere, illegale Geschäfte genutzt haben soll, hat sie nicht geahnt.« Rory machte eine kurze Pause. »Wenn du mich fragst, Grace: Ich halte sie nur für bedingt glaubwürdig. Ich glaube, sie verheimlicht uns etwas. Das muss gar nicht zwingend mit dem Mord zu tun haben.«

»Dem Mord und dem Mordversuch«, verbesserte Grace ihn.

Rory seufzte und erzählte ihr dann von seinem neuerlichen Gespräch mit Zoes Eltern. »Es war wirklich schlimm, Grace. Ganz schlimm.« Er schwieg ein paar Sekunden. »Carols Alibi ist von ihrer Freundin übrigens ganz klar bestätigt worden. Die britischen Kollegen haben heute Morgen das Protokoll gefaxt.«

»Kannst du mal nachprüfen, was man vorlegen muss, wenn man den Katamaran nach Dublin nimmt.«

»Was meinst du mit ›vorlegen‹?«

»Na, ob man bei der Security, außer dem Ticket, auch seine ID vorweisen muss. Wie beim Fliegen.«

»Mach ich. Wieso?«

»Nur so eine Idee. Ich muss jetzt Schluss machen, Rory. Ich glaube, Fred Murphy ist im Anmarsch.« Grace hatte durch das halb beschlagene Fenster einen Mann entdeckt, der mit einem Regenschirm als Schutzschild auf den Pavillon zueilte. Die Wolken am Himmel hatten sich in das aufgewühlte Meer gesenkt. Es schüttete wie aus Eimern.

»Grace, noch was. Ich habe ja noch einen Termin mit deinem Onkel und soll noch nach Cashel raus. Dann schaffe ich heute auf keinen Fall mehr Cong. Kannst du das bitte heute Nachmittag übernehmen? Es liegt ja fast auf deinem Rückweg?«, rief Rory noch schnell ins Telefon.

Grace wurde es auf einmal unangenehm warm in ihrem Anorak. Sie suchte nach Worten. Dann schluckte sie und sagte mit gepresster Stimme: »In Ordnung, Rory. Mach ich. Bis dann.« Sie legte auf und steckte ihr Handy weg.

»Guten Tag, Mr Murphy«, begrüßte sie den Mann, der gerade den stickigen, feuchten Raum betreten hatte und seinen Schirm ausschüttelte. Sie musterte ihn aufmerksam. »Sie sehen wirklich aus wie Ihr Bruder. Übrigens mein herzliches Beileid und vielen Dank, dass Sie kommen konnten.«

Fred Murphy deutete ein Lächeln an und gab ihr die Hand. Sein Gesicht war von Erschöpfung gezeichnet. Er strich sich über das feuchte Haar, das er genauso trug wie sein Bruder. Nur eine Kleinigkeit war anders, aber Grace konnte nicht sagen, was genau es war. Sie setzten sich an den einfachen Holztisch, der in der Mitte des Pavillons stand. Fred Murphy begann sofort zu sprechen.

»Haben Sie schon irgendeine Spur vom Mörder meines Bruders?«

»Nein, leider keine konkrete. Können Sie mir nicht doch Näheres über das Gefühl der Bedrohung sagen, das ihr Bruder geäußert hatte?«

Murphy schüttelte nachdenklich den Kopf.

»Hat er denn nie einen Namen genannt, Mr Murphy? Versuchen Sie, sich genau zu erinnern, bitte«, insistierte Grace und strich sich eine feuchte Haarsträhne aus der Stirn.

»Nein, ein Name fiel nie. Aber in Belfast sagte er mal, dass es in seinem Institut nicht mehr unbedingt mit rechten Dingen zuginge. Mehr nicht. Das ist alles, was ich weiß.«

Doch Grace ließ nicht locker. Die englische Journalistin wollte sie vorerst nicht erwähnen, dafür fragte sie nach Cadogan und Blue Finn. »Kann es sein, dass er diese beiden Namen mal erwähnte? Sie deuteten so etwas ja schon mal an.«

Fast unwillig hob Murphy die Schultern und ließ sie dann wieder sinken. Er schwieg, fast trotzig. Der Regen prasselte gegen die Scheiben, als wolle er sich bei den zwei Menschen im Pavillon in Erinnerung bringen.

Grace entschloss sich zur Überrumpelungstaktik. »Mr Murphy, wir wissen, dass Ihr Bruder Ihnen Sicherheitskopien übergeben hat. Die brauchen wir von Ihnen.« Es funktionierte. Murphy antwortete ohne zu zögern.

»Ja, die sind bei mir in Berlin. Das war nur eine zusätzliche Absicherung. Ich werde sie Ihnen per Express schicken, sobald ich wieder zurück bin.«

»Schicken Sie sie besser über die deutsche Polizei«, sagte Grace lächelnd. Murphy nickte und lächelte auch.

Grace fuhr fort. »Fühlen Sie sich beobachtet oder verfolgt seit Belfast?«

»Wieso seit Belfast?« Murphys dichte Augenbrauen zogen sich zusammen.

»Nun, ich meine seit das mit Annie passierte und Ihrem Identitätsschwindel.«

Murphy riss die Augen auf und schien auf einmal hellwach zu sein. »Wovon reden Sie?«

Grace beobachtete ihn aufmerksam. Jetzt schien Bewegung in die Sache zu kommen. Murphy wirkte alarmiert. »Ihr Bruder hatte uns Ihren Trick verraten, nachdem wir herausgefunden hatten, dass Sie für ihn bei der Konferenz in Belfast an dem Abend eingesprungen sind.«

Murphy lachte leise auf und machte eine wegwerfende Handbewegung. »Ach das. Das war albern von uns. Da dachte ich, er ist in Schwierigkeiten, und war sofort bereit, ihm herauszuhelfen. So ist das eben bei Zwillingsbrüdern. Das haben wir als Kinder dauernd gemacht. Unsere Eltern sind manchmal fast durchgedreht.« Aus seinem Gesicht war für einen kurzen Moment die Trauer gewichen, und er lächelte gedankenverloren.

»Was genau hat Vincent Ihnen denn erzählt über das, was in Galway vorgefallen war?«

Sofort verschwand das Lächeln aus Murphys Gesicht. Er murmelte, dass sein Bruder sehr bedrückt, ja, fast verwirrt gewirkt habe und dass er besser nicht weiter habe nachfragen wollen. Grace musste sich zusammenreißen. Roisins Wutanfall gestern Abend kam ihr in den Sinn. Sie hatte recht mit ihrer Behauptung, dass heikle Themen in Familien gerne unter den Teppich gekehrt werden würden. »Wie offen gingen Sie denn miteinander um?«

Murphy schaute sie misstrauisch an. »Sehr offen, wieso? Bei Zwillingen ist das immer so.«

Grace seufzte innerlich. Sie hätte sie alle zusammen schütteln können. »Was wissen Sie über Annie, seine Putzfrau?«

»Ehrlich gesagt, nicht viel. Einmal habe ich sie kurz getroffen, als ich meinen Bruder in Galway besucht habe. Aber an ihre Freundin kann ich mich noch erinnern.«

»Die blonde Carol?« Grace wurde hellhörig.

Fred Murphy nickte.

»Carol war im Haus Ihres Bruders?«

Er winkte ab, nein, sie habe im Auto auf Annie gewartet. Er habe damals kurz mit ihr gesprochen, bis Annie erschien.

»Wieso können Sie sich so gut an Carol erinnern?«

Murphy spielte mit dem Knauf des Schirms, den er in seiner Hand wie eine Spindel rotieren ließ. Plötzlich riss der Wind die Tür auf und blies salzige Wassertropfen in den kleinen Raum. Murphy sprang auf und schloss die Tür mit Nachdruck. Dann kam er langsam zum Tisch zurück.

»Wissen Sie, das mag jetzt komisch klingen, aber diese Frau war wie eine Hypothese.«

Grace zog fragend die Augenbrauen hoch. Alfred Murphy war wirklich ein rätselhafter Mensch. Aber irgendwie faszinierte er sie. Auffordernd schaute sie ihn an.

»Was hat eine junge Frau mit einer wissenschaftlichen Hypothese gemeinsam?«

»Das ist schwierig zu erklären, aber ich versuch es mal.« Er dachte kurz nach, bevor er etwas schleppend erklärte: »Eine Hypothese ist eine Aussage, deren Gültigkeit man für möglich hält, die aber nicht bewiesen ist. Und man muss die Bedingungen angeben, unter denen die Hypothese gültig sein soll. So weit können Sie mir folgen?«

Grace sah ihn gespannt an und nickte zustimmend. Murphy drehte sich wieder etwas von ihr weg, bevor er weitersprach. »Innerhalb dieser Bedingungen sind Hypothesen also richtig, sinnvoll und in sich stimmig. Sie sind, wenn Sie so wollen, perfekt. Als Wissenschaftler weiß ich jedoch nur zu gut, dass die schönste Hypothese in sich zusammenfallen kann, wenn sie der Realität, an der man sie letztlich messen muss, nicht standhalten kann, wenn bestimmte Grundvoraussetzungen einfach falsch sind. Und genauso war das bei dieser jungen Frau. Das war zumindest mein Eindruck. Verstehen Sie, was ich meine?«

Grace schwieg beeindruckt. Murphy hatte auf ungewöhnliche, doch geniale Weise eine perfekte Skizze von Carol Lonnigan gezeichnet.

Er hatte seinen Regenschirm wieder in die Hand genommen und nickte Grace jetzt freundlich zu. In etwas lockererem Ton fragte er: »Sie wollten vorhin wissen, ob mich jemand verfolgt. Woran erkennt man denn das? Mir würde das, glaube ich, gar nicht auffallen. Ich habe keinerlei Fantasie in dieser Richtung.«

Grace lachte und stand auf. Sie nannte ihm ein paar Beispiele, zog es aber vor, von ihrem eigenen Debakel vor Peter Burkes Haus nicht zu sprechen. Zum Abschied reichte sie ihm die Hand. Er drückte sie fest. »Dann werde ich in Zukunft ab und zu mal hinter mich blicken, wenn das hilft.«

Er zwinkerte ihr zu und öffnete die Pavillontür. Nur mit Mühe schaffte er es, seinen Regenschirm gegen den Wind aufzuspannen, und schon bald war er hinter der nebligen Nieselregenwand verschwunden.

55

Der Lough Corrib lag ruhig in der Abendsonne. Die Luft war samtig, und es wehte eine feine, weiche Brise, die die Büsche am Ufer hin und her wiegten und einen Hauch vom süßlich herben Duft einer Geißblatthecke durch die Luft trug. Normalerweise war das Wetter an der Westküste im Sommer rauer und unwirtlicher als im Osten, doch diesmal hatte Grace ein kühles, windiges Dublin verlassen und war vor einer Stunde in einem sonnigen Galway gelandet. Am Flughafen hatte sie sich einen Mietwagen genommen und war eine halbe Stunde später in Cong angekommen, dem malerischen Örtchen auf der Landenge, die die beiden großen Seen Galways, Lough Corrib und Lough Mask, trennte. Den Wagen ließ sie auf dem Parkplatz des luxuriösen Schlosshotels stehen, um das alte viktorianische Herrenhaus zu suchen, das sich Murray Finnigan vor wenigen Jahren als Heim auserwählt hatte. Grace war schon ein paar Minuten den Uferweg entlanggelaufen, ohne ein Haus zu entdecken. Wie friedlich, wie ruhig hier alles war. Das wollte Murray in einen Ferienpark für Superreiche verwandeln? Sie hasste die Vorstellung. Noch weitaus mehr hasste sie das, was ihr jetzt bevorstand. Gegen das Gefühl einer tiefen Verunsicherung war sie machtlos.

Die Finnegans stammten ursprünglich aus Athlone, was relativ weit östlich von Galway lag. Dort hatten Murrays Vater und Onkel Jim zusammen im Internat des berüchtigten Ordens der Christlichen Brüder eine Freundschaft fürs Leben geschlossen. Der alte Finnegan war Bauunternehmer gewesen, und Jim wurde selbstverständlich Taufpate des ersten Sohnes seines besten Freundes. Als der alte Finnegan vor ein paar Jahren an Leberzirrhose starb, kehrte Murray aus dem Ausland zurück, wo er jahrelang gelebt hatte, und ließ sich hier in Mayo knapp über der Grenze zur Grafschaft Galway nieder. Ganz sicher, um in der Nähe seines einflussreichen Patenonkels zu leben. Grace ballte vor Wut die Fäuste in der Tasche.

Sie entdeckte hinter einer hohen Trockensteinmauer und alten Bäumen einen Schornstein mit einem altmodischen viereckigen Aufsatz, wie ihn nur viktorianische Häuser aufwiesen. Da musste es sein. Ein paar Schritte weiter sah sie eine unscheinbare Holztür, über der eine Kamera angebracht war. Daneben gab es ein Security-Pad, in das man einen Code eingeben musste. Ein Schild oder eine Klingel konnte sie nicht finden. Offenbar war sie am Hintereingang des Hauses gelandet. Sie überlegte kurz und rief dann die Nummer an, die sie von Rory bekommen hatte. Eine Frauenstimme meldete sich und bat sie freundlich, ein paar Minuten zu warten. Sie werde abgeholt, dann brauche sie nicht den langen Weg um das Grundstück herum zur großen Auffahrt zu nehmen. Grace spürte, wie die Nervosität in ihr wuchs. Sie versuchte, sich zu beruhigen. Was sollte schon passieren? Routiniert und sachlich würde sie Murray Finnegan nach Jims Besuch bei ihm am Freitag und zur Überweisung des Geldes auf Annies Konto befragen. Dabei würde es bleiben. Zu ihrem Ärger entdeckte sie auf ihrem hellen Blazer einen Kaffeefleck, den sie vorher noch nicht wahrgenommen hatte, und wischte ungeduldig, aber erfolglos daran herum. Den Ferienpark wollte sie nicht ansprechen. Der hatte nichts mit dem Fall zu tun, auch wenn sie nur zu gern erfahren hätte, wie weit ihr Onkel bereit gewesen war zu gehen.

In dem Moment wurde die Tür abrupt geöffnet, und ein junges Mädchen mit einem weißen Häubchen stand vor ihr und bat sie herein. Sie durchquerten den schönsten »Walled Garden«, den Grace jemals in Irland gesehen hatte. Die englischen Viktorianer hatten die durch Mauern eingerahmten Gärten zur hohen Kunstform entwickelt und so ein günstiges Mikroklima erschaffen, auch für exotischere Gewächse wie Wein und Feigen. Hier standen altmodisch prall gefüllte Rosen neben meterhohen zart getüpfelten Stockrosen, bunte Wicken ringelten sich auf Mauervorsprüngen mit gelbem Geißblatt um die Wette, und eine Unzahl an Küchenkräutern ging in einen klassischen Gemüsegarten über. Grace sah sich staunend um, und als sie sich dem Herrenhaus mit den vielen Giebeln und Türmchen näherte, fühlte sie sich geradezu in ein anderes Jahrhundert versetzt, ein Eindruck, der durch das mit Schürzchen und Häubchen ausstaffierte Hausmädchen noch verstärkt wurde.

Das passte alles hervorragend zusammen, musste sie zugeben. Auf der Treppe merkte sie, wie ihr Herz schneller schlug. Der Hausherr erwartete sie mit seinen zwei Spaniels vor dem großen Kamin im Salon, der trotz des warmen Wetters durch Torfpyramiden loderte. Murray Finnegan stand auf und ging ihr mit federnden Schritten entgegen. Er musste knapp zwei Meter groß sein, ein Hüne von einem Mann mit einem schwarzen gepflegten Vollbart. Er streckte ihr die Hand entgegen, die sie kurz drückte und sich dabei zwang, ihm in die Augen zu sehen.

»Du hast dich nicht verändert, Grace. Wie wunderbar, dich wiederzusehen.« Seine Stimme war tief und angenehm. Grace erwiderte nichts darauf.

»Du siehst umwerfend aus. Bitte nimm Platz.« Mit einer knappen Handbewegung zeigte er auf den Ohrensessel, der dem seinen gegenüberstand. Die Hunde räkelten sich vor dem Feuer. Als Grace nach wie vor schwieg, begann Murray mit der Konversation.

»Als Jim mir erzählte, dass du dich in Galway beworben hast, habe ich mich sehr gefreut und gehofft, dass du den Posten bekommen würdest. Wirklich.«

Grace sah ihn an. Sie schwieg beharrlich, als wollte sie abwarten, wie weit er zu gehen bereit war.

»Wie lange ist es her, dass wir uns in London …«, hier zögerte er einen Augenblick und schien das passende Wort zu suchen, »… gekannt haben?« Er lächelte sie liebenswürdig an.

Sie lächelte nicht und schwieg.

»Es muss gut fünfzehn Jahre her sein. Ich glaube, es war nicht lange nach dem Tod deines Vaters, Gott hab ihn selig.« Er schaute nun ins Feuer. Es klopfte, und ein Hausmädchen, ebenso altmodisch gekleidet wie das zuvor, betrat den Salon. Sie trug ein Tablett, das sie auf einen winzigen Tisch zwischen ihnen abstellte.

»Danke, Sylvia, ich mache das schon«, sagte Murray freundlich. Er schenkte Grace Tee ein und bot ihr kleine, dreieckige Sandwiches mit Ei und Kresse an. Grace nahm den Tee.

»Ich habe nicht viel Zeit, Murray«, sagte sie und erschrak fast über ihre eigene Stimme. Sie räusperte sich. »Ich stecke in einem komplizierten Fall, wie du sicher weißt.«

Murray nickte abwartend und nahm einen Schluck Tee. Die zarte transparente Porzellantasse aus Limoges verschwand fast in seiner großen Hand.

»Onkel Jim hat ausgesagt, dass er Freitagabend bei dir war, bevor er nach Achill weiterfuhr. Wann genau war das?«, begann Grace.

Er räusperte sich. »Jim kam kurz nach sechs und blieb zum Abendessen. Wir hatten etwas zu besprechen. Es war kurz vor zehn, als er schließlich aufbrach.« Und völlig ohne Überleitung setzte er hinzu: »Du hast eine vierzehnjährige Tochter, habe ich gehört. Roisin.«

Sämtliches Blut war aus Graces Gesicht gewichen. Sie musste das durchstehen, das hatte sie gewusst. Sie musste, und sie würde es schaffen. »Sie ist nicht deine Tochter, falls du das meinst.« Es hatte hart und unversöhnlich geklungen.

In seinen Augen blitzte leichter Spott auf. »Schade. Ich hätte es mir gewünscht. Ich habe keine Kinder.«

»Das kannst du doch sicherlich noch ändern, Murray. Du musst nur die Richtige finden.« Eigentlich wollte sie das gar nicht so ironisch sagen, aber sie merkte, dass die Begegnung mit Murray Finnegan sie noch viel mehr aufrüttelte, als sie erwartet hatte. Sie zwang sich zur Ruhe. »Noch eine Frage, und dann wären wir auch schon durch.«

»Du hörst dich an wie bei einer demoskopischen Umfrage.«

Graces Wangen glühten. Das kam vom Kaminfeuer, sagte sie sich. Verdammt noch mal, sie wollte nur weg von hier.

»Siehst du, Grainne, vielleicht habe ich ja einst die Richtige gefunden, aber sie wollte nichts von mir wissen?«, plauderte Murray weiter. »Darf ich dir eine dieser wunderbaren Obstpasteten anbieten? Unsere Köchin beherrscht ihr Handwerk, und die Törtchen sind ein Gedicht.«

Höflich lehnte sie ab, obwohl die Obst-Pies verführerisch aussahen. Er warf ihr einen prüfenden Blick zu und biss dann in ein Törtchen. Ein kleiner Klecks Himbeerpüree tropfte ihm in den Bart. Lächelnd tupfte er sich ihn mit einer Serviette weg. Immer noch schmunzelnd musterte er sie.

»Carol Lonnigan, kennst du sie?« Zum ersten Mal seit sie hier war, so erschien es Grace, war ihm eine Frage unangenehm. Seine Augen verengten sich für einen Moment, bevor er den Kopf schüttelte. Einer der Hunde vor dem Kamin hob den Kopf und schaute zu ihm.

»Das ist seltsam. Sie stammt nämlich aus Cong, und bei hundertfünfzig Einwohnern kennt doch wirklich jeder jeden, oder?« Sie hatte eine freundliche Schärfe in ihre Stimme gelegt. Doch er blieb dabei, Carol nicht zu kennen.

»So lange lebe ich schließlich noch nicht hier. Gerade mal drei Jahre.«

»Aber du hast eine stattliche Summe auf das Konto ihrer Freundin Annie McDoughall überwiesen, die bei Onkel Jim geputzt hat, bevor man sie ermordete.«

Murray schaute sie amüsiert an. »Hab ich?«
Grace nickte ernst.

»Jim hat mich wohl darum gebeten, und ich habe ihm den Gefallen getan, das heißt, meine Buchhaltung hat das natürlich übernommen. Mir selbst entgeht so etwas, dafür hat man seine Angestellten.«

So eine Antwort hatte Grace erwartet, aber sie gab nicht so schnell auf. »So eine große Summe?«

»Onkel Jim ist großzügig. Das weißt du doch selbst, oder?« Murray verkniff sich ein Grinsen, doch an seiner Wortwahl hatte sie sofort begriffen, was er meinte. Auch er wusste über die Umstände ihrer Ernennung Bescheid.

Grace stand auf, und auch Murray erhob sich. Die Hunde waren jetzt beide wach. »Ich begleite dich nach draußen.« Gemeinsam durchquerten sie den großen Salon auf dem dünnen, von ungezählten Schritten abgenutzten orientalischen Teppich. Grace blieb plötzlich stehen. Eine Frage wollte sie noch loswerden. »Mathew Cadogan. Kennst du ihn?«

»Sicher, wer kennt ihn nicht? Er ist sogar ein recht guter Kumpel von mir.«

»Was für ein Business hat er eigentlich?«

Murray schaute sie treuherzig an. »Er dealt mit Wissen. So hat er es mir zumindest mal beschrieben. Er hat eine kleine international operierende Firma, die wohl recht erfolgreich ist, aber mehr weiß ich auch nicht. Interessiert mich auch nicht. Das ist nicht meine Branche. Uns verbindet die Liebe zum Fliegenfischen. Hier entlang, Graínne.«

Er führte sie durch die getäfelte Eingangshalle, an deren Ende ein riesiger Hirschkopf prangte. Murray steuerte auf die Haustür zu und öffnete sie mit einem Schwung.

»Gemeinsames Angeln schafft starke Verbindungen,

wusstest du das? Kommt meines Erachtens direkt nach den Familienbanden. Auf hoffentlich bald, Graínne.« Er hielt ihr die Tür auf und verbeugte sich leicht, als sie an ihm vorbei nach draußen ging. Sie stand schon auf den unteren Treppenstufen, als er ihr nachrief: »Graínne …!« Grace drehte sich langsam um. Die weiche Luft strich über ihr Gesicht. Als sie Murray oben an der Treppe stehen sah, war es, als habe die Vergangenheit sie für einen kurzen Moment eingeholt. Und jede Faser ihres Körpers erinnerte sich daran. Da hob Murray seine Hand und winkte ihr zu. »Grüße Roisin von mir!«

56

»Zu viele Tote«, sagte Grace nachdenklich. Zusammen mit Fitz und Peter Burke saß sie in der hintersten Ecke des Spaniard's Head und nippte an ihrem Wein. Es war neun Uhr abends, und der Pub füllte sich langsam. In einer knappen halben Stunde würde die Session mit den Musikern losgehen, die sich hier zweimal die Woche zum traditionellen Jam trafen. Fitz warf einen kurzen Blick Richtung Theke. Hilary war nirgends zu sehen. Fitz entspannte sich. Peter dagegen wippte unaufhörlich mit dem linken Bein, was Grace nervös machte, doch sie traute sich nicht, etwas zu sagen.

»Grønmo ist offenbar verschwunden. In Oslo ist er jedenfalls nicht. So weit konnte Rory das in Erfahrung bringen«, sagte Grace und schaute die beiden Männer auffordernd an.

»*Wie* heißt der Mann?«, fragte Fitz und runzelte die Stirn.

»Grønmo.«

Fitz schüttelte den Kopf. »Nein, den du davor erwähnt hast, Pete.«

»Cadogan, wieso?«, sagte Peter.

»Lasst uns aufhören, dauernd über den Fall zu reden.« Grace war genervt. Eigentlich wollte sie sich nur ablenken, deshalb war sie nach dem Besuch bei Finnegan erst mal in den Pub gefahren. Zuvor hatte sie noch Peter angerufen, um sich mit ihm zu verabreden. Und jetzt schien es kein anderes Gesprächsthema zu geben als diesen Fall.

Peter ließ sich jedoch nicht beirren. »Den müsstest du kennen, Fitz. Der kommt doch bestimmt immer mal wieder mit Geschäftsfreunden vorbei. Ist mittlerweile fast eine lokale Größe.«

Mittlerweile war von den Musikern der Banjospieler eingetrudelt, hatte sein Instrument ausgepackt und ließ den ersten Akkord hören. Ein paar Gäste schauten erwartungsvoll auf.

Grace funkelte Peter an, doch der ignorierte ihren Blick. Nachdenklich kratzte sich Fitz am Hinterkopf. »Keine Ahnung. Sagt mir jetzt nichts. Aber in Limerick kannte ich mal eine Familie Cadogan.« Er senkte den Blick. »Das ist Jahre her.«

Aufmerksam musterte ihn Peter von der Seite. »Cadogan ist ein ungewöhnlicher Name, der einem im Gedächtnis bleibt. Der hier stammt auch ursprünglich aus Limerick. Er heißt Mathew mit Vornamen.«

Grace stellte das Glas ab und schaute von einem zum anderen. Plötzlich hatte sie das Gefühl, dass gerade etwas Wichtiges passierte. Da war wieder dieses Wispern in ihrem Kopf.

Fitz schien angestrengt nachzudenken. »Kann aber nicht derselbe sein. Der, den ich meine, war ein Lokalpolitiker, Ratsherr oder so etwas, bis man ihn umbrachte. Schon über zwanzig Jahre her.«

Fiona balancierte ein Tablett an den Tischen vorbei und setzte es bei ihnen ab. »Fitz, da will dich jemand sprechen.« Mit dem Kopf wies sie in Richtung Tür, und Fitz erhob sich sofort. »Bis später«, sagte er schnell und marschierte festen Schrittes auf eine Frau mit kurzen fransigen Haaren zu, die ihm schon zuwinkte, bevor sie ihm um den Hals fiel. Peter hob grinsend die Augenbrauen. Grace war einen Moment lang über den Anblick der beiden irritiert.

»Warum ist Fitz eigentlich aus Limerick weggegangen, weißt du das, Peter?«, fragte sie schließlich. Peter schwieg einen Moment. Es war Fiona, die die Frage mitbekommen hatte, als sie die Teller auf den Tisch stellte. »Kennst du Limerick, Grace?«

»So gut wie nicht«, sagte Grace.

»Eben. Einmal Pasta mit Sardinen und einmal die Paté mit Salat. Lasst es euch schmecken.« Ihre Ohrringe klirrten wie ein Windspiel, als sie sich mit Schwung umdrehte und dabei fast den Nebentisch mitnahm.

Grace grinste und widmete sich ihrem Essen. Sie hatte sich entschlossen, Peter nichts über ihren Besuch in Cong zu erzählen. Stattdessen nahm sie all ihren Mut zusammen für die eigentliche Frage, die ihr auf der Seele lastete.

»Sag mal, kann es sein, dass deine Mutter Rory gegenüber etwas Wichtiges im Zusammenhang mit Donal Joyce verschwiegen hat?«

Peter schien diese Frage fast erwartet zu haben, denn er nickte, ohne zu zögern, mied aber gleichzeitig ihren Blick. »Ich habe sie mehrmals darauf angesprochen, aber sie schweigt eisern.« Er trank einen Schluck Bier. »Wir haben uns sogar gestritten.« Man merkte ihm an, wie nahe ihm das gegangen sein musste.

»Diese verdammte irische Familie!«, brach es aus Grace heraus, und unwillkürlich drehten sich an den Nachbartischen ein paar Köpfe zu ihr um. Sie senkte ihre Stimme und lehnte sich zu Peter, dem die unerwartete Nähe alles andere als unangenehm zu sein schien.

»So sind sie hier. Loyalität ist alles. Um Gottes willen nur nichts offen aussprechen!« Grace konnte ihre Wut nur schwer verbergen. Peter schaute sie in einer Mischung aus Zuneigung und Bewunderung an.

»Jetzt weiß ich es wieder!« Fitz stand plötzlich wieder vor ihnen und setzte sich.

»Was weißt du?«, fragte Grace erstaunt.

»Na, die Cadogans in Limerick. Das hat mir keine Ruhe gelassen.« Er lehnte sich zurück und strich die Falten seiner Cordhose an den Oberschenkeln glatt. »Es war damals mein erster Fall als ganz junger Gerichtsmediziner. Es handelte sich um Patrick Cadogan, jetzt ist mir der Name wieder eingefallen. Ein Ratsherr. Wenn mich nicht alles täuscht sogar stellvertretender Bürgermeister.«

»Und? Was war mit ihm?«

»Man hatte ihn erst bewusstlos geschlagen und dann erwürgt. Von Anfang an hatten wir die Ehefrau und den ältesten Sohn in Verdacht, auch weil es in der Stadt bekannt war, dass Patrick soff und seine Familie misshandelte.«

»Und wie üblich unternahm niemand etwas dagegen«, warf Peter ein.

Fitz zuckte mit den Schultern. »Wer denn? Jeder wusste es, und alle schwiegen. Das war Sache der Familie, das ging niemanden sonst etwas an.«

Grace ballte die Faust und merkte es nicht einmal. »Und weiter?«

»Ich kann mich noch an die Frau erinnern. Eine zarte,

aufopferungsvolle Frau, die alles für ihre Kinder tat. Eines Abends ist sie dann wohl durchgedreht. Sie hatte die Kinder und sich schützen wollen. Wir konnten es uns nicht anders erklären. Alles deutete darauf hin. Der Sohn, der damals vielleicht zwölf oder dreizehn war, muss ihr dabei geholfen haben. Vielleicht war aber auch er der Täter.« Fitz schwieg.

Drei weitere Musiker waren nun eingetrudelt und begannen, lautstark ihre Instrumente zu stimmen. Sofort bildete sich eine Traube von Erwartungsvollen um sie. Lachen und vereinzelte Fidelklänge durchzogen den Pub.

Grace räusperte sich, um Fitz aus seinen Gedanken zu holen. »Und dann?«

Fitz schaute sie einen Moment verständnislos an, da er sich in seinen Gedanken weit entfernt hatte. »Was dann? Nichts. Gar nichts. Ich habe eine Autopsie durchgeführt, meine Schlussfolgerungen, die ich euch eben erzählt habe, an Garda weitergegeben, und es passierte nichts mehr. So, wie alle über die Misshandlungen in der Familie geschwiegen hatten, so schwieg man nun auch über den Mord. Niemand wurde angeklagt, niemand verurteilt. In der Öffentlichkeit sprach man, wenn überhaupt, von einem Unfall. Später hat der Junge wohl die Stadt verlassen und irgendwo sein Glück gemacht. Die Mutter lebt, glaube ich, noch in Limerick.«

Grace schwieg betroffen, und Peter murmelte: »Was habe ich gesagt? Und wenn sie nicht gestorben sind … Keltische Omertà.«

Grace hob ihr Glas und prostete beiden Männern zu. Aber wenn sie ehrlich war, dann trank sie eigentlich für sich allein.

57

»Patrick Cadogans ältester Sohn hieß Mathew, du hattest recht.« Grace hatte Fitz am nächsten Morgen zu sich in die Zentrale gebeten. Sie hatte eine ungewöhnliche Bitte an ihn und hoffte, dass er ihr diese nicht abschlagen würde. Fitz wirkte nach außen hin ruhig und gelassen, aber Grace bemerkte sehr wohl die kleinen Schweißperlen auf seiner Stirn. Unruhig nahm er sich in regelmäßigen Abständen immer wieder die Brille ab, um sie zu putzen. Grace reichte ihm einen Zettel. »Das ist die Adresse der alten Witwe Cadogan, Mathews Mutter. Fitz, ich wollte dich fragen, ob du sie in meinem Namen besuchen könntest, um mit ihr über die Geschehnisse von damals zu reden. Das wäre sehr wichtig für unsere Ermittlungen.«

Mit einer entschiedenen Handbewegung legte er den Zettel auf Graces Schreibtisch. Vehement schüttelte er den Kopf. »Tut mir leid, Grace. Aber ich bin jetzt eine Privatperson und habe auch persönlich keinerlei Interesse mehr an dieser Geschichte.« Seine Stimme klang ruhig und freundlich, obwohl ihm die innere Erregung ins Gesicht geschrieben stand.

Grace schaute ihn abwartend an. »Das weiß ich. Das Problem ist nur: Ich kann sie als Guard nicht dazu vernehmen. Es gab keine Anklage, wie du dich ganz richtig erinnert hast. Ich habe das vorhin nachgeprüft. Was also sollte ich mit welcher Begründung von ihr heute wollen? Trotzdem weiß ich, dass das wichtig sein kann, was sie zu sagen hätte.« Sie legte den Kopf etwas schief und lächelte ihm zu. »Außerdem, Fitz, kannst du mir nicht weismachen, dass du keinerlei Interesse an dieser Geschichte hast. So, wie du gestern Abend davon erzählt hast, geht dir das alles bis heute nach.«

Sie stand auf und ging um den Schreibtisch herum, um sich dann auf die Tischkante zu setzen. Sie schaute ihn an. »Dich lässt dieser Mord nicht los. Das merke ich doch, Fitz.«

Fitz schwieg trotzig.

»War es denn Mord oder war es Totschlag?«

Das Telefon auf dem Schreibtisch klingelte und fast gleichzeitig auch Graces Handy. Grace ignorierte beides. Schließlich nickte Fitz resigniert. Er fuhr sich fahrig über die Stirn. »Die Erinnerung an den Fall bedrückt mich bis heute. Vielleicht deshalb, weil es mein erster Fall damals gewesen ist. Aber mich haben die ganzen Umstände so mitgenommen.« Er machte eine kurze Pause, und Grace wartete geduldig, bis er weitersprach.

»Wie gut habe ich damals die Frau und die Kinder verstehen können, die unter der Brutalität des Ehemanns und Vaters so zu leiden hatten. Der hat sie ja regelmäßig brutal geschlagen. Und keiner hat geholfen! Niemand war da, der eingegriffen hätte. Alle schauten sie weg. Es war eine Familienangelegenheit, und das hatte es gefälligst zu bleiben.« Seine Stimme klang verbittert. »Aber das, was dann geschah, war nun mal ein kaltblütig geplanter Mord. Das war kein Totschlag, Grace. Das habe ich bei der Obduktion einwandfrei nachweisen können, und die beiden ermittelnden Kollegen hätten sich meinem Urteil anschließen müssen.«

»Du musst dich nicht entschuldigen, Fitz«, sagte Grace. »Übrigens sind die beiden Kollegen mittlerweile gestorben, falls dir das helfen sollte. Die können hierzu nichts mehr aussagen.«

Fitz starrte vor sich hin und schwieg. Er schien in seinem Sessel zu schrumpfen. Ich weiß wirklich gar nichts von ihm, schoss es Grace durch den Kopf. Was hatte dieser Mann für eine Vergangenheit? Welches Geheimnis trug er mit sich herum, und was überschattete sein Leben? Und dass es da etwas gab, war offensichtlich.

»Die Familie«, murmelte Fitz. Dann sammelte er sich und sagte mit fester Stimme: »Ich habe damals einen erfahrenen Kollegen aus der Forensik um Rat gefragt. Aber auch er bat mich, zu schweigen – ebenso wie die Kollegen von Garda. Um der Familie willen, sagten sie. Um sie zu schützen. Frau und Kinder hätten schon genug gelitten. Wenn es die Mutter gewesen war, würde eine Verurteilung die Kinder auch noch mutterlos machen. Wenn es der Sohn gewesen war, wäre er zu jung, um angeklagt zu werden, und eine Unterbringung in einem Heim wäre einer Katastrophe gleichgekommen. Was hatte ich für eine Wahl?« Er hob den Kopf und versuchte ein Lächeln, das ihm allerdings nicht gelang. »Wahrscheinlich war es auch richtig so. Trotzdem würde mich interessieren, ob das bei Gardai immer noch wie damals gehandhabt wird. Die heilige irische Familie als oberste Instanz?«

Grace rutschte vom Tisch und verschränkte die Arme. »Keine Ahnung. Ich bin wohl noch nicht lang genug wieder hier, um das beantworten zu können.« Es hatte härter geklungen, als es beabsichtigt war. »Warum hast du aufgehört, Fitz?«

Er hatte seinen Blick auf das Fenster geheftet, als könnte er darin die Antwort finden. Abrupt drehte er sich zu ihr um und antwortete ihr mit klarer, fast schneidender Stimme: »Es war die Brutalität, die ich nicht mehr ausgehalten habe. Diese unglaubliche Gewalt, die Menschen einander antun. Tag für Tag habe ich das auf dem Obduktionstisch gesehen. Und es wurde immer schlimmer. Nein, vielleicht wurde es gar nicht schlimmer, aber meine Haut wurde immer durchlässiger und poröser.

Und eines Tages ist sie dann einfach gerissen.« Er blickte wieder zum Fenster, und Grace hoffte inständig, dass er jetzt weitersprach, dass nicht ausgerechnet jetzt jemand ins Zimmer kam und sie störte. Sie spürte, dass Fitz sich danach gesehnt haben mochte, all das einmal laut sagen zu dürfen. Wahrscheinlich war es der intimste Moment, den sie seit ihrer Rückkehr nach Irland mit einem Menschen überhaupt geteilt hatte. Sie wusste, er würde weitersprechen, ohne dass sie Fragen stellen musste.

»Es war das Kind, das sie mir eines Tages brachten. Ein kleines Mädchen, fünf Jahre alt. Man hatte sie tagelang sexuell missbraucht und dann bei lebendigem Leib zerstückelt. Die Täter hatten sich dabei gefilmt und den Film ins Netz gestellt.«

Fitz war schneeweiß geworden. Instinktiv streckte Grace ihre Hand nach ihm aus und zog sie sofort zurück. Er hatte es nicht bemerkt und sprach weiter: »Ich hatte einen Nervenzusammenbruch und musste für ein halbes Jahr in eine psychiatrische Klinik in England. Es war eine exzellente Klinik, keine Frage. Trotzdem habe ich danach meinen Abschied eingereicht. Das ist jetzt drei Jahre her.«

In dem Moment klopfte es, und Rory kam herein. Er brauchte nur den Bruchteil einer Sekunde, um zu kapieren, dass er störte. Wortlos drehte er sich um und ging hinaus. Grace bedankte sich in Gedanken bei ihm. Er hatte wirklich ein Gespür für Stimmungen.

»Wie hältst du das aus, Grace?«, fragte Fitz und blickte sie an.

Obwohl sie sich diese Frage selbst immer wieder stellte, kam sie in diesem Moment für Grace unerwartet. Und auch jetzt sollte sie keine wirkliche Antwort darauf finden. Sie zögerte und suchte nach Worten. »Ich glaube an das Prinzip der Gerechtigkeit und der Sühne. Das verschafft mir eine gewisse Distanz, die es mir häufig möglich macht, von außen auf das Geschehen zu schauen. Anders ginge es gar nicht. Das ist meine Rettungsleiter, wenn du so willst.« Sie überlegte einen kurzen Moment. »Und man muss aufpassen, dass man die Welt um sich herum nicht immer durch die Brille der Gewalt betrachtet. So ein Tunnelblick, der wäre fatal.«

Fitz schwieg. Darauf wusste er offenbar nichts zu erwidern. Nach einer Weile des gemeinsamen Schweigens wiederholte Grace ihre Bitte von vorhin, und diesmal willigte Fitz ein, die alte Mrs Cadogan in Limerick aufzusuchen.

»Ich danke dir, Fitz«, sagte Grace erleichtert.

Fitz war nun auch aufgestanden. »Welchen Eindruck hast du denn von Mathew Cadogan?«, fragte er.

»Ich hab ihn nur kurz kennengelernt, aber er wirkte sympathisch, sehr familienverbunden. Nette Kinder. Da fällt mir ein, dass sein Sohn sich ein bisschen merkwürdig verhielt, als er steif und fest behauptete, dass er Annie kurz vor ihrem Tod noch bei seinen Eltern gesehen habe. Obwohl diese mindestens ebenso überzeugend sagen, dass er die Nachbarstochter gesehen haben muss. Wenn er die Wahrheit sagt, müssen seine Eltern einen verdammt guten Grund haben zu lügen, und dann muss es aber auch einen Grund dafür geben, dass der Junge diese Lüge nicht decken will.«

Fitz nickte zustimmend. »Und wenn das Kind lügt?«

»Dann muss es dafür auch einen verdammt guten Grund geben. Und das werde ich herausfinden.«

»Kinder wollen ihren Eltern immer helfen. Bis zu einem gewissen Alter zumindest«, fügte er hinzu. In dem Moment klopfte es wieder, und Rory stand nochmals in der Tür.

»Hallo, Fitz. Ich bitte um Entschuldigung, aber ich

muss jetzt wirklich raus nach Cashel, Grace. Und Carol Lonnigan wartet im Vernehmungsraum.« Rory schluckte mehrmals.

Das war für Fitz das Signal zum Aufstehen. »Ich bin schon weg. Wir haben ja alles besprochen, Grace«, rief er schnell, verabschiedete sich und war schon aus Graces Büro verschwunden.

Grace schaute Rory erwartungsvoll an.

»Es tut mir leid, Grace, ich habe nichts finden können. Carols Alibi ist nach wie vor schwammig, aber leider immer noch wasserdicht. Wir haben bisher nichts gegen sie in der Hand, was vor Gericht bestehen könnte.«

»Das dürfen wir sie nicht merken lassen. Sie ist der Dreh- und Angelpunkt. Das weiß ich. Lass mich weitermachen mit ihr.« Grace war wütend über diese aalglatte Zeugin, die so offensichtlich log, was man ihr aber einfach nicht nachweisen konnte.

»Noch etwas, Grace.« Rory hatte die Stimme gesenkt und war etwas näher an sie herangetreten. In ihren Augen, die sonst so strahlten, flackerte es unsicher.

»Ja, Rory, was gibt es noch?« Sie war nervös.

Rory hielt inne, als müsste er seine Gedanken ordnen. »Ach, nichts, Grace, ist schon gut.«

Eigentlich hatte er ihr sagen wollen, dass Byrne und Day die Vernehmung vom Nebenraum aus verfolgten. Er entschied sich, es nicht zu sagen. Er wollte Grace nicht noch mehr verunsichern.

58

»Die Nachbarn haben meinen Wagen zur fraglichen Zeit vor meinem Haus gesehen, das habe ich Ihrem Kollegen vorhin schon gesagt.«

Grace saß im Vernehmungsraum vor einer gereizt wirkenden Carol Lonnigan und war auf Widerstand eingestellt. Es ging wieder um den Samstagnachmittag. »Sie hätten genauso gut ohne Ihren Wagen unbemerkt zu Murphy laufen können. Er wohnte eine Viertelstunde zu Fuß von Ihnen entfernt.«

»Am helllichten Tag in Galway eine Viertelstunde herumspazieren, ohne dass einen jemand sieht?« Carol lachte auf. »Irgendjemand hätte mich gesehen, darauf können Sie Gift nehmen. Hat aber niemand, weil ich nämlich zu Hause war.« Sie lehnte sich scheinbar entspannt auf dem Holzstuhl zurück, doch Grace registrierte durchaus, wie fragil Carols selbstbewusstes Auftreten war. Wenn man genau hinsah, pochte an ihrer Schläfe eine kleine blaue Ader, und die dünne Schicht unter ihrer feinen Haut erzitterte sanft.

»Und dass Murphy mich angeblich angerufen hat, um mich wegen Annie um Hilfe zu bitten, ist eine glatte Lüge. Das habe ich auch schon mehrfach ausgesagt.«

»Sie waren nie in seinem Haus, haben Sie angegeben.«

Carol nickte kaum merklich, und Grace hatte den Eindruck, dass sie diese Behauptung bereits bereute. Ohne aufzuschauen, machte sich Grace ein paar Notizen. »Kommen wir zum letzten Freitag und Samstag zurück. Stichwort Inis Meáin.«

Carol seufzte. »Da war ich in Manchester. Wie oft soll ich das noch wiederholen? Meine Freundin hat das doch oft genug bestätigt, genau wie die Kontrolleure der Katamarane, die ich von Dublin aus und zurück genommen habe. Oder?«

Die Stille, die sich im Raum ausbreitete, wirkte auf einmal bedrohlich.

»Wir haben keine definitive Bestätigung vorliegen, dass Sie wirklich an Bord waren, wenn Sie das meinen.«

»Aber …«

Grace fiel ihr ins Wort. »Uns liegt lediglich eine Bestätigung darüber vor, dass Ihr Ticket sowohl für die Hin- wie auch für die Rückfahrt abgestempelt wurde. Aber das wäre für Sie doch ein Leichtes, so etwas zu organisieren. Irgendjemanden kennt man immer, und da es im Gegensatz zum Fliegen keine zusätzliche Überprüfung der Identität beim Betreten des Bootes gibt, bleibt Ihr Alibi mehr als dürftig.« Sie vermied jeden Anklang von Triumph in ihrer Stimme.

»Aber …«

»Im Moment führen wir eine Befragung des Personals beider Katamarane durch, ob man sich an Sie erinnert. Bisher negativ, zu Ihrer Information. Niemand hat sie an Bord gesehen. Warum sind Sie eigentlich nicht geflogen?«

Carol atmete durch. »Ich leide unter Flugangst. Das sagte ich doch schon.«

»Wann sind Sie das letzte Mal geflogen?«

»Wie meinen Sie das?«

»Das war doch eine eindeutig formulierte Frage. Wann sind Sie das letzte Mal geflogen?«

Carol wurde zunehmend nervöser und vermied es aufzublicken. Sie bat um ein Glas Wasser. Grace stand auf, ging zu einem kleinen Tisch auf dem Gläser, Tassen, Tee und Wasser standen, und schenkte ihnen beiden ein. Carol griff hastig nach dem Glas und leerte es in einem Zug.

»Das muss vor mehr als einem Jahr gewesen sein. Und das war auch nur mithilfe von Beruhigungstabletten möglich«, fügte sie noch hinzu.

»Warum haben Sie mich angelogen, was Ihre Chinesischkenntnisse betrifft? Sie sprechen es fließend. Dafür haben wir Zeugen.«

Carol benetzte sich kurz mit der Zunge die Lippen und strich mit einer Hand ihre gewellten Haare glatt. »Ich habe sehr gute Kunden in China und wollte das nicht an die große Glocke hängen. Es gibt überall Neider.«

»Interessant. Mir war nicht klar, dass China bereits so weit aufgeholt hat, dass man dort schon bedacht sein muss, im Europa-Urlaub anonym und unerkannt zu bleiben. Auf solche Kunden hat sich doch Ihre Agentur spezialisiert, oder?«

Carol nickte zögernd, und Grace schloss gleich die nächste Frage an: »Sie arbeiten hauptsächlich für Cadogans Blue Finn, hab ich recht?« Sie wusste, dass es ein Risiko war, diese Frage zu stellen und damit womöglich die Karten auf den Tisch zu legen, aber das war es Grace wert. Sie wollte unbedingt Carols Reaktion auf diese Frage sehen. Aber sie reagierte gar nicht. Stocksteif saß sie auf ihrem Stuhl und starrte ins Leere.

»Carol, Sie haben meine Frage schon verstanden, oder?«

Endlich hob Carol den Blick und sagte mit beherrschter Stimme: »Mir ist die Firma selbstverständlich namentlich bekannt, aber ich habe keinerlei Verbindung zu Blue Finn. Das ist definitiv nicht meine Branche.«

Dieselbe Formulierung hatte schon Murray Finnegan bei Graces Besuch gestern benutzt. Ihm hatte sie geglaubt. Carol glaubte sie nicht. »Sie scheinen in mannigfachen Branchen zu Hause zu sein, Carol. Wenn ich nur kurz die aufzählen darf, die in ihrem Lebenslauf ganz offiziell auftauchen: Politische Parteien, Wissenschaftseinrichtungen, Tourismus und – nicht zu vergessen – die Topgastronomie. Da passt die Agentur Blue Finn, die sich angeblich mit dem Handel von Fachanalysen beschäftigt, doch durchaus gut mit hinein.«

Bei der Erwähnung der Gastronomie huschte kurz eine leichte Röte über Carol Lonnigans Gesicht. »Trotzdem habe ich mit dieser Firma nichts zu tun.«

Grace war aufgestanden, strich sich die Ärmel ihres Shirts herunter und wanderte langsam um den Schreibtisch. Ziemlich dicht vor Carols Stuhl blieb sie stehen. »Dann komme ich jetzt noch einmal auf Annie zu sprechen. Sie haben Ihre Freundin Annie McDoughall an hochrangige und einflussreiche Menschen als Putzfrau vermittelt. Und ich behaupte, dass das kein Zufall war. Vielmehr haben Sie Annie bei ihren Auftraggebern zum Diebstahl von brisanten Unterlagen veranlasst, mit denen sie beide dann diese erpressen konnten. James O'Malley, Donal Joyce, Vincent Murphy, Mathew Cadogan. Eine ziemlich beeindruckende Liste. Nur so lassen sich die beachtlichen Geldsummen auf Annies Konten erklären. Sie hatten übrigens für mindestens eines dieser Konten die Vollmacht. Ihre Firma ›Rare Moments‹ wirft bei Weitem nicht genug ab, um Ihren aufwändigen Lebensstil zu finanzieren.« Grace hatte zu keinem Zeitpunkt ihre Stimme erhoben, sondern war kühl und sachlich geblieben.

Carol zeigte sich von den Anschuldigungen weitgehend unbeeindruckt. Sie blickte unverwandt zu Grace auf. Ein selbstzufriedenes Lächeln spielte um ihre Lippen. »Sie können ja annehmen, was Sie wollen. Das sei Ihnen und Ihren Kollegen von Garda unbenommen. Irgendwie müssen Sie sich ja die Zeit vertreiben. Leider können Sie nichts davon beweisen. Dafür brauche ich noch nicht einmal einen Anwalt zu bemühen. Und da Sie ja mittlerweile wissen, dass meine kleine Agentur nicht so viel abwirft, werden Sie nicht überrascht sein, wenn ich mir den gar nicht erst leiste.« Sie hatte sich erhoben und den Stuhl zurückgeschoben, um etwas mehr Abstand zwischen sich und Grace zu bringen. »Und glauben Sie mir, ich hätte Ihnen als Frau wirklich einen besseren Einstand in diesem Machobetrieb von Garda Galway gegönnt. Die warten doch nur alle darauf, dass Sie scheitern. Tut mir wirklich leid, dass ich Ihnen in Ihrem Fall nicht weiterhelfen kann, Ms O'Malley.« Ihr Augenaufschlag war perfekt inszeniert.

Für einen Augenblick war Grace verblüfft. Carol war noch abgebrühter, als sie anfangs angenommen hatte. Respekt. Doch so einfach sollte sie ihr nicht davonkommen. Einen Trumpf hatte sie noch. Und sie wollte nur zu gerne Carols Reaktion sehen, wenn sie den aus dem Ärmel ziehen würde. Mit zwei raschen Schritten war sie bei Carol und stellte sich knapp vor sie. Eine Einschüchterungstaktik, die man auf der Polizeischule lernte, die sie allerdings hasste und daher fast nie anwandte. »Wir wissen, dass Annie aus der Sache aussteigen wollte. All ihre kleinen Erpressungen waren ein hübsches Zubrot zugunsten ihrer behinderten Schwester gewesen. Doch dann kam Vincent Murphy an die Reihe. Und als Meeresbiologin erkannte Annie auf einmal den wahren Wert der Informationen, die sie dem Wissenschaftler stehlen sollte. Bis heute sind Sie nicht im Besitz der entscheidenden, der wirklich wichtigen Unterlagen, die das richtig große Geld bringen sollten. Denn genau die hat Annie nicht herausgerückt.«

Carol schwieg, aber Grace wusste auf einmal, dass es genauso gewesen sein musste.

59

Fitz hatte mit Absicht seinen Besuch nicht angekündigt. Und die Frau, die ihm öffnete, ließ ihn ohne zu zögern eintreten. Mary Cadogan lag in einem winzigen altmodischen Schlafzimmer, wie es Fitz noch aus seiner Kindheit kannte. Dunkle Nussbaummöbel vor einer klein geblümten Tapete. Ein Geruch aus Lavendel und scharfem Putzmittel stach ihm in die Nase. Über dem Bett hing ein Kreuz mit einem geschundenen Christus, und auf dem Nachttisch stand neben der Lampe mit dem rosa gerafften Stoffschirm eine halbhohe rosa- und blaufarbene Muttergottes mit einem batteriebetriebenen Strahlenkranz.

Mary Cadogan winkte Fitz zu sich ans Bett und bat ihn, sich hinzusetzen.

»Ich habe Krebs, wissen Sie«, sagte sie mit leiser Stimme. »Ich habe es abgelehnt, in ein Krankenhaus zu gehen. Ich will zu Hause sterben. Meine Kinder und Enkel kommen regelmäßig vorbei, und ich habe eine Hilfe, die sich um mich kümmert. Mathew besucht mich regelmäßig an den Wochenenden.« Sie schwieg und schaute Fitz lange an. Dann ergriff sie seine Hand.

»Ich habe Sie sofort erkannt. Gleich als Sie zur Tür hereinkamen. Gott hat meinen Wunsch erhört, und ich kann mich aussprechen, bevor ich vor ihn trete.«

Fitz lächelte unbeholfen. »Da wäre vielleicht ein Priester geeigneter und auch mit besserem Rüstzeug ausgestattet.«

Mary Cadogan verzog den Mund zu einem mühsamen Lächeln und drückte seine Hand etwas fester. »Sie wissen, wie ich das meine. Ich bin Ihnen unendlich dankbar dafür, dass sie damals geschwiegen haben. Nur so habe ich meine Kinder aufziehen und begleiten und ihnen den Schutz geben können, den sie brauchten.«

»Der Mord war geplant gewesen, oder?« Fitz ließ seine Hand in der ihren liegen, obwohl es ihm unangenehm war.

»Ich habe keinen anderen Ausweg mehr gesehen. Pat hat keine Rücksicht auf die Kinder genommen. Er hätte auch sie zerstört. Und das möchte ich hier und heute auch noch loswerden: Ich alleine bin für das Verbrechen verantwortlich. Mathew hat nichts damit zu tun.«

»Aber er war dabei. Das hatte er damals ja auch ausgesagt.«

Über Marys Gesicht zog ein kurzes Leuchten. »Er hat gelogen, um seine Mutter zu schützen. Kinder wollen ihren Eltern immer helfen, nicht wahr?«

Fitz nickte. »War Ihnen das Risiko bewusst? Wenn Sie verurteilt worden wären, hätten ihre Kinder in einem Heim aufwachsen müssen.«

Mary sank zurück in die aufgetürmten Kissen. Sie wirkte erschöpft und unendlich müde. Fitz schämte sich, diese todkranke Frau mit diesen Fragen zu quälen. »Bitte entschuldigen Sie, wir müssen darüber nicht reden …«

Aber Mary schüttelte energisch den Kopf. Sie hatte endlich seine Hand losgelassen. »Nein, nein, es ist wichtig zu reden. Viel zu lange wurde geschwiegen. Das muss aufhören.« Sie schaute ihn mit durchdringenden fiebrigen Augen an. »Man tut, was man tun muss, um die Familie zu schützen. Als mir das klar geworden ist, gab es kein Zurück mehr. Ich hoffte damals darauf, dass man mich und die Kinder verschonen würde. Schließlich hatten alle ein schlechtes Gewissen, weil sie zu lange weggeschaut hatten. Mathew wurde einmal mit schwersten Misshandlungen ins Krankenhaus eingeliefert. Sein Vater hatte ihn halb totgeprügelt. Auch die Ärzte haben geschwiegen. Alle haben geschwiegen.«

Eine Weile sagten beide nichts. Schließlich stand Fitz auf. »Bevor ich gehe, würde ich gerne noch eine letzte Frage stellen, Mary.«

Sie lächelte wieder und nickte fast unmerklich.

»Wollen Sie nicht wissen, warum ich erst nach all den Jahren zu Ihnen komme?«

»Nein. Alles liegt in Gottes Hand. Er entscheidet, und er richtet. Und so ist es gut.« Dann suchte sie noch einmal seine Hand, deutete ein Kreuzzeichen an und drehte sich zur Wand.

Fitz hatte das untrügliche Gefühl, dass Mary Cadogan ihm hier gerade einen bühnenreifen Auftritt hingelegt hatte. Auch jetzt, auf dem Sterbebett, wollte sie ihre Familie noch schützen. Was sollte ihr auch noch geschehen. Er murmelte einen Abschiedsgruß und zog sich zurück. Noch einmal atmete er tief den Geruch seiner Kindheit ein und ahnte, dass er ihn sonst nirgendwo mehr finden würde.

60

Seit einem knappen Jahr gehörte das hübsche reetgedeckte, zehn Kilometer von Cashel entfernte Cottage einem russischen Geschäftsmann. Die Spurensicherung, die gemeinsam mit Rory seit Stunden das Gebäude untersuchte, hatte, wie sich später herausstellen würde, nicht nur DNA von Annie nachweisen können, sondern auch Damenschuhe gefunden, an denen dieselbe DNA nachzuweisen war wie an den grünen Stilettos. Der Nachbar Jim Gaynor, dessen Haus fünfhundert Meter näher zur Hauptstraße hin lag, konnte sich erinnern, an dem fraglichen Sonntag einen Allradwagen gesehen zu haben, der von dort weggefahren war. Um den Kollegen nicht im Weg zu stehen, hatte sich Rory mit Jim Gaynor auf die schmiedeeiserne Bank im Garten zurückgezogen. Garten war in dem Fall eher eine falsche Bezeichnung. Es handelte sich vielmehr um ein etwa achtzig Quadratmeter großes ramponiertes Rasenstück, auf dem zwei welke Kübelpflanzen tapfer ums Überleben kämpften.

»Der Wagen war hell, und ein Mann saß drin.« Jim Gaynor zog heftig an seiner Zigarette. »Konnte ihn nicht genau erkennen, aber es war ein Mann, ganz klar. Mehr weiß ich nicht.«

»Wann war das?« Rory balancierte seinen Block geschickt auf seinen Knien, während er sich seine Notizen machte. Der Nachbar zuckte mit den Schultern. »Irgendwann am Nachmittag. Keine Ahnung …«

Ein weiterer Wagen der Gardai kam den engen, steinigen Weg entlang, und Staub wirbelte auf, als er abrupt hinter dem Haus bremste. Rory beobachtete den Wagen, fuhr aber mit seinen Fragen fort. Dabei lag in seiner Stimme immer ein Hauch von etwas, das man durchaus als Vorfreude hätte bezeichnen können. »Hatten Sie Kontakt zu dem Besitzer des Hauses? Einem gewissen Wladimir Potokow?«

Jim Gaynor schüttelte den Kopf. »Ein paar Mal habe ich ihn gesehen, und man hat sich gegrüßt und ein paar Worte gewechselt. Konnte gut Englisch. Auch seine Frau war ein paar Mal hier. Eine sehr …«, hier machte er eine kleine Pause, »… eine sehr elegante Dame, die viel zu schick war für hier. Ich habe gesagt zu schick, nicht zu fein, wenn Sie mich verstehen, Guard.« Jim grinste und zog wieder an der Zigarette. »Ich hatte nicht den Eindruck, dass er selbst oft hierherkam, obwohl immer wieder Autos vor der Tür standen. Richtig dicke Schlitten waren das. Reiche Russen eben. Liest man ja. Aber sein Auto stach trotzdem hervor. Der einzige schwarze Porsche weit und breit.« Seine Stimme klang, als sei sie dick geteert, wie bei vielen Männern älteren Jahrgangs, die ihr Leben lang dem Nikotin und stimulierenden Flüssigkeiten zugesprochen hatten. »Alles Nobelmarken, ab und zu ein einfacher Landrover oder auch mal ein Lieferwagen. Erst vor Kurzem stand so einer tagelang vor der Tür.«

Bei diesem Stichwort kramte Rory in seiner Uniformtasche und zog ein Zettelchen hervor, das er vorsichtig entrollte und Jim hinhielt. »Weiß und mit diesem Kennzeichen?«

Jim Gaynor warf Rory einen mitleidigen Blick zu. »Weiß könnte hinhauen, aber das Kennzeichen habe ich mir nicht gemerkt, Guard.« Er warf die Zigarette in hohem Bogen auf den Rasen.

»Wem hat das Haus eigentlich gehört, bevor der Russe einzog? Wurde es über einen Makler verkauft?« Rory schenkte dem Mann sein fröhlichstes Lächeln. »Ich bin sicher, das wissen Sie. Bei Ihrer genauen Beobachtungsgabe.«

Rorys Methode funktionierte wie so oft. Gaynor fühlte sich geschmeichelt und grinste: »Ja, das weiß ich wirklich, Guard, schließlich wohne ich hier schon ewig.« Er kratzte sich an der Nasenspitze und überprüfte schnell und beiläufig das Innere seiner Nase. Er schüttelte den Kopf. »Da hing kein Makler mit drinnen. Murray hat es ihm direkt verkauft, weil er etwas anderes vorhatte.« Jim spuckte aus.

»Murray?« Rory wurde hellhörig.

»Murray Finnegan. Aus Athlone. Baulöwe. Den müssten Sie kennen. Residiert nun in Cong.« Er lachte trocken, wobei sein Lachen in ein Husten überging. Rory notierte sich alles. »Jim, wissen Sie auch, was Murray vorhatte?«

Jim blickte ihn kurz von der Seite an, als wollte er sich vergewissern, dass der Guard ihn nicht gerade auf den Arm nahm. »Ganz genau weiß ich das nicht, Guard. Ist ja schon was her. Ich glaube, er wollte ein Objekt in der Nähe von Clifden kaufen. Da, wo die Typen aus Galway rumbuddeln.«

Rory war wie vom Donner gerührt, versuchte jedoch, sich nichts anmerken zu lassen. »Meinen Sie das meeresbiologische Forschungscamp nördlich von Clifden Richtung Cleggan?«

»Jop! Da gab es wohl 'ne Menge Land, das plötzlich auf den Markt kam. Das heißt«, er kratzte sich nun verlegen am Kopf, »es kam eigentlich gar nicht auf den Markt …« Gaynor stockte und wurde sichtlich unruhig. Er stand auf, während Rory entspannt sitzen blieb und ihn beobachtete. Schließlich zwinkerte Jim Gaynor ihm zu und legte seinen Zeigefinger auf seine aufgesprungenen Lippen. »'n ganz dickes Ding, wenn Sie mich fragen, aber …« Wieder legte er den Finger auf den Mund, »… ich habe nichts gesagt.«

Rory erhob sich jetzt ebenfalls. »Ach, noch eine letzte Frage: Kam Mathew Cadogan aus Oughterard auch schon mal hier ins Cottage? Den kennen Sie doch bestimmt.«

Jim strahlte über sein ganzes wettergegerbtes Gesicht und nickte. »Klar, der kommt regelmäßig.«

61

Grace hatte beschlossen, Mathew Cadogan zu einer Zeugenvernehmung in ihr Büro zu bestellen. Er war pünktlich erschienen, freundlich, zuvorkommend und umgeben von einem herben, teuren Duft, der Grace durchaus nicht unangenehm war. Betont entspannt hatte er auf dem Stuhl vor ihrem Schreibtisch Platz genommen – ein attraktiver, dezent gebräunter Mann in dunkelblauem, leger geschnittenem Anzug, der mit routiniertem Blick erst noch sein Handy checkte, bevor er sich Grace erwartungsvoll zuwandte. In dem Moment wurde die Tür aufgerissen, und Robin Byrne betrat das Büro.

»Ach, Mathew, ich hoffe, du nimmst am Samstag auch am Corrib Cup teil? Du bist nämlich dran. Ich fege dich vom Platz, du hast diesmal keine Chance.«

Grace schaute ihren Chef irritiert an. Diese betont private Vertrautheit ärgerte sie und war alles andere als hilfreich für das bevorstehende Gespräch. Nervös strich sie sich die Haare aus der Stirn. Cadogan schlug die Beine übereinander und grinste geschmeichelt. »Wenn ihr mich nicht gleich verhaftet, hatte ich schon vor, den Cup zum dritten Mal abzuräumen.«

Byrne stand noch einen Moment unschlüssig in der Tür, registrierte dann allerdings den genervten Blick von Grace und verabschiedete sich mit einem raschen »Also, dann!«.

Grace stand auf und schloss die Tür, die ihr Chef weit offen hatte stehen lassen. Cadogan wirkte belustigt. Warum nur kam ihr plötzlich Melvilles ›Moby Dick‹ in den Sinn? Captain Ahab wusste, dass irgendwo da draußen in der Weite der Ozeane der Wal irgendwann auftauchen würde. Das war die Chance des Walfängers.

Er musste nur zum richtigen Zeitpunkt am richtigen Ort sein.

Sie setzte sich wieder an ihren Schreibtisch. »Mr Cadogan, wir haben ihr Alibi für die Mordzeit von Annie McDoughall überprüft, und zahlreiche Gäste des Pubs in Oughterard haben Ihre Anwesenheit dort für den fraglichen Zeitpunkt bestätigt.«

»Warum hätte ich Ihnen etwas vorlügen sollen?«, sagte Cadogan freundlich. Grace ignorierte seinen Einwurf und beschloss, keine Zeit mehr mit Geplänkel zu verlieren, sondern Cadogan unmittelbar zu konfrontieren. »Wir wissen, dass Ihr Deal mit den Chinesen nicht zustande kommen kann, wenn Vincent Murphy seine Forschungsergebnisse veröffentlichen würde. Jetzt kann er das nicht mehr.«

Cadogan verzog amüsiert sein Gesicht. »So dramatisch ist es Gott sei Dank nicht. Meine Firma ist in ihren Geschäften selbstverständlich völlig unabhängig von dem PC und von Dr. Murphys Forschungen. Wir kämen nicht sehr weit, wenn das anders wäre.«

»Deshalb wurde Murphy umgebracht und sein Vorgesetzter Grønmo ist verschwunden.« Grace hatte es nicht als Frage formuliert und war auch auf Cadogans Antwort bewusst nicht eingegangen.

Cadogan sah sie an und lächelte dann wieder. »Das ist zwar sehr bedauerlich, nur habe ich nichts damit zu tun.«

In der Tat hatte sie keine Beweise für seine Beteiligung an der Ermordung von Vincent und Annie. Stattdessen musste sie nach dem Ausschlussverfahren vorgehen und dabei bedenken, dass Cadogan von allen Verdächtigen immer noch das stärkste Tatmotiv hatte. Immer vorausgesetzt, dass Carol Lonnigan gegen ihn arbeitete.

»Sie angeln gern?«

Erstaunt blickte er sie an. Mit dieser Frage hatte er

offensichtlich nicht gerechnet. Er überlegte kurz, dann fand er zu seiner Souveränität zurück. »Ganz im Gegenteil. Ich verabscheue Angeln.«

Überrascht schaute Grace auf. »Oh, dann habe ich da wohl etwas falsch verstanden.« Hatte Murray Finnegan sie angelogen, als er ihr von seiner und Cadogans gemeinsamer Leidenschaft zum Fliegenfischen vorgeschwärmt hatte? Aber warum sollte er? Das musste sie noch mal überprüfen. Sie zwang sich, die Vernehmung konzentriert weiterzuführen.

»Mr Cadogan, Sie besitzen eine Yacht, die in Clifden registriert ist. Sie ist, laut Angaben des Yachthafens, dort an dem Freitag, an dem es abends das Unwetter gab, gegen vier Uhr nachmittags ausgelaufen. Ich würde gerne wissen, wer am Steuer gestanden hat. Sie oder Ihre Frau?«

Zum ersten Mal reagierte Cadogan unsicher. Er fuhr sich mit Zeige- und Mittelfinger in den Kragen seines schneeweißen Hemdes und zögerte mit der Antwort. Für Graces Gefühl eine Spur zu lange.

»Das muss ein Versehen sein. Niemand von uns hat die Yacht an diesem Tag genommen. Ich war den ganzen Tag in einem Meeting in Galway, und meine Frau besitzt gar keinen Bootsführerschein, um das Boot zu steuern. Ich werde mich darum kümmern. Es ist mir schleierhaft, wer das gewesen sein soll.« Wie zur Bestätigung nahm er sein Handy heraus, um sich eine Notiz zu machen.

Grace kommentierte seine Antwort nicht. »Kommen wir zu Ihrer Familie.« Sie sagte es mehr nebenbei und blätterte dabei in einer vergilbten Zeitung, die auf ihrem Schreibtisch lag. Es war eine alte Ausgabe der Limerick News, was jetzt auch Cadogan zu erkennen schien. Plötzlich saß er sehr viel aufrechter auf seinem Stuhl und warf Grace unruhige Blicke zu. Immer wieder wanderten seine Augen zu der Titelgeschichte.

»Was ist mit meiner Familie?«, fragte er spürbar nervös, als Grace nicht gleich fortfuhr. Sie blickte ihn unverwandt an, faltete in aller Seelenruhe die Zeitung wieder zusammen und nahm mit keinem Wort Bezug auf das große Titelfoto, auf dem Mathews Vater abgebildet war. Stattdessen fragte sie: »Ihr Sohn hat uns wiederholte Male und ungewöhnlich nachdrücklich darauf hingewiesen, dass Annie McDoughall ein paar Tage vor ihrem Tod bei Ihnen zu Hause gewesen sein soll.«

»Ach das.« Erleichtert atmete er aus. Wieder schielte er auf die Zeitung, die Grace zur Seite geschoben hatte.

»Möchten Sie eine Tasse Tee?«, fragte Grace.

Er nickte, und sie schenkte ihm aus der bereitstehenden Thermoskanne ein und schob ihm die Tasse hin. Er nahm sie und trank hastig, ohne nach Zucker oder Milch zu fragen. Dann sagte er rasch: »Das hat er verwechselt. Das war die Nachbarstocher, die Annie sehr ähnlich sieht.«

Nun zauberte Grace ein betont freundliches Lächeln auf ihre Lippen. »Das stimmt leider nicht. Wir haben das Nachbarsmädchen mittlerweile in Südamerika erreichen können, und sie hat ausgesagt, nicht bei Ihnen gewesen zu sein.«

Ungeduldig zuckte er mit den Schultern. »Dann weiß ich es auch nicht. Colm hat manchmal eine blühende Fantasie. Ich würde nichts darauf geben. Es ist nichts als Kindergeplapper, um sich wichtigzumachen. Ich nehme an, Sie haben keine Kinder, sonst wüssten Sie, was ich meine.«

Grace lächelte immer noch. »Da muss ich Sie enttäuschen. Auch ich bin Mutter und habe ein sehr gutes Gespür dafür, wann Kinder sich wichtigmachen wollen und wann sie die Wahrheit sagen.« Sie beugte sich zu ihm und fügte leise hinzu: »Und wann sie Angst haben.«

Cadogan erwiderte nichts, sondern nahm noch einen Schluck Tee. Dann stellte er die Tasse zurück auf den Tisch und erhob sich. »Wenn das alles wäre, Guard, gehe ich jetzt. Ich habe noch dringende Termine.«

Grace war sitzen geblieben und schaute konzentriert auf ihren Laptop. Ungerührt sagte sie: »Bitte setzen Sie sich wieder. Wir sind noch nicht fertig.«

Cadogans Blick war alarmiert, obwohl er versuchte, gelassen zu erscheinen. Nur widerwillig folgte er Graces Aufforderung und schwieg.

»Carol Lonnigan. Woher kennen Sie sie?«

Seine Augen weiteten sich, als habe er den Namen nicht richtig verstanden. »Die kenne ich überhaupt nicht. Nie gehört.«

»Das war Annies McDoughalls beste Freundin und Mitbewohnerin. Ich glaube Ihnen nicht, dass Sie sie nicht kennen.« Grace versuchte, seinen Blick festzuhalten, doch er wich ihr aus und schüttelte vehement den Kopf.

»Sie war auf Annies Beerdigung, genau wie Sie und Ihre Frau«, insistierte Grace.

»Keine Ahnung. Da ich die Frau nicht kenne, kann ich mich natürlich auch nicht daran erinnern, sie dort gesehen zu haben. Sonst noch etwas?« Jetzt war er eindeutig gereizt, und Grace wusste, dass sie mit der Nennung von Carol ins Schwarze getroffen hatte. Zwar war ihr noch nicht klar, ob Carol über Annie auch Cadogan erpresst hatte, aber eine Verbindung gab es zwischen beiden. So viel stand für sie fest.

»Im letzten Herbst, genauer gesagt, im September, haben Sie mit Ihrer Frau ein langes Wochenende bei Pattie Burke auf Inis Meáin verbracht, oder?«

Irritiert über den abrupten Themenwechsel, nickte er fast automatisch.

»Sehen Sie!«, rief Grace beinahe triumphierend.

»Ich verstehe nicht ganz. Was soll ich sehen?« Er klang aufrichtig verwirrt.

»Sie waren ja nicht die einzigen Gäste. Pattie hatte an dem Wochenende das Haus voll, und eine der Gäste war Carol Lonnigan. Sie müssen ihr doch zumindest dort über den Weg gelaufen sein! Die Lady aus Mayo, blond, mittelgroß und äußerst attraktiv.« Sie drehte ihren Laptop zu Cadogan und präsentierte ihm das Foto einer lachenden Carol Lonnigan. Ein breites Grinsen ging plötzlich über sein Gesicht.

»Ach die! Jetzt erinnere ich mich wieder. Den Namen hatte ich nicht mehr im Kopf, tut mir leid. Aber ja, natürlich. Das ist Carol Lonnigan gewesen? Und warum sollte mich das interessieren?«

»Sie war, wie gesagt, Annies Freundin, und schließlich hatte Annie auch für Sie geputzt. Mehr nicht.« Auf einmal klang ihre Stimme ganz harmlos und beiläufig, als hätten sie sich gerade über eine gemeinsame Bekannte ausgetauscht. Sie beendete die Vernehmung mit ein paar unverbindlichen Worten, was Cadogan erleichtert zur Kenntnis nahm. Es schien, als könnte er nicht schnell genug aus Graces Büro herauskommen. In der Tür stieß er mit Fitz zusammen, der gerade anklopfen wollte. Die Männer nickten sich kurz zu, und Cadogan hastete den Flur hinunter.

Grace war gerade dabei zu telefonieren und bedeutete Fitz, sich zu setzen.

»Ja, Rory. Gut. Wir müssen ganz schnell herauskriegen, wer die Yacht an dem besagten Freitag genommen hat, und zwar noch bevor Cadogan irgendjemanden einschüchtern oder bestechen kann. Und noch was, Rory: Er ist in die Falle getappt. Er hat nach dem gefakten Rettungsring gegriffen, den ich ihm anbot. Dass er Carol an dem Wochenende bei Pattie gar nicht hatte kennenlernen können, wusste er nicht. Aber er hat es dankbar bestätigt. Bis später.« Sie legte auf und schaute zu Fitz.

Fitz setzte sich. »Ich bin mir sicher, dass er mich eben erkannt hat.«

»Besser hätte es nicht laufen können, Fitz. Das wird ihn richtig aufscheuchen.« Grace sah zufrieden aus. »Du hättest sein Gesicht sehen sollen, als er die Zeitung mit der Titelstory über den Tod seines Vaters entdeckte. Und wer sich in die Enge gedrängt fühlt, begeht Fehler. Aber jetzt erzähl. Wie war es in Limerick?«

62

Rory war noch nicht aus Clifden zurück, hatte aber schon telefonisch durchgegeben, dass eine Frau die Yacht an dem Freitag genommen habe, ohne sich in das Hafenlogbuch einzutragen. Das hatte auch keiner ungewöhnlich gefunden oder darauf bestanden, dass sie sich vorschriftsmäßig auswies und eintrug. An der Stelle hatte sich Grace dänische Verhältnisse herbeigewünscht, wo man solch einen nachlässigen Umgang mit Vorschriften nicht toleriert hätte.

Jetzt war sie auf dem Weg in das große Hotel am Eyre Square. Rory hatte ihr den Tipp gegeben, den smarten Hotelpagen Fritz, der ja offenbar seine flinken Augen auch dorthin bewegte, wo andere gelangweilt oder diskret wegschauten, noch einmal zu befragen. Vielleicht wusste der ja noch mehr über Carol Lonnigan.

»Ich möchte gern Ihren Bellboy sprechen.« Sie wies sich dem jungen Mann mit dem gegelten Haar an der

Rezeption des Bay Hotels aus. Erstaunt hob dieser die Augenbrauen. »Er hat doch nichts ausgefressen?«

Lachend schüttelte Grace den Kopf und versuchte vergeblich, eine Haarsträhne zu bändigen, die ihr in die Stirn fiel. Der Mann betrachtete sie einen Moment fasziniert und verschwand dann im dahinterliegenden Büro.

Grace warf einen Blick über die kühl gestylte Lobby des Luxushotels, schlenderte dann zu der eleganten grauen Wildledersitzgruppe und ließ sich in einen der futuristisch geformten Sessel fallen. Sie musste ihre Gedanken erst einmal sortieren. Gerade eben hatte nämlich Cressida Silverleaf sie angerufen und um eine Verabredung gebeten. Ihre Stimme hatte dabei so unaufgeregt und unbeteiligt geklungen, wie es nur Menschen zustande bringen, die eine teure, englische Internatserziehung genossen haben. Aber warum sie Grace ausgerechnet in Glenforbes treffen wollte, war ihr ein Rätsel. Glenforbes war eine von fast hundert irischen Geisterstädten, die im Zuge des Baubooms während der Schlussphase der Tigerjahre entstanden waren und jetzt wie Geschwüre die Grüne Insel überzogen. Einst als schmucke Hochglanzsiedlungen geplant, in denen vor allem junge Familien in naher Zukunft ihr Glück finden sollten, glichen sie jetzt schmutzig weißen Skeletten, in denen Füchse und Ratten Einzug gehalten hatten.

Grace schaute hoch und sah einen blonden Jungen in einer schicken Pagenuniform die große Eingangshalle durchqueren. Er steuerte direkt auf sie zu.

»Sie müssen der Boss von dem Guard sein, dem ich neulich behilflich sein konnte«, sagte er in forschem Tonfall. Sein Pillbox-Käppi saß tatsächlich atemberaubend schief, genau, wie es Rory erzählt hatte. Grace unterdrückte ein Schmunzeln.

»So ist es. Dann musst du Fritz sein. Und ich hoffe, dass du auch mir behilflich sein kannst. Setz dich doch.«

»Danke, Ma'm, aber ich stehe lieber. Ich habe auch gar nicht viel Zeit. Ich bin gleich ...«, er stockte, »... gebucht. Schauen wir mal, ob ich behilflich sein kann, aber grundsätzlich bin ich Gardai gegenüber immer gerne kooperativ. Besonders wenn Gardai so hübsch ist.« Er ließ eine Augenbraue hochschnellen und grinste freundlich, wenn auch eine Spur zu anzüglich.

Automatisch strich sich Grace ihren Rock glatt. Sie hatte gemerkt, wie der Junge auf ihre Beine gestarrt hatte. Der Kerl wirkte wie eine Figur aus einem altmodischen Film, und sie hatte Mühe, ernst zu bleiben. »Gut, Fritz. Dann komme ich gleich zur Sache. Mein Kollege sagte mir, dass du Carol Lonnigan aus deiner Heimatstadt Cong kennst?«

Fritz nickte geflissentlich und zwirbelte seinen obersten Uniformknopf.

»Weißt du zufällig, ob sie einen Bootsführerschein besitzt?« Da es in Irland keine Zentralstelle gab, die alle Inhaber eines solchen Führerscheins registrierte, hatten sie sich diese Information in der kurzen Zeit leider nicht beschaffen können. Sie hatte wenig Hoffnung, dass ausgerechnet ein Hotelpage so etwas wissen würde, aber einen Versuch war es wert.

»O ja, sie hat einen!«, rief Fritz erfreut. »Den Schein musste sie für ihre Kundschaft machen, die schon mal verlangt, dass sie deren Yachten persönlich irgendwo hinbringt oder abholt.« Er warf einen raschen Blick auf seine billige, wenn auch schicke Armbanduhr und wurde unruhig. »Wenn Sie keine Fragen mehr haben, dann würde ich mich jetzt gerne entschuldigen, Guard.«

Sie bedankte sich lächelnd bei ihm, und Fritz verabschiedete sich mit einer leichten Verbeugung. In dem

Moment klingelte ihr Handy. Es war Peter, der sie wissen ließ, dass er vor dem Hotel im Wagen auf sie wartete. Grace hatte sich unmittelbar nach Cressidas Anruf mit ihm in Verbindung gesetzt, um etwas über die Geistersiedlung zu erfahren. Sie hatte sich erinnert, dass Peter am Lake Corrib darüber gesprochen hatte. Als er jedoch hörte, dass Cressida Silverleaf sich mit Grace in dem verlassenen Glenforbes treffen wollte, hatte er darauf bestanden, zu dem Treffen mitzukommen. »Du gehst auf gar keinen Fall alleine dorthin, Grace!«, hatte er in fast gebieterischem Ton gesagt. Und im Nachhinein musste sich Grace eingestehen, dass sie ganz froh war, dass er ihr Gesellschaft leisten würde.

Sie beeilte sich, die Lobby zu verlassen. Peter wartete genau vor dem Hotel auf sie. Am Eyre Square herrschte lebhafter Feierabendverkehr, und Peter fädelte sich in die Autoreihe ein. Er war ungewöhnlich einsilbig.

»Weißt du denn genau, wo es ist?«, fragte Grace in bewusst lockerem Ton. »Es gibt doch gar keine feste Straße von der 59 dahin, oder? Auf dem Handy zumindest hab ich nichts gefunden.« Sie schaute prüfend in den Himmel. Es sah nach Regen aus.

»Doch, es gibt eine halbwegs befestigte Zufahrt bis fast vor Ort. Dann ist denen das Geld ausgegangen, und die Kommune hätte den Teufel getan, das Geisterdorf auch noch an den Verkehr anzubinden. Die letzten Kilometer werden wir durchgeschüttelt werden, aber der Wagen packt es. Warum wollte sie dich denn ausgerechnet dort treffen?«

»Ich habe keine Ahnung«, sagte Grace. »Und ich bin dir dankbar, dass du mitkommst, Peter. Cressida wollte nicht nach Galway reinkommen, aber sie deutete an, dass sie Interessantes herausgefunden habe. Anscheinend weiß sie auch, was mit dem Norweger passiert ist.«

Peter pfiff durch die Zähne. Grace störte das. Sie konnte gar nicht sagen, warum. Bei Rory hatte sie das auch schon genervt.

»Sie tat sehr geheimnisvoll. Offenbar kommt noch jemand.«

Überrascht schaute Peter zu ihr hinüber.

»Pass auf den Verkehr auf!«, rief Grace ihn zur Ordnung. »Ich war auch erstaunt, aber sie hat mir partout nicht sagen wollen, wer es ist.«

An einer großen Kreuzung schaltete die Ampel gerade auf Rot. Sie mussten anhalten, und Peter schaute sie eindringlich von der Seite an. »Das gefällt mir alles überhaupt nicht, wenn du mich fragst. Ich hab ein Scheißgefühl dabei! Entschuldige die drastische Ausdrucksweise.« Sein Gesicht war ganz rot vor Erregung.

Sie stimmte ihm zu, war aber angesichts seiner Besorgnis auch etwas amüsiert. »Dann ist es ja doppelt gut, dass du dabei bist. Rory hatte nämlich keine Zeit, und Kevin hätte ich auf keinen Fall mit dabeihaben wollen«, sagte sie fröhlich.

»Du hast hoffentlich deine Waffe dabei«, knurrte Peter.

Grace nickte beruhigend. Sie hatten jetzt die Stadt hinter sich gelassen, und der dunkelblaue Geländewagen jagte mit hoher Geschwindigkeit über die Landstraße 59 Richtung Oughterard.

»In Moycullen müssen wir abbiegen. Dann ist es nicht mehr weit.«

Grace erzählte Peter von Cadogans Yacht, mit der eine unbekannte Frau wenige Stunden vor dem Unwetter hinausgefahren sei. »Cadogan hat abgestritten, davon etwas gewusst zu haben.«

»Ganz schön mutig von der Dame«, meinte Peter. »Wenn Carol nicht mit ihrem Englandtrip ein Alibi hätte vorweisen können, würde ich auf sie tippen. Sie ist genau der Typ für solche Aktionen.«

Sie hatten Moycullen erreicht und bogen erst nach rechts ab und kurz darauf in einen staubigen Feldweg ein. Es gab keinen Wegweiser nach Glenforbes. Es war, als führen sie ins Nichts. Am Himmel hatten sich die Wolken immer mehr zugezogen, und es dämmerte unerwartet früh.

Grace hing ihren Gedanken nach. Es gefiel ihr nicht, dass Peter für Carol Lonnigan fast anerkennende Worte gefunden hatte. »Ich halte Carol übrigens gar nicht für so mutig, wie du sie darstellst. Sie leidet zum Beispiel unter massiver Flugangst.« Sie starrte trotzig nach draußen, konnte aber nur schemenhaft die Landschaft um sie herum ausmachen.

Peter lachte laut auf. »Sie leidet unter was?«

»Flugangst. Warum lachst du?« Grace schaute ihn irritiert an.

»Grace, da hat sie euch aber einen Bären aufgebunden. Ich erzähle dir mal eine kleine Geschichte.« Und dann erzählte er ihr, wie er vor etwas über sechs Wochen zu den Arans geflogen war. Es waren nur wenige Passagiere an Bord, unter anderem Carol Lonnigan, die er vom Sehen kannte. Im Laufe des Fluges stellte sich heraus, dass mit dem einen Propeller etwas nicht stimmte, und der Pilot musste im Schweiße seines Angesichts ein Landemanöver hinlegen, das den Namen Notlandung ohne Weiteres verdient hatte. Er, Peter, sei mit den Nerven völlig fertig gewesen, wie die anderen Passagiere übrigens auch. Und auch der Pilot sah ordentlich blass um die Nase herum aus. »Nur Carol, die fand alles supergut und hat noch Fotos mit dem Handy gemacht, wenn ich mich recht erinnere.«

Grace schwieg. Verdammt noch mal, sie hatte es gewusst.

Der Allrad hoppelte nun den steinigen Weg entlang und wirbelte jede Menge Staub auf. Schließlich erkannten sie am Horizont die Umrisse von Häusern. Dahinter erahnte man den mächtigen Lough Mask. Glenforbes hätte ein Kleinod inmitten unberührter Natur werden können. Nun war es zum Alptraum verkommen.

»Das muss es sein.« Grace fischte ihr Handy aus der Tasche, um Rory noch einmal zu kontaktieren, doch sie hatte kein Netz. Fluchend steckte sie das Gerät wieder ein und versicherte sich ihrer Waffe. Das ungute Gefühl im Bauch verstärkte sich und breitete sich mittlerweile über den ganzen Körper aus. Als sie die ersten Häuser erreicht hatten, fuhren sie im Schritttempo weiter und hielten angespannt in alle Richtungen Ausschau.

»Ich gehe mal davon aus, dass sie dir keine Hausnummer genannt hat, wo wir klingeln könnten«, grinste Peter, hielt an, ließ aber den Motor laufen.

»Es nützt auch nichts, sie anzurufen, hier gibt es kein Netz.«

»Darf ich dich erinnern: Hier gibt es nichts, Grace. Hier hat man eine ganze Menge Geld wortwörtlich in den Sand gesetzt. Und mit Sicherheit nicht das eigene.«

Der Wind hatte kleine Sandkringel in die mit billigem dunkelgrünem Plastik überdachten Eingangspforten geweht. Teile dieser Überdachungen waren zerrissen oder bereits abgebrochen, was den Eindruck der Verwahrlosung noch verstärkte. Niemand war zu sehen.

Peter seufzte, legte den Gang ein und fuhr weiter. Vier Einfamilienhäuser standen jeweils auf jeder Seite einer gespenstisch leeren Straße. Am Ende ging eine weitere Straße mit acht Häusern ab. Ein Steingrab des frühen dritten Jahrtausends. Errichtet nicht für Menschen, sondern für den Mammon.

»Da hinten steht etwas!«, rief Peter und fuhr geradewegs darauf zu. Hinter einem der schäbigen Gebäude hob sich etwas Rotes ab. Als sie näher kamen, erkannten sie, dass dort ein Mini geparkt war.

»Das muss ihrer sein«, rief Grace. »Halt an und lass uns aussteigen. Sie muss ganz in der Nähe sein.« Grace öffnete die Beifahrertür.

»Carol fährt auch einen roten Mini«, sagte Peter.

In dem Moment öffnete sich der Himmel.

63

Der Mini war nicht abgeschlossen. Es war nicht Carols Auto. Als Grace sich in den kleinen Wagen hineinbeugte, fiel ihr ein, dass Carols Wagen schwarze Ledersitze hatte; dieser hier war mit eierschalenfarbenem Velour ausgestattet. Als sie um den Wagen herumging, entdeckte sie das englische Nummernschild. Es hatte angefangen, in Strömen zu gießen, und Grace war schon nach kurzer Zeit bis auf die Haut durchnässt.

»Peter, das hier ist ganz sicher der Wagen der Journalistin«, rief sie Peter zu, der auch ausgestiegen war und durch den strömenden Regen lief. »Wo ist sie bloß hin?«

Es war nun fast dunkel. Trotz des heftigen Regens war es windstill. Ihre Gesichter glänzten vor Feuchtigkeit. Peter und Grace schauten sich um. Schließlich lief Peter wieder zu seinem eigenen Auto und beugte sich hinein, um mehrmals zu hupen.

Die Türen der Häuser um sie herum waren, soweit man das erkennen konnte, verbarrikadiert. Der Regen veränderte sich. Jetzt waren es dichte, dünne Schnüre, die unaufhörlich auf die ungeteerten Straßen niederprasselten. Sie beschlossen, sich nicht zu trennen, da der Handykontakt immer noch nicht funktionierte. Auch Peter war mittlerweile völlig durchnässt. Sein schwarzes T-Shirt klebte an seinem durchtrainierten Körper. Er hatte Grace seinen Anorak geliehen, den er für alle Fälle in seinem Auto aufbewahrte, was eigentlich sinnlos war, denn Grace war ohnehin schon völlig durchnässt gewesen. Jetzt versank sie in der großen Jacke, was bei ihr jedoch durchaus attraktiv aussah, wie Peter mit einem anerkennenden Seitenblick feststellte.

»Ich glaube, da drüben hat sich etwas bewegt!«, rief Grace plötzlich.

»Wo?«

Grace zeigte auf das Eckhaus an der nächsten Abzweigung, und sie liefen darauf zu. Die Tür des Hauses war tatsächlich aufgebrochen. Grace bedeutete Peter, sich langsam auf den Eingang zuzubewegen, und hatte ihre Waffe gezogen. Sie schüttelte die Kapuze vom Kopf, damit diese sie nicht behindern würde. Peter hatte sich vorsichtig der Tür genähert, hielt sie einen Spaltbreit auf, und Grace schlängelte sich vorsichtig mit hocherhobener Waffe an ihm vorbei. In der anderen Hand hielt sie die Taschenlampe, die sie sich im Auto noch schnell in die Hosentasche gesteckt hatte. Der Lichtkegel schnitt scharf in die Dunkelheit der verdreckten und verwahrlosten Räume, die irgendwann mal hätten Zimmer werden sollen. Es war niemand zu sehen. Peter stand dicht hinter Grace. Sie spürte die Wärme, die von seinem nassen, dampfenden Körper ausging, und hörte seinen Atem.

»Ich habe etwas gesehen, da bin ich mir sicher«, flüsterte Grace ihm zu. Schließlich rief sie laut »Cressida! Wenn Sie hier sind, antworten Sie! Hier ist Garda!«

In dem Moment schoss aus einem kleinen Abstellraum unter der provisorischen Treppe ein hundeähnliches Tier hervor und raste an ihnen vorbei durch die halb offene Tür nach draußen. Grace stieß einen erschreckten Laut aus, und Peter zuckte zusammen. Er hatte das Tier beinahe an seinen Hosenbeinen gespürt, so nah war es an ihnen vorbeigerannt.

»Ein Fuchs?«

»Wahrscheinlich«, antwortete Peter.

»Sind die so groß?«, fragte Grace erstaunt.

Peter nickte. »Die können so groß wie Hunde werden, und wegen des Schwanzes wirken sie sogar noch länger.«

»Aber lungert ein Fuchs einfach so in einer Bauruine herum, um sich hier die Krallen zu pflegen?«

Peter warf Grace einen Blick zu und betrachtete den Verschlag, aus dem das Tier entwischt war, etwas näher. Mit seinem Fuß verbreiterte er den Türspalt. »Oh!« Sofort wich er einen Schritt zurück.

Doch Grace war schon hinter ihn getreten und warf an seinem Rücken vorbei einen Blick in die Kammer. Ihre Augen weiteten sich. Den grausamen Anblick musste sie erst mal verarbeiten. Der Fuchs hatte ein Lamm gerissen und hierhergeschleift. Offensichtlich hatten sie ihn gerade bei seinem Abendessen gestört. Die Gedärme des Lamms lagen halb zerfressen und zerrissen auf dem Betonboden, der Kopf war fast gänzlich zerkaut. Die Augen waren aus ihren Höhlen verschwunden. Überall war Blut. Grace schluckte.

In dem Moment hörten sie das Geräusch. Es war der Motor eines Autos, das angelassen wurde und sich dann schnell entfernte. Sofort stürzten sie aus dem Haus, konnten aber nichts mehr entdecken. Sie rannten zu Peters Wagen zurück. Der rote Mini stand unverändert an der gleichen Stelle.

»Sollen wir hinterher?« Grace überlegte fieberhaft,

entschied dann aber, dass Peter alleine die Verfolgung aufnehmen sollte.

»Ich bleibe hier und suche nach Cressida. Ich bin sicher, dass sie noch hier ist.« Dann bat sie ihn noch, sobald er wieder ein Netz haben würde, Garda zu alarmieren, damit sie umgehend hierherkommen würden. Jetzt bereute sie, dass sie nicht mit ihrem Dienstwagen hierhergekommen waren. Dann hätten sie jetzt, unabhängig von Handynetzen, den Kontakt zur Zentrale herstellen können.

»Ich mag dich hier eigentlich nicht alleine lassen.« Peter war ganz und gar nicht einverstanden mit Graces Entschluss. Er stieg widerwillig in seinen Wagen.

»Ich bin nicht allein«, beruhigte sie ihn und hielt ihre Dienstwaffe hoch. »Wer auch immer hier war, ist jetzt nicht mehr hier. Los jetzt! Sonst ist der über alle Berge! Run, Peter, run!«

Peter wendete, hielt dann aber noch mal kurz vor ihr an. Durch das heruntergekurbelte Fenster rief er ihr zu: »Hier gab es mal früher weiter unten ein Bootshaus, das man für Partys mieten konnte. Vielleicht wollte sie sich dort verabreden. Ungefähr zweihundert Meter geradeaus und dann links unten am See. Pass auf dich auf!« Seine Augen suchten in der Dunkelheit die ihrigen, doch sie war schon losgerannt.

Der Regen prasselte gnadenlos. Graces Haare hingen in triefenden Strähnen herab und behinderten ihre Sicht. Keuchend lief sie Richtung Bootshaus. Während des Laufens zog sie die Taschenlampe aus der Anoraktasche und knipste sie an. Im Lichtschein sah sie kleine Tiere, Haselmäuse oder Ratten, blitzschnell in das niedrige Gebüsch davonhuschen. Sie entdeckte das langgestreckte Gebäude unten am See sofort. Das musste das Bootshaus sein.

Als sie dort ankam, versuchte sie, im Schein der Taschenlampe das Tor zu öffnen. Das Herz klopfte ihr bis zum Hals. Das Tor war verschlossen. Sie lief eilig um das ganze Gebäude herum in der Hoffnung, einen anderen Eingang zu finden. Vergeblich. Sie spürte, dass die Journalistin da drin sein musste. Und sie wusste auch, dass Eile geboten war. Laut rief sie nach Cressida, klopfte an die massiven Holzwände und hielt ihr Ohr an eine der blinden Fensterscheiben. Auf einmal glaubte sie, von drinnen ein schwaches Geräusch zu hören. Kurzentschlossen hob sie einen schweren flachen Schieferstein auf und warf ihn mit voller Wucht durch das Fenster. Das Glas zerbarst in unendlich viele Splitter. Mit einem Stock schlug sie die Glasscherben am Rand des Fensterrahmens weg und kletterte dann vorsichtig ins Innere. Als sie den Schein ihrer Taschenlampe auf den Boden richtete, sah sie dort Cressida liegen. Unter ihrem Körper kroch langsam eine Blutlache hervor. Grace kniete sich neben sie und suchte nach Lebenszeichen. Sie atmete noch. Cressida stöhnte auf und versuchte, sich zu bewegen.

»Nicht bewegen. Es wird gleich Hilfe da sein.« Dabei spürte sie Verzweiflung und Panik in sich hochkriechen. Diese Frau würde ihr unter den Händen sterben, wenn nicht bald Hilfe kommen würde. Hoffentlich hatte Peter Garda schon informieren können. Scheiß-Handynetz. Cressida stöhnte wieder, und Grace näherte sich mit dem Ohr Cressidas Mund. »Wer war es?«, flüsterte sie eindringlich. »Wer hat es auf dich abgesehen, Cressida?«

Die Journalistin rang nach Luft. »C … Ca …« Aber die Kraft verließ sie. Ihr Kopf kippte zur Seite weg.

»Carol? Meinen Sie Carol Lonnigan?«, insistierte Grace verzweifelt. Die Zeit rannte ihr davon, und Cressidas Zustand verschlechterte sich dramatisch schnell. Die

Verletzte bewegte sich wieder leicht und drehte den Kopf. Mit geschlossenen Augen murmelte sie: »Wilde«.

Grace stutzte. Wilde? Meinte sie etwa Oscar Wilde? Hatte sie das richtig verstanden? Grace wusste, dass das Sommerhaus des irischen Schriftstellers keine vierzig Kilometer von hier gestanden hatte. Aber was sollte das alles mit dem Mordanschlag auf Cressida zu tun haben? Das ergab keinen Sinn!

»Cressida! Sie müssen sich noch einmal anstrengen, hören Sie? Wen meinen Sie mit Wilde? Oscar Wilde?« Hilflos streichelte Grace ihre kalten Wangen. Aber Cressida reagierte nicht mehr.

»Nein! Cressida, du stirbst jetzt nicht! Verdammt noch mal!«, schrie Grace auf. In ihrer Verzweiflung rüttelte sie an dem leblosen Körper, bis sie merkte, dass es sinnlos war.

Erschöpft setzte sich Grace auf den schmutzigen Boden. Die Taschenlampe lag neben ihr und leuchtete in eine Ecke des Raumes, in jedem Fall weg von Cressida, die jetzt entspannt, fast friedlich dalag. Grace schluchzte auf. Sie hielt sich die Hand vor den Mund, um ihren Schreckensruf zu unterdrücken, als eine Fledermaus dicht an ihr vorbeiflog. Was sollte sie jetzt tun? Eigentlich konnte sie nur warten. Wann würden die Kollegen hier auftauchen? Da klingelte ihr Handy. Atemlos kramte sie es aus der Jackentasche hervor. Hier unten am See hatte sie ein Netz!

Es war Rory, dem man die Aufregung in der Stimme anhören konnte. »Verdammt noch mal, Grace, was ist los?«

64

Peter hatte bei der Verfolgung des Wagens, in dem sich aller Wahrscheinlichkeit ein Mörder befand, wenig Glück. Zu groß war der Abstand zum Fluchtauto gewesen. Fluchend war er so schnell, wie es auf dem unwegsamen Gelände möglich war, ohne einen Achsenbruch zu riskieren, Richtung Landstraße gefahren. Doch als er dann endlich auf die 59 traf, hatte er keinerlei Anhaltspunkt dafür, wohin er fahren sollte – nach links Richtung Galway oder nach rechts Richtung Oughterard und Clifden. Er war sich ja noch nicht einmal sicher, nach was für einem Autotyp er Ausschau halten sollte. Dann fiel ihm ein, dass er dringend ein Handynetz benötigte, um Garda zu informieren. Er fuhr noch ein paar Meter auf der Landstraße, hielt dann an der Seite an und testete sein Handy. Gott sei Dank, er hatte wieder ein Netz!

Er erreichte Rory auf Anhieb und gab ihm einen raschen Lagebericht. »Seht zu, dass ihr schnell herkommt. Und bringt am besten gleich einen Krankenwagen mit. Und O'Grady. Ich befürchte leider das Schlimmste.«

Dann entschloss er sich, so rasch wie möglich nach Glenforbes zurückzukehren. Er hatte keine ruhige Minute bei dem Gedanken, dass er Grace dort alleine gelassen hatte.

Im Scheinwerferlicht seines Autos sah er schon von Weitem den roten Mini unverändert an derselben Stelle parken. Er stellte seinen Wagen daneben und beeilte sich, den Weg zum Bootshaus zu finden. Leise fluchend stellte er fest, dass er keine Taschenlampe bei sich hatte.

Grace kauerte vor dem Bootshaus unter einem kleinen Vordach. Peter hatte den Schein ihrer Taschenlampe hin- und herwandern sehen. Er rief ihren Namen, und unendliche Erleichterung machte sich in ihm breit. Offenbar war sie unverletzt. Der Regen ließ ihr Gesicht glänzen, als sie die Taschenlampe erst auf ihn, dann auf sie beide gerichtet hielt. Sie sah müde und erschöpft aus. Doch ihre Augen leuchteten erleichtert auf, als sie Peter sah.

Nur wenige Minuten später erschien ein Großaufgebot an Garda aus Galway: Polizisten mit Scheinwerfern, die das ganze Gelände in gleißendes Licht tauchten, die Spurensicherung, O'Grady, die sich sofort in das Innere des Hauses begab, und schließlich auch Rory, der direkt aus Clifden kam.

Nach dem Abtransport der Leiche und der Sicherung des Tatorts bewegte sich der Tross in die Zentrale nach Galway zurück. Da war es bereits halb ein Uhr nachts. Peter war keine Minute von Graces Seite gewichen. Doch jetzt, nachdem in der Zentrale einigermaßen Ruhe eingekehrt war und diejenigen, die eine Nachtschicht einlegen mussten, in ihre Büros verschwunden waren, nahm Grace Peter kurz zur Seite.

Er ahnte schon, was jetzt kam. »Ja, Grace, ich weiß, ich störe hier.«

Sie lächelte ihn etwas schief und verlegen an. »Es tut mir wirklich leid. Du warst eine prima Hilfe. Ohne dich hätte ich die Aktion gar nicht durchziehen können. Ich bin dir wirklich sehr, sehr dankbar. Aber jetzt ist es besser, wenn du nach Hause gehst.«

Er hatte schon die Blicke der anderen Kollegen gespürt, die sich wahrscheinlich über seine hartnäckige Anwesenheit wunderten. Notfalls hätte Grace ihn als Zeugen ausgegeben. Vor allem musste man sich jedoch vor Kevin Day hüten. Er wollte nicht, dass es Gerede gab und Grace womöglich noch Schwierigkeiten wegen ihm bekam. Trotzdem fühlte er sich ein bisschen wie ein kleiner Junge, der nach Hause geschickt wurde, wenn es spannend wird. Aber er wusste ja, dass die Polizei Außenstehende nun mal nicht in ihre Ermittlungen einbeziehen konnte. Und er war definitiv ein Außenstehender. »Versprich mir, dass du mich anrufst, wenn es etwas Neues gibt.«

»Ich versprech's.« Sie grinste jetzt und rieb sich die müden Augen. Er drückte kurz ihren Arm und ging Richtung Ausgang. Kurz bevor er hinausging, drehte er sich noch mal zu ihr um: »Zieh dir was Trockenes an, Grace. Sonst erkältest du dich noch.«

65

Grace und Rory tranken schon die dritte Kanne Tee, um sich bei Laune zu halten und gegen die Müdigkeit anzukämpfen. Trotz der vorgerückten Stunde konnten sie sich nicht entscheiden, nach Hause zu gehen. Wieder und wieder gingen sie ihre Unterlagen und Notizen durch. Rory hatte bei seinem Besuch in Clifden herausgefunden, dass es Carol gewesen war, die die Cadogan-Yacht an dem betreffenden Tag aus dem Hafen gesteuert hatte. Jetzt schien sie verschwunden zu sein, denn die Polizei hatte sie nicht in ihrer Wohnung angetroffen. Die Fahndung nach Carol Lonnigan war noch in der Nacht angelaufen.

Was Grace Kopfzerbrechen bereitete, war die Tatsache, dass bei Cressidas Leiche kein Handy, kein Tablet oder wenigstens ein USB-Stick sichergestellt wurde. Weder in ihrem Auto noch in dem Hotelzimmer, das von der Polizei umgehend durchsucht wurde, konnte man etwas finden. Bei ihrem Gespräch vor ein paar Tagen war Grace noch die beeindruckende digitale Komplettausstattung der jungen Journalistin aufgefallen. Sie hatte sie sogar um einen Tipp gebeten, was sie bei der Anschaffung eines neuen Tablets beachten sollte. Und jetzt sollte alles nicht mehr da sein? Das war mehr als mysteriös. Der Mörder hatte wirklich nichts übersehen wollen.

In dem Moment klopfte es, und Kevin Day stand in der Tür. Grace bat ihn herein und schaute ihn erwartungsvoll an.

»Tja, Pech, nun sind es viereinhalb«, begann Day. »Rob hat eine Sonderkommission eingesetzt. Hat er mir gerade am Telefon gesagt. Ich bin dabei. Ist eigentlich klar, dass ihr das nicht zu zweit schafft. Meiner Meinung nach hätte das schon längst passieren sollen.«

Grace und Rory schauten ihn schweigend an, was ihn aber nicht zu irritieren schien. Ohne zu zögern, fuhr er fort. »Ich war übrigens heute noch mal bei den McDoughalls im Norden. Wegen der Konten der Toten.«

»Gut.« Grace spürte mit einem Mal, wie unglaublich müde sie war.

»Sie versicherten mir beide, dass sie von dem einen Konto, auf dem die größere Summe deponiert war, nichts gewusst hätten.«

»Und du glaubst ihnen also?«, fragte Rory. Day nickte.

Da fiel Grace etwas ein. »Hast du Beatrice gesehen? Die behinderte Schwester von Annie?«

Irritiert schaute er sie an. »Ja, hab ich. Sie war im Zimmer, als ich ankam. Warum?«

»Und wie hat sie sich verhalten während deines Besuchs?«

Day wirkte auf einmal gereizt. »Sie hat geschrien, wenn du es genau wissen willst. Und wild gestikuliert. Was Behinderte halt manchmal so machen. Normal.«

Rory tauschte mit Grace einen Blick. »Wusste sie, wer du bist und warum du da bist?«, hakte Grace nach.

»Hä? Wie meinst du das?«

Betont geduldig erklärte Grace ihre Frage: »Na, du trägst keine Uniform. Wusste Beatrice trotzdem, dass du von Garda bist?«

Er zuckte mit den Schultern. »Keine Ahnung. Vermutlich hat Mrs McDoughall erwähnt, dass ich von Garda bin, aber was macht das bitte für einen Unterschied? So ein Kind begreift mit ziemlicher Sicherheit nicht, was Gardai überhaupt ist.«

Das Telefon klingelte. Grace warf einen Blick auf das Display und registrierte aus den Augenwinkeln auch Days neugierigen Blick. So ein Anruf mitten in der Nacht konnte interessant sein, deshalb machte es nicht den Anschein, dass sich Day zurückziehen wollte. Mit einer energischen Handbewegung bedeutete Grace ihm, zu verschwinden, was er nur zögernd und mit enttäuschtem Gesichtsausdruck tat. Dann erst nahm sie den Hörer ab. Es war, wie sie aufgrund der englischen Nummer schon vermutet hatte, Cressida Silverleafs Kollege aus London. Sie hatte ihn um einen dringenden Rückruf gebeten. Jetzt musste sie ihm die traurige Nachricht überbringen, dass seine Kollegin ermordet worden war. In der Leitung herrschte lange absolute Stille.

»Sind Sie noch da?«, fragte Grace vorsichtig an.

»Ja.« Er war kaum zu hören, und seine Stimme klang heiser und traurig.

»Wann haben Sie Cressida zum letzten Mal gesprochen?«

»Gestern, am frühen Abend.« Er erzählte Grace, dass sie offenbar noch jemanden treffen wollte. »Wen, hat sie nicht verraten. Ich wollte dann noch von ihr wissen, ob sie direkt von Irland nach Berlin fliegen würde oder ob sie vorher noch in London einen Stop-Over geplant hätte, um den Wagen zurückzubringen.«

»Nach Berlin? Warum wollte sie nach Berlin?« Grace war erstaunt.

»Keine Ahnung. Sie war immer irgendetwas auf der Spur. Ich vermute, das hatte was mit ihrem aktuellen Fall zu tun.«

»Und was war das?«

»Na, diese Wissenschaftssache. Ein ganz großes Ding, hat sie immer gesagt. Das würde der Knaller werden, wenn sie das veröffentlichte. Abgezockte Gangster, die mit Wissen dealen, der Hammer. Drogen waren gestern, heute ist es Info, hat sie immer behauptet. Und sie hatte recht. Aber viel mehr weiß ich auch nicht. Sie war der Boss. Ich war sozusagen ihre britische Connection und habe ihr zugearbeitet. Ein anderer Kollege hat noch in China für sie recherchiert. Aber die ganzen Zusammenhänge, die hatte nur sie auf dem Schirm. Und jetzt ist sie tot. Guter Gott, Cress ...« Ihm versagte die Stimme.

»Wie hat sie ihre Dateien gesichert?«

»Normalerweise schickte sie über einen sicheren Link Sachen an sich und an mich – zur Sicherheit. Bis jetzt habe ich aber noch nichts erhalten. Da müsste man ganz schnell in ihrer Wohnung in Knightsbridge nachforschen, was sich auf ihrem Computer dort befindet.«

Grace war auf einmal wieder hellwach. »Geben Sie mir bitte ihre Adresse, ich schicke unsere Kollegen von der MET sofort da hin.«

Er nannte ihr die Adresse, wusste allerdings auf die Schnelle keine Hausnummer.

Rory schaute Grace über die Schulter und hob die Augenbrauen. »Das ist ja wirklich mal eine noble Gegend«, murmelte er.

Grace nickte. Sie kannte die Gegend um den Sloane Square in Knightsbridge. Dort hätte sie sich nicht mal ein Dixiklo zur Miete leisten können.

»Es liegt aber genau gegenüber des berühmten Hotels, gar nicht zu verfehlen«, schob der Journalist noch hinterher.

»Ach ja, gut, danke.« Grace zögerte. Sie hatte keine Ahnung, von welchem Hotel er redete, wagte aber auch nicht, nachzufragen. Diese Blöße wollte sie sich nicht geben. Dann warnte sie ihn noch: »Und bitte seien Sie vorsichtig, ich veranlasse, dass jemand von Scotland Yard sich mit Ihnen umgehend in Verbindung setzt.«

Er hustete. »Meinen Sie, ich bin auch in Gefahr?« Seine Stimme begann zu krächzen.

»Nur eine Vorsichtsmaßnahme.« Sie wollte das Gespräch jetzt rasch beenden. Es gab noch so viel zu tun. Sie fand noch ein paar beruhigende Worte für den jetzt doch spürbar nervösen Mann am anderen Ende der Leitung und legte dann auf. Nachdenklich drehte sie sich zu Rory. »Sag mal, als du bei den McDoughalls warst, da hat Beatrice doch auch mehrmals geschrien?«

Rory blickte von seinem Zettelwirrwarr auf, den er in immer neuen Kombinationen sortierte, und nickte. »Ja, hat sie. Ich fand das übrigens auch nicht ungewöhnlich. Da muss ich Day ausnahmsweise mal zustimmen. Beatrice hat bestimmt die Unruhe wahrgenommen. Ein Fremder im Haus, der seltsame Fragen stellt und die Eltern beunruhigt. Ich vermute mal, dass sie sowieso nicht oft Besuch bekommen. Behinderte haben für so etwas sehr feine Antennen.«

»Hm.« Grace sah nachdenklich aus. Dann wählte sie die Nummer von Scotland Yard. Es war weit nach zwei Uhr nachts. Sie hatte Glück, denn der Beamte, mit dem man sie über den internen Notfallruf verband, war ihr bestens bekannt. Nathan Cooper hatte sie vor ihrem Umzug nach Dänemark auf mehreren anglo-irischen Fortbildungsseminaren der Polizei kennen und schätzen gelernt. Nach ein paar freundschaftlichen Floskeln und Beteuerungen informierte Grace Nathan über den Mord an Cressida Silverleaf und rückte dann mit ihrem Anliegen heraus. Oberste Priorität habe nun die Durchsuchung der Wohnung des Opfers und die Sicherstellung der Daten auf ihrem privaten Computer. Sie nannte ihm Namen und Adresse und blinzelte Rory dabei ungeduldig zu.

»Sloane Street? Hast du keine Nummer? Die ist lang, weißt du zufällig, auf welcher Höhe das sein soll?«, fragte Nathan.

Grace überlegte einen Moment. Verdammt, warum hatte sie nicht noch einmal nachgefragt, um welches Hotel es sich handelte? Manchmal ärgerte sie sich über ihre falsche Eitelkeit. »Das Haus liegt genau gegenüber des berühmten Hotels. Du weißt schon, welches, oder?« Sie hielt den Atem an und hoffte, dass er richtig reagierte.

»Ach so. Dann ist alles klar. Wir fahren sofort hin. Das sind diese feudalen viktorianischen Wohnblöcke. Da läuft ja alles nur über Zugangscodes und unter dem gestrengen Blick des Portiers. Vielleicht haben wir Glück. Unbefugte dürften es dort schwer haben, einfach so ins Haus zu marschieren.«

Grace seufzte und fasste sich schließlich ein Herz. »Nathan, kannst du mir bitte verraten, um welches berühmte Hotel es sich handelt?« Sie hörte ein unterdrücktes Lachen am anderen Ende der Leitung.

»Aber gerne doch. Dabei spielte sogar ein Ire die Hauptrolle. Euer Oscar Wilde wurde dort seinerzeit verhaftet, und noch heute pilgern Fans aus aller Welt dorthin. Das Cadogan Hotel kennt jeder Literaturbegeisterte. Ich melde mich wieder bei dir, Grace.«

66

Irgendwann half auch der Tee nichts mehr. Die Müdigkeit überwältigte sie einfach. Grace und Rory beschlossen, wenigstens drei, vier Stunden Schlaf zu erwischen. Für den Moment gab es nichts Wichtiges mehr zu tun. Grace war kreidebleich und schaffte es nicht mehr, ihren Drang zu gähnen zu unterdrücken. Außerdem war ihr schlecht. Das passierte immer, wenn sie zu wenig schlief.

»Lassen wir es gut sein, Grace«, meinte Rory und blinzelte sie aus übernächtigten Augen an. »Wir sind ganz nah dran, ganz nah. Sag ich doch. Aber jetzt brauchen wir unbedingt eine Mütze Schlaf. Komm, ich fahr dich nach Hause.«

Sie schenkte Rory ein erschöpftes Lächeln. »Du hast ja recht.«

Als sie im Auto saßen und in der Morgendämmerung die noch menschenleeren Straßen entlangfuhren, konnte Grace das Gedankenkarussell in ihrem Kopf immer noch nicht zum Anhalten bringen. »Warum hat Robin nur Day über seine Sonderkommission informiert und uns nicht? Das kapier ich nicht.«

Rory gab einen undefinierbaren Knurrlaut von sich. »Robin braucht keine Sonderkommission mehr. Wir haben sie bald.«

»Von wem redest du jetzt? Meinst du Carol?«

»Nicht nur. Sie kann es nicht allein getan haben. Nicht alle Morde. Dafür sind die Tötungsmuster zu verschieden. Aber ich glaube, dass sie von allen Morden wusste und irgendwie involviert war, und wenn es indirekt war.« Rory überlegte, während er durch das ausgestorbene Galway fuhr. Die sonst so quirlige Stadt zeigte sich in den dunkelgrauen wässrigen Morgenstunden melancholisch, fast trostlos.

»Bei Joyce, zum Beispiel, da steckte der pure Hass dahinter, und das arme Kind, das immer noch im Koma liegt, war wahrscheinlich ein Zufallsopfer, um einen Zeugen zu beseitigen, was jedoch nicht ganz gelungen ist. Und einen Funken Hoffnung gibt es noch. Immerhin heißt ›Zoe‹ im Griechischen ›Leben‹«, setzte Rory hinzu.

Sie seufzte. Er hatte wahrscheinlich recht. »Joyce wollte den Spieß umdrehen, um nicht länger erpresst zu werden. Dabei ist das Treffen mit Carol auf Inis Meáin aus dem Ruder gelaufen.«

»Mit was hätte er Carol denn erpressen wollen?«, fragte Rory und kratzte sich gedankenverloren an der Nase.

Grace überlegte. »Na ja, er hat beobachtet, wie Annie am Samstagabend Murphys Haus betrat.«

Rory widersprach. »Ja, und? Was soll das damit zu tun haben?«

Grace wurde auf einmal wieder munter. »Rory, er besaß Annies Schuh! Joyce muss gesehen haben, wie Annie hineinging, aber auch, wie man die bewusstlose Annie aus dem Haus trug und sie dabei einen Schuh verlor! Dabei erkannte er Carol. Und er handelte. Erinnere dich! Ganz plötzlich hat er seine Aussage widerrufen. Da hatte er wohl auf einmal einen besseren Plan. Das war sein Todesurteil. Er hat nicht nur Carols kriminelle Energie unterschätzt, sondern auch ihren Hass auf ihn.«

Sie waren vor Graces Apartmenthaus angekommen. Rory stellte den Motor ab. Eine Weile saßen sie noch schweigend im Auto, dann fingerte Grace ihren Schlüssel aus der Tasche. »Danke, Rory. Komm gut nach Hause. Ich bin um sieben wieder am Platz, falls nichts in der Zwischenzeit passiert und sie Carol schnappen.« Sie machte leise die Autotür zu. Er hob die Hand und fuhr davon.

Als sie gerade den Sicherheitscode eingab, der ihr die Tür öffnen würde, löste sich ein Schatten von der Hauswand und kam auf sie zu. Sie war nicht vorbereitet und reagierte, weil sie müde war, eher langsam, trotzdem griff sie als Erstes nach ihrer Waffe. Da erkannte sie die Stimme: »Entschuldigung, Grace, ich wollte dich nicht erschrecken.« Sie drehte sich um.

Es war Peter, der neben dem Haus auf sie gewartet hatte. Grace atmete tief aus und lehnte sich mit geschlossenen Augen an die Haustür. »Du hast mich ziemlich erschreckt«, flüsterte sie, »meine Nerven liegen blank, und ich falle gleich ins Koma. Es ist nach vier. Sei mir nicht böse.« Sie steckte die Waffe wieder weg und sah ihn an. In seinen Augen lag eine Mischung aus Sorge, Neugierde, Interesse und, was sie mit Erstaunen feststellte, Zuneigung. Sie lachte leise auf. »Also gut. Ich merke schon: Du kannst sonst nicht schlafen.«

Sie hockten sich auf die kleine Mauer, die den dunkelgrünen Teppich des Vorgartens zur Straße hin begrenzte, und gingen noch einmal die Geschehnisse des Abends durch.

»Was, meinst du, wollte dir Cressida kurz vor ihrem Tod noch mitteilen?«, fragte Peter nachdenklich. »Ich kann mir keinen Reim darauf machen, was sie mit ›Wilde‹ gemeint haben könnte.«

»Darüber habe ich auch lange nachgedacht. Versetzen wir uns doch mal in die Lage der schwer verletzten Cressida. Sie will mir irgendeinen Namen sagen, merkt aber, dass sie nicht mehr die Kraft hat, das Wort mit dem anstrengend und mühsam zu sprechenden, harten Konsonanten K am Anfang auszusprechen.«

»Oder C … wie Carol …«, ergänzte Peter.

»Oder C, wie Carol, zum Beispiel«, bestätigte Grace. »Ich glaube, sie spürte, dass ihr keine Zeit mehr blieb. Wie wir mittlerweile herausgefunden haben, wohnte Cressida in London unmittelbar gegenüber vom Cadogan Hotel, wo, wie ja jedermann weiß ...«

Peter ergänzte mit einem triumphierenden Blick ihren Satz: »... Oscar Wilde verhaftet wurde! Genial, Grace.«

Grace grinste etwas unbeholfen und verschämt. »Na ja ...«

Peter wirkte plötzlich gar nicht mehr müde, wurde dann aber wieder nachdenklich. »Du meinst also, sie hat dir im Todeskampf auf einem assoziativ ganz schön anspruchsvollen Weg versucht mitzuteilen, wer sie überfallen hat? Sie sagt Wilde und meint Cadogan?« Peter runzelte die Stirn und schien Graces Theorie noch mal von allen Seiten zu überdenken.

Grace zuckte mit den Schultern. »Das ist ganz schön um die Ecke gedacht, ich weiß schon, Peter. Aber den Namen Cadogan hätte sie auf gar keinen Fall mehr herausgebracht. Je länger ich darüber nachdenke, desto logischer erscheint es mir eigentlich. Was ich nicht verstehe, ist, dass ihr offensichtlich überhaupt nicht klar war, in welcher Gefahr sie schwebte. Sie wollte heute eigentlich nach Berlin weiterreisen.«

»Nach Berlin? Was wollte sie denn da?« Peter sah sie überrascht an.

Grace rutschte von der Mauer herunter. »Keine Ahnung. Ihr Londoner Kollege war sich noch nicht einmal sicher, ob das überhaupt etwas mit diesem Fall zu tun hat oder ob sie nicht schon an der nächsten Sache dran war.« Sie gähnte ausgiebig. »Ich muss ins Bett, Peter. Entschuldigung. Sonst lege ich mich hier hin und schlafe auf der Stelle ein.« Sie lächelte ihr halb schiefes Lächeln.

Peter sah sie an, und für einen klitzekleinen Moment

wirkte es so, als würde er sie in den Arm nehmen wollen. Doch dann lächelte er nur leicht. »Nur eines noch, dann darfst du ins Bett. Hatte Cressida nicht erwähnt, dass sie etwas über Murphys Boss herausgefunden hatte, den Norweger?«

Erschöpft nickte Grace. »Was wir herausbekommen haben, ist, dass Grønmo ein paar Stunden vor Murphys Tod nach Dublin geflogen ist. Von dort weiter nach Oslo. Dann verliert sich seine Spur. Offenbar hatte Cressida erfolgreicher recherchiert, aber auch diese Erkenntnisse hat sie mit ins Grab genommen.« Grace war zur Haustür gegangen und tippte ihren Zugangscode ein. Peter war ihr gefolgt und stand dicht hinter ihr. »Kann es sein, dass auch Grønmo …« Er stockte. Die ersten Möwen flogen mit durchdringendem Geschrei über sie hinweg. Es dämmerte, aber noch war nicht entschieden, ob die Sonne sich vor oder hinter die Wolken schieben würde.

»Du meinst, dass auch er umgebracht wurde?«, fragte Grace. Genau das hatten Rory und sie vorhin lange diskutiert. »Wir wissen es nicht, Peter. Ich weiß nur, dass ich jetzt schlafen muss. Bis morgen, das heißt: bis später. Vielen Dank für alles.« Doch bevor sie die Haustür öffnen konnte, hatte Peter einen raschen Schritt auf sie zugemacht, legte seinen Arm um sie und zog sie an sich, um ihr einen sehr zärtlichen Kuss auf die Wange, verdächtig nahe an ihren Lippen, zu geben. Ein paar Sekunden verharrten sie in der Umarmung. Es fühlt sich verdammt gut an, dachte sie sich. Doch dann löste sie sich vorsichtig von Peter. Die Müdigkeit schien aus ihren Augen gewichen zu ein. Sie zitterte innerlich. Wortlos drehte sie sich um und ging ins Haus. Die Tür fiel lautlos hinter ihr ins Schloss.

67

Am nächsten Morgen gab es nach wie vor keine Spur von Carol Lonnigan. Die Kollegen in London hatten Cressidas Computer mitgenommen und werteten ihn gerade aus. Das könne dauern, hatten die Kollegen von der MET Grace mitgeteilt.

Rory hatte sich um sieben Uhr in Graces Büro eingefunden und wartete. Es war mehr als unwahrscheinlich, dass um diese unirische Zeit der Chef oder Kevin Day auftauchen würden. Das war gut so. Damit hatten sie gerechnet. Außerdem waren sie sich einig, die Sonderkommission vorerst als reines Hirngespinst des Kollegen Day zu betrachten, so lange, bis eine offizielle Anweisung von ganz oben kommen würde. Um fünf nach sieben stand Grace mit zwei Pappbechern mit dampfendem, ziegelrotem Tee in der Tür und wirkte unerwartet ausgeschlafen. Rory begrüßte sie. »Keine Spur von Lonnigan. Danke.« Und nahm ihr erfreut den Becher ab, den sie ihm hinhielt.

Grace zog eine Tüte mit Käsegebäck aus der Tasche. »Das Einzige, was ich noch zu Hause hatte. Die teilen wir uns.« Sie riss die Tüte auf, nahm sich ein paar Kekse und stopfte sie sich in den Mund. Auch Rory langte dankbar zu. Sie kauten eine Weile auf den Keksen herum und spülten das harte, trockene Zeug mit dem trüb roten Tee runter.

»Ich halte Carol nicht nur für gefährlich, sondern auch für gefährdet. Würdest du mir da zustimmen?«, unterbrach Rory die einvernehmliche Stille, die nur durch ihr knusperndes Kauen untermalt wurde.

Grace nickte. »Wir müssen sie dringend finden. Aber fast noch dringender muss ich nachdenken. Rory, du musst hier erst mal alleine weitermachen. Ich werde mich für zwei, drei Stunden an meinen Lieblingsort begeben, um in Ruhe meine Gedanken zu sortieren.«

Rory starrte sie ungläubig an und verschluckte sich fast an dem Tee, der wegen seiner Bitterstoffe an der Speiseröhre festzukleben schien. »Du willst irgendwo zum Nachdenken hinfahren, während hier die Fahndung läuft und die Leichen nur so reinrollen?«

Grace nickte ungerührt. »Wir sind ganz nah dran, Rory. Alles weist darauf hin, dass Carol und Cadogan gemeinsame Sache machen. Wir haben ganz viele Puzzleteile, aber wir können sie noch nicht richtig zusammensetzen, weil uns die entscheidenden Verbindungsstücke fehlen. Dreh- und Angelpunkt sind doch Murphys Forschungsergebnisse, oder?«

Rory nickte bestätigend.

»Aber wir haben diese Ergebnisse noch nie gesehen. Ich muss darüber nachdenken, wo diese verdammten Unterlagen sein könnten! Nur so kriegen wir sie beide! Carol und Cadogan.« Sie schnappte sich ihre Tasche, steckte das Handy ein, überprüfte ihre Waffe und wollte schon den Raum verlassen, als sich ihr Rory völlig unvermittelt in den Weg stellte. »Stopp, Grace. Das geht nicht so einfach, wie du dir das vorstellst.« Rory schien über sich selbst überrascht zu sein. Sich Graces Anweisungen zu widersetzen oder zumindest Bedenken vorzubringen, war ein absolutes Novum in ihrer bisherigen Zusammenarbeit.

Auch Grace war erstaunt und schaute ihn abwartend, mit einer ungeduldig hochgezogenen Augenbraue, an.

Rory war jetzt etwas verlegen. »Ich wollte heute Mittag raus nach Oughterard, um noch mal mit dem kleinen Colm zu sprechen. Anscheinend sind die Kinder wieder da. Ich habe mich offiziell bei Mrs Cadogan angemeldet.

Ich hatte nur vergessen, dir das zu sagen. Jedenfalls können wir nicht beide verschwinden in der momentanen Situation. Einer von uns sollte immer greifbar sein, findest du nicht?«

In seiner Stimme lag etwas Drängendes, das sie so von ihm noch nicht kannte. Sie überlegte kurz. Er hatte recht. Trotzdem musste sie jetzt den Kopf klar kriegen, und das würde in dem zu erwartenden Wahnsinn, der hier jeden Moment reinbrechen konnte in Form von Pressekonferenzen und Medienbelagerungen absolut nicht möglich sein. In den Acht-Uhr-Nachrichten würde der Mord an der britischen Journalistin durch alle Kanäle rauschen. Das wusste sie. Sie holte ihr Handy heraus und schrieb eine SMS.

»Was tust du?«, frage Rory irritiert. Ungerührt tippte sie weiter, ohne ihm zu antworten. Schließlich schubste sie ihn fast aus dem Büro heraus. Sie hatte einen Plan. Sie zog den erstaunten Rory mit sich, der in dem Augenblick eher an einen störrischen Esel erinnerte. »Komm, wir entwischen durch den Hinterausgang. Nicht am Portier vorbei.«

»Aber das ist heute Morgen Paddy, der Krumme«, gab Rory zu bedenken.

»Soll heißen?«, fragte Grace und lief eilig den Flur hinunter.

»Wir könnten auch vorne rausgehen. Paddy sieht nichts. Also, er ist nicht blind, aber er sieht nichts.«

»Aha.« Grace hielt kurz an und dachte nach. Manchmal kam ihr Irland wie ein gut belüftetes und komfortabel ausgestattetes Tollhaus vor. »Dann ist er ja hervorragend dafür geeignet, den Haupteingang der viertgrößten Polizeibehörde der Insel zu bewachen.«

Kopfschüttelnd zog sie Rory weiter zum Hinterausgang. Wenn die Situation nicht so angespannt gewesen wäre, hätte sie erst mal laut lachen müssen. Irland brachte sie noch um den Verstand, aber sie liebte ihre Heimat heiß und innig.

Als sie über den Parkplatz gingen, weihte Grace Rory in ihren Plan ein. Rory war begeistert. Grace schickte Byrne vom Handy aus noch eine Nachricht, dass sie beide gerade wegen dringender Ermittlungsarbeit im tiefsten Mayo unterwegs seien. Sie würden sich zeitnah melden. Sie verabscheute dieses neumodische Wort, doch jetzt konnte es mal sinnvoll eingesetzt werden.

Sie wünschten sich gegenseitig noch viel Glück und stiegen dann in ihre jeweiligen Dienstwagen. Da fiel Grace etwas ein. Sie stieg noch mal aus und winkte Rory zu, der sein Seitenfenster herunterfahren ließ.

»Rory, ist eigentlich die Witwe Malone noch im Dienst?«, fragte sie in ernstem Tonfall.

Rory wiegte den Kopf. »Sicher, sie hat sich nicht abgemeldet, wenn du das meinst.« Er warf einen kurzen Blick in den Himmel. Der war heute blau-grau gestreift und versprach trockenes Wetter mit knappen Sonnenauftritten.

»Du hast doch gesagt, sie kann Orte gut sehen. Kannst du deinen keltischen Profiler nicht doch noch auf unseren Fall ansetzen?«

Rory tippte sich mit zwei Fingern salutmäßig an seinen Kopf, grinste und ließ das Fenster wieder hochfahren. Dann steuerten sie ihre Autos in entgegengesetzten Richtungen vom Garda-Parkplatz.

Im zweiten Stock des Polizeigebäudes wurde ein Fenster geschlossen.

Kevin Day hatte seinen Beobachtungsposten aufgegeben, machte eine wegwerfende Handbewegung und griff zum Handy.

68

Die Mutter des Teufels, Devilsmother, residierte in den Partry Mountains eine gute Autostunde von Galway entfernt, knapp an der nördlichen Grenze zwischen den Grafschaften Galway und Mayo. Sie lag zwischen dem Maam Turk und den Sheaf Mountains und erhob sich imposant über eine der wildesten Landschaften der irischen Westküste. Der Western Way, ein spektakulärer Wanderweg, schlängelte sich dort über salzverkrustete Grasbüschel und schroffe Felsen, die in knapp achthundert Meter Höhe nur zu oft in grauen Wolken verschwanden. Dort oben war er manchmal nur ein schmaler Pfad, weiter unten allerdings, entlang des einzigen Fjords Irlands, verbreiterte er sich zu einem grünen Weg, auf dem man zu Füßen der »Lazy Beds«, der jahrhundertealten irischen Kartoffelfelder, bequem hätte tanzen können. Die Mutter des Teufels war genau der Ort, den Grace zum Nachdenken jetzt brauchte.

Sie hatte in Leenane, das an der Mündung des Eriff River lag, Station gemacht und sich in einem Pub mit einem getoasteten Sandwich gestärkt, Wasser mitgenommen und die Wirtsleute über ihre geplante Wanderung informiert. Eine Vorsichtsmaßnahme, die ihr Vater ihr mitgegeben hatte. Zu oft schlug das Wetter auf der Insel um, vor allem an küstennahen Bergen, und machte das Bergwandern dann zum keltischen Roulette, wie er es genannt hatte. Deshalb sollte man niemals losziehen, ohne vorher jemandem Bescheid zu sagen. Auf dem Parkplatz schnürte sich Grace ihre festen Bergschuhe zu, streifte sich ihren roten Anorak über und lief auf der Landstraße 59 Richtung Westport los. Zunächst folgte sie dem kleinen Schild mit dem Bild eines Rucksack-

Wanderers in der Mitte. Wer auf relativ kurzer Distanz von Meeresspiegelhöhe auf über sechshundert Meter kommen will, muss auf einen steilen Anstieg gefasst sein. Grace kannte den Weg, doch war sie zuletzt vor fast fünfzehn Jahren hier gewesen. Da hatte sie gerade erfahren, dass sie schwanger war. Auf diesem Berg hatte sie sich für Roisin entschieden. Roisin. Sie musste schlucken, als sie an ihre Tochter dachte. Wenn sie diesen Fall gelöst hatte, würde sie nach Dalkey fahren und einen neuen Anfang mit ihr und ihrer Familie versuchen. Es war höchste Zeit dafür.

Es dauerte vielleicht eine halbe Stunde, da hatte sie die ersten zweihundert Meter erklommen. Ein wenig war sie außer Puste, aber es hatte sie nicht so angestrengt, wie sie es erwartet hatte. Der Wind schubste kompakte, kleine Wolken von Westen aus vor sich her. Noch hingen sie an den Kuppen der gegenüberliegenden Sheaf Mountains fest. Doch es würde nicht lange dauern, da hätten sie auch ihre Seite des Gebirges erreicht.

Am Fuß des Berges glitzerte der Eriff River, einst einer der lachsreichsten Flüsse der Grünen Insel. Wie ein filigran geklöppelter Schleier ergoss er sich über die Wasserfälle in den Fjord Killary Harbour hinein, der ihn, dem extremen Hub der Gezeiten folgend, bald in den Atlantischen Ozean mitziehen würde. Die Bedrohung durch die Parasiten des nahen Zuchtlaches und unkontrolliertes Wildfischen hatten zu Überfischung geführt. Das war dem wilden, klaren Fluss und seinem silbern geschuppten Reichtum fast zum Verhängnis geworden.

Grace öffnete den oberen Teil ihres Anoraks. Es war ihr warm geworden beim Aufsteigen. Sie fischte ihr Handy aus dem kleinen Rucksack und fluchte. Schon am Fuß der grünen Berge hatte sie keinen Empfang gehabt, und auch hier war kein Netz vorhanden. Das hatte sie nicht mit einberechnet. Abgesprochen war, dass sie für Rory erreichbar sein sollte. Auf der anderen Seite des Killary, auf der Galway-Seite, gab es genügend Masten, das hatte sie im Vorbeifahren gesehen. Nur nützten die hier nichts. Sie hoffte darauf, dass weiter oben der Empfang besser sein würde. Vor Grace lag eine scharfe Kurve. Der Weg führte jetzt ein paar hundert Meter auf der Rückseite des Berges entlang. Plötzlich tauchte vor ihr ein Mann auf. Er war kein Wanderer, das sah sie sofort. Über der Schulter trug er ein Jagdgewehr, und in seiner linken Hand baumelten zwei tote Fasane in ihrem grünbunt schillernden Federkleid. Es war keine Fasanenzeit, das wusste Grace, also musste er gewildert haben.

Grace begann zu schwitzen. Sie spürte die Schweißperlen auf ihrer Stirn und wischte sie weg. Sie grüßten sich, und der Mann blieb stehen.

»Wollen Sie wirklich ganz alleine die alte Dame besuchen?«

Grace wusste, von wem er sprach, lächelte und nickte. Er schaute sich um. »Toller Tag dafür. Schauen Sie mal, der alte Croagh Patrick da drüben, der ist schon im Nebel. Er steht eben auf der falschen Seite.«

Sie schaute nach Nordwesten, wo der heilige Berg der Iren majestätisch die breite Clew Bay bewachte. Bis zur Hälfte war er von dichten Wolken verhüllt. Mehr als einmal hatte sie den Berg des heiligen Patrick gemeinsam mit ihrem Vater und Dara bestiegen. Und jedes Mal hatten sie lieber im Schatten der Pilgerkapelle auf dem Gipfel ein Picknick gemacht, als in ihr zu beten.

»Und als er es endlich gemerkt hatte, war es zu spät, und er kam nicht mehr weg!« Der Mann im grünen Babour lachte vergnügt vor sich hin.

Plötzlich musste Grace wieder an Annie denken, mit der alles angefangen hatte. Ja, so wird es gewesen sein.

Sie war nicht mehr weggekommen, als sie gemerkt hatte, dass sie auf der falschen Seite stand. »Danke!«, sagte Grace strahlend zu dem Mann, der sich verwundert an die Stoffmütze tippte. Da fiel Grace noch etwas ein. »Gibt es oben ein Netz?«

»Ein Netz?« Er kratzte sich ausführlich hinter dem Ohr und dachte lange und gründlich nach. Schließlich räusperte er sich. »Tut mir leid, Ma'm, aber ich habe wirklich keines gesehen.«

Schmunzelnd ging Grace weiter. Immerhin hatte der Mann es geschafft, dass sie sich wieder auf Annie konzentrierte. Keuchend hielt sie sich an einem Felsvorsprung, der in den Weg hineinragte, fest und machte eine kurze Verschnaufpause. Sie ging in Gedanken noch einmal alles durch, was sie bisher wussten. Annie war fest entschlossen gewesen, genügend Geld zu verdienen, um ihre Familie und die behinderte Schwester zu unterstützen. In Carol Lonnigan fand sie eine gewiefte Mitstreiterin, und zusammen waren sie ein unschlagbares Team. Carol vermittelte Annie die Kontakte, Annie putzte und lernte auf diese Art die Cadogans und andere wichtige Leute kennen. Ob Carol und Cadogan von Anfang an gemeinsame Sache machten, wusste sie nicht. Auf jeden Fall vermieden sie es geschickt, miteinander in Zusammenhang gebracht zu werden. Offiziell kannten sie sich nicht. Genauso wenig wusste sie, ob sie zu dem Zeitpunkt schon Murphy als Hauptziel im Visier hatten.

Grace war weitergelaufen. Bis zum Gipfel konnte es nicht mehr weit sein. Das weiche, saftige Gras war grauem, grobem Schotter gewichen, der das Gehen erschwerte. Der Weg, der sich hier oben zu einem schmalen Pfad verengte, war nass und rutschig. Je höher Grace stieg, desto unbändiger riss der Wind an ihr. Wo es möglich war, klammerte sie sich an die Felsen, die den Pfad säumten, um nicht mitgerissen zu werden. Aber sie musste es einfach schaffen, bis zum Gipfel zu kommen! Unbedingt. Ihr Gedankenkarussell im Kopf hielt nicht an.

Annie musste relativ schnell auf die eine oder andere Unsauberkeit bei Onkel Jim und auch bei Joyce gestoßen sein. Anscheinend liefen die Erpressungen erstaunlich einfach über die Bühne. Ein eventuell auftretendes schlechtes Gewissen oder Unrechtsempfinden wurde bei Annie offenbar zunächst durch ein gut gefülltes Konto verdrängt. Und zumindest im Fall von Joyce war bei Carol auch ihr gekränktes Ego der Motor, der sie antrieb. Erst bei Vincent Murphy kamen Annie Bedenken. Als Meeresbiologin hatte sie den Informationswert von Murphys Forschungsergebnissen erkannt. Und wahrscheinlich war ihr in dem Moment die Tragweite ihres Handelns überhaupt erst aufgegangen. Vermutlich suchte Annie kurz vor ihrem Tod das Gespräch mit Cadogan. Dabei wurde sie heimlich vom jungen Colm beobachtet. Dann entschloss sich Annie, an dem Samstag selbst zu Murphy zu gehen.

Kurz unterhalb des Gipfels hielt Grace einen Moment lang inne. Ihr Atem kam heftig und stoßweise. Das Blut pochte in ihren Schläfen, und sie musste husten. Die letzten zwanzig Meter. Sie zwang sich, langsam weiterzugehen. Des Teufels Mutter war fast besiegt.

Sie ging im Kopf noch mal den entscheidenden Abend in Murphys Haus durch. Hier zeigten sich noch echte Lücken in dem Versuch, die Geschehnisse zu rekonstruieren. Um nicht zu sagen: Sie tappte komplett im Dunkeln. Die Version, die ihr Murphy erzählt hatte, ergab keinen richtigen Sinn. Annie musste die entsprechenden Unterlagen schon in Besitz gehabt haben und hatte sie, da war sich Grace inzwischen hundertprozentig sicher, weder Carol noch Cadogan gegeben. Das war ihr Pfund, mit dem sie wucherte. Wollte sie sich Murphy vielleicht anvertrauen? Dann kommt es zu der Auseinandersetzung zwischen Murphy und ihr, und Murphy verletzt sie unbeabsichtigt. Daraufhin flieht er nach Belfast und überredet zuvor seinen Zwillingsbruder Fred, für ihn einzuspringen, um sich ein Alibi zu verschaffen. Joyce wiederum hatte zufällig beobachtet, wie Annie aus einem Taxi stieg, und folgte ihr. Als er dann Carol bei Murphy auftauchen sieht, bleibt er in Deckung. Seiner Aussage nach verlässt Murphy kurz darauf das Haus, und Carol kümmert sich um die verletzte Annie. Sie allerdings weiß, dass Annie aussteigen will. Auf irgendeine Weise musste Carol versuchen, sie davon abzuhalten. Wahrscheinlich gemeinsam mit einem von Cadogans Handlangern schaffen sie die sedierte Annie ins Haus seines Geschäftspartners nach Cashel. Dabei verliert sie einen Schuh, den Joyce findet und in sein Gefrierfach legt.

Grace war auf dem Gipfel angekommen und ließ sich erschöpft fallen. Sie schloss für einen Moment die Augen und versuchte, ihren Atem unter Kontrolle zu bekommen. Der Gipfelblick war phänomenal, geradezu berauschend. Im Süden erkannte man die majestätische Gipfelkette der Twelve Bens, der grau schimmernde Fjord öffnete sich im Westen zum Atlantik hin, wie ein blauer Tupfer lag im Osten der Lake Corrib und im Norden sah man den geheimnisvoll verhüllten Croagh Patrick. Grace musste schlucken angesichts der unbändigen Schönheit, die sich ihr darbot. Mit dem Ärmel fuhr sie sich über Stirn und Augen. Plötzlich hörte sie ihr Handy brummen. Sie hatte Netz. Hektisch angelte sie das Gerät aus ihrer Brusttasche. Es war eine SMS:

»Find raus wie Annie tickte. Sie und ihre Schwester müssen der Schlüssel sein. Die Familie. Du musst die Zusammenhänge finden. Wo bist du eigentlich? Peter«

69

Es war kurz nach zwölf Uhr mittags, als Rorys Handy klingelte. Er schaute kurz auf das Display, dann entschuldigte er sich mit einem um Verständnis heischenden Blick bei Mathew Cadogan und verließ schnell den Raum. Dabei achtete er sorgsam darauf, dass er die Tür nur anlehnte, um dann in wohldosierter, aber für den im Zimmer zurückbleibenden Zuhörer durchaus noch gut zu verstehender Lautstärke in sein Handy zu sprechen: »Hallo, Grace. Wo bist du gerade?« Es war der älteste Polizeitrick der Welt, und Rory war sein Auftritt mehr als peinlich, aber es war hoffentlich einen Versuch wert. »Aha, ich verstehe ... ja ... äh, du sprichst von Annies Eltern? ... ja, den McDoughalls ... Das ist ja interessant ... Und du bist dir wirklich sicher?« Rory war sicherlich keine Karriere auf den Brettern des berühmten Abbey Theatres in Dublin beschieden, so viel war klar, aber er gab sein Bestes. »Nein, Grace, ich muss dich leider enttäuschen, der Junge war doch nicht da. Der Großmutter in Limerick geht es wohl schlechter, und die Familie ist bei ihr ... nein, nein, Mr Cadogan ist momentan noch hier. Er will später nachkommen.« Rory machte ein paar Schritte auf dem alten Holzboden, der heimelig knarzte. »Hmm. Ja. Sag ich doch. Hmm.« Er blieb stehen und bewunderte die geschnitzte Haustür der Cadogans. Ein Meisterwerk irischer Handwerkskunst, ging es ihm durch den Kopf. Dann bewegte er sich wieder in die Richtung der angelehnten Tür, hinter der Mr Cadogan auf ihn wartete. Er schnaufte leicht, als er klar und deutlich sagte: »Ja, ja, ich habe mit Mr Cadogan reden können ... mmh, ja, ... und du bist dir sicher, dass wir es dort finden?« Dann schwieg er, zählte im Geist bis zehn und fuhr dann fort: »Gut, dann mache ich mich jetzt auch auf den Weg. Wir sehen uns dort. Bis später.« Nachdem er aufgelegt hatte, wartete er noch zwei Sekunden, überprüfte den Zustand seiner Schuhe und ging energischen Schrittes zurück in Cadogans Arbeitszimmer. Dort empfing ihn der Hausherr mit einem fragenden Blick. Er stand hinter seinem Schreibtisch und hatte dabei lässig eine Hand in die Jacketttasche gesteckt, trotzdem konnte Rory seine Nervosität förmlich greifen.

»Tja, Mr Cadogan. Das war meine Chefin. Ich muss leider los. Es hat sich unerwartet etwas Neues ergeben, und ich muss mich sputen.«

Cadogan kam hinter seinem Schreibtisch hervor und strich im Vorübergehen kurz über das polierte Mahagoni mit der filigranen Einlegearbeit aus Perlmutt. Er reichte Rory zum Abschied eine warme und verschwitzte Hand. Äußerlich wirkte er jedoch völlig ruhig und besonnen, als er sagte: »Ich danke Ihnen, Guard, für Ihr großes Verständnis für meine familiäre Situation. Es ist gerade nicht leicht für mich, wie Sie sich vorstellen können. Ich melde mich mit meinem Sohn bei Ihnen, sobald wir aus Limerick zurück sind. Versprochen.«

»Und ich wünsche Ihrer Mutter von Herzen alles Gute und dass sie noch lange bei ihren Lieben weilen darf.« Rory klang durch und durch aufrichtig.

Cadogan ließ den Kopf sinken und für einen Moment schien es, als kämpfe er mit den Tränen. »Danke, Guard«, sagte er schließlich mit erstickter Stimme und drehte sich weg.

Rory verabschiedete sich und verließ das Haus. Er durchquerte den großen Vorgarten und stieg in seinen Wagen. Ohne die Hunde und die Kinder lag eine gespenstische Stille über der alten Villa. Nun wirkte sie tatsächlich wie eine Kulisse.

Kurze Zeit später bog Rory mit hoher Geschwindigkeit auf die 59 Richtung Maam Cross ab. So konnte er nicht beobachten, wie Mathew Cadogan sich nur wenige Minuten später in seinen Sportwagen setzte und die Landstraße in entgegengesetzter Richtung nach Galway und Limerick entlangraste.

70

Der Hof der McDoughalls lag in der warmen Nachmittagssonne, die sich ihren Weg durch die aufgetürmten dunklen Wolken gebahnt hatte, und wirkte diesmal nicht trostlos, sondern fast ein wenig romantisch. Es war eben vieles eine Frage der Beleuchtung – zumindest auf den ersten Blick, dachte sich Grace, als sie auf den schäbigen Hof einbog. Fast hätte Grace darauf gewettet, den roten Mini von Carol dort geparkt zu sehen, doch das Auto stand nicht da. Nur ein paar Hühner scharrten lustlos herum. Grace atmete auf. Für den Moment war das sicher besser so.

Sie stieg aus und ging langsam zur Eingangstür. Sie klopfte mehrmals, doch es rührte sich nichts im Haus. Grace schaute sich um. Der Hof wirkte seltsam verlassen, wie ausgestorben. Ungeduldig klopfte sie noch einmal. Gerade als sie um das Haus herumlaufen wollte, sah sie Mrs McDoughall aus dem Stall kommen. Zum ersten Mal hatte die sonst so ernste Frau einen Gesichtsausdruck, der entfernt an ein Lächeln erinnerte. Als sie Grace bemerkte, wischte sie ihre Hände an ihrem blaugrauen Kittel ab und ging mit ausgestreckter Hand auf sie zu. »Welch ein wunderbarer Tag, Guard! Finden Sie nicht auch?«

Grace nickte und gab ihr zur Begrüßung die Hand. »Ja, ein ganz prächtiges Wetter! Ich dachte schon, alle sind ausgeflogen. Ich hatte mich ja nicht angemeldet.«

Mrs McDoughall schaute sie prüfend an. »Kommen Sie.«

Sie gingen zusammen ins Haus, wo es nach kaltem Torffeuer und Suppenwürfeln roch. »Mein Mann ist nach Ballina zum Eisenwarenhändler gefahren, aber vielleicht kann ich ja auch weiterhelfen.« Sie führte Grace ins Wohnzimmer und zog die geschlossenen Vorhänge auf. Wie in vielen Häusern Irlands, besonders auf dem Land, wurde auch dieser Raum nur genutzt, wenn Gäste kamen.

Unschlüssig stand Grace in dem kalten, muffigen Zimmer. »Eigentlich bin ich gekommen, um mit Ihrer Tochter zu reden.«

»Mit meiner Tochter?« Mrs McDoughall blickte sie verwirrt an, als wüsste sie nicht, von wem Grace sprach.

»Ja, mit Beatrice. Auch wenn es vielleicht nicht einfach ist. Aber Sie könnten mir dabei helfen«, sagte Grace auffordernd.

Mrs McDoughall knetete die Hände. Sie zögerte. »Tja, das würde ich gern, aber wissen Sie ...«

Grace unterbrach sie. »Wie viel versteht Ihre Tochter eigentlich?«

Mrs McDoughall antwortete nicht gleich. Sie bot Grace an, auf dem dunklen Sessel Platz zu nehmen. »Nun, wenn man sie sehr gut kennt, kann man ihre Gesten und ihre Laute schon recht gut deuten. Annie konnte es am besten von uns allen. Die beiden waren sehr vertraut miteinander. Ja, das waren sie.« Bei der Erinnerung an ihre tote Tochter verschloss sich ihr Gesicht wieder. Sie starrte vor sich hin, auch noch, als sie langsam weitersprach. »Annie verstand Beatrice sehr gut. Außenstehende behaupten meistens, Beatrice stößt nur unkontrollierte Laute aus. Aber das stimmt nicht. Das stimmt einfach nicht«, wiederholte sie fast beschwörend.

»Wissen Sie, ob Annie vor ihrem Tod hier bei Ihnen etwas versteckt hat? Oder hat sie Sie gebeten, etwas für sie aufzubewahren?« Mrs McDoughall blickte überrascht auf. »Das hat mich Annies Freundin auch schon gefragt.«

»Annies Freundin? Carol?« Grace war auf einmal hellwach. Sie vibrierte innerlich vor Anspannung. Doch sie zwang sich, ruhig zu bleiben. Die Frau nickte bestätigend.

»Ja, stellen Sie sich vor, bei der Beerdigung hat sie mich danach gefragt. Bei der Beerdigung! Aber ich weiß von nichts. Komisch, dass Sie nun dasselbe fragen. Darf ich Ihnen einen Tee anbieten und ein Butterbrot vielleicht? Es ist eine lange Fahrt hierher.« Mrs McDoughall sprach in dem charakteristischen melodischen Singsang, den man im Westen Irlands oft hörte. So hatte meine Großmutter geklungen, erinnerte sich Grace. Sie nahm das Angebot dankend an. Sie verspürte plötzlich unbändigen Hunger. »Ja, gerne. Da sage ich nicht Nein. Könnte ich in der Zwischenzeit zu Beatrice gehen?«

Mrs McDoughall schüttelte den Kopf. »Sie ist nicht da. Das wollte ich Ihnen ja schon die ganze Zeit sagen.«

Schlagartig war die Panik da. Grace hatte plötzlich einen ganz trockenen Mund, als sie mühsam fragte: »Und wo … wo ist sie? Hat ihr Mann sie mitgenommen?«

»Das wollte er, damit sie mal rauskommt. Aber dann kam eben diese Freundin vorhin vorbei und hat sie eingeladen, sie zu ihrem Lieblingsplatz zu bringen. Da hatte Annie sie immer im Rollstuhl hingefahren, wissen Sie. Dort saßen sie dann stundenlang und schauten aufs

Meer hinaus. Beatrice hat sich so darüber gefreut!« Mrs McDoughall lächelte ein wenig.

Grace wollte sie auf keinen Fall beunruhigen. Deshalb zwang sie sich, die sorgfältig überlegten Worte ganz ruhig und in beiläufigem Tonfall zu sagen.

»Das ist ja eine nette Idee. Wenn es in Ordnung ist, würde ich schon mal zu den beiden gehen. Den Tee trinke ich dann, wenn ich zurück bin.« Sie stand auf und ging zur Tür. »Wo sind sie denn hin?«

Mrs McDoughall schien sich zu wundern, beschrieb ihr aber bereitwillig den Weg zu den Klippen. Grace war schon halb aus der Haustür, als sie noch mal zurückkam. Mit unterdrückter Nervosität fragte sie: »Kann man mit dem Auto dorthin fahren?«

Die Lippen der Frau zuckten leicht. »Vielleicht bis zur Hälfte. Ab dem Gatter können Sie nur noch zu Fuß weiter.«

»Mein Kollege wird gleich hier sein. Beschreiben Sie ihm bitte den Weg und schicken Sie ihn umgehend hinterher.« Sie hatte so viel Überzeugungskraft wie irgend möglich in ihre Stimme gelegt. Trotzdem schaute Mrs McDoughall sie zweifelnd an. »Welcher Kollege ist das denn? Der, der das letzte Mal hier war?«

Grace überlegte kurz und erinnerte sich dann, dass das Kevin Day gewesen war. Rasch schüttelte sie den Kopf. »Nein, es wird ein anderer sein. Er soll sofort nachkommen. Es ist wirklich sehr wichtig!«

Sie winkte Mrs McDoughall noch kurz zu, bevor sie eilig vom Hof fuhr.

71

Grace hatte nicht mehr als einen knappen Kilometer zurückgelegt, als sie schon das Gatter mit dem Weiderost erreicht hatte. Während der Fahrt hatte sie im Rückspiegel immer wieder kontrolliert, ob ihr jemand folgte. Doch sie hatte niemanden entdecken können.

Sie stieg aus, überprüfte ihre Waffe und öffnete das schwere Eisentor, das nur mit einer ausgefransten Kordel gesichert war. Ihr Atem ging schnell und unregelmäßig, und sie spürte diese süchtig machende Mischung aus kühler Kontrolle, höchster Konzentration und gebändigter Angst, die sich rasend schnell im ganzen Körper ausbreitete. Das war der Kick, die Droge, die sie brauchte und die sie eigentlich immer suchte. Davon hatte sie Fitz nichts erzählt.

Vor ihr erstreckte sich ein braches Feld. Dahinter musste das Meer liegen, das man von hier nur riechen konnte. Von Carol und Beatrice war nichts zu sehen.

Grace rannte über die Wiese. Es war ihr völlig klar, dass sie schon von Weitem gut zu sehen sein musste. Hier konnte man sich definitiv nicht verstecken. Erst knapp bevor das Feld endete, wurde das Terrain unübersichtlicher. Ein schmaler Pfad führte entlang der steilen Klippen bis zu einer Felsformation, die nicht weit vom Eingang zu einer Höhle lag. Dort war es windgeschützt, und da soll Annie oft mit Beatrice gesessen haben.

Grace hörte weit unter sich das Rauschen des Meeres, das sich an den Klippen brach. Sie rannte so schnell, wie es das unwegsame Gelände zuließ. Nebenher hatte sie noch per Handy Verstärkung angefordert. Rory, das wusste sie, musste eigentlich jede Minute eintreffen.

Goldenes Licht blendete sie, als sie der Pfad etwas

mehr nach links führte, und zwang sie, die Augen zusammenzukneifen. Die tief stehende Sonne wurde nur halb von den bombastischen Quellwolken über dem Ozean verdeckt und tauchte die ganze Landschaft, Meer wie Klippen, in ein überirdisches Licht. Ein echter Postkartenmoment, schoss es Grace durch den Kopf. Endlich hatte sie den Klippenrand erreicht. Sie sah nach links und entdeckte in einiger Entfernung etwas, das sie nicht genau identifizieren konnte.

Der nachgiebige Rasen mit den zahllosen Furchen und Löchern war felsigem Untergrund gewichen, und sie musste vorsichtig sein, um nicht abzurutschen. Keine Menschenseele war zu sehen, nur die Möwen kreischten hoch über ihr. Als sie näher kam, konnte sie erkennen, was dort so gefährlich dicht am Abgrund lag. Sie bekam eine Gänsehaut. Es war der kleine, zusammengeklappte Rollstuhl von Beatrice, mit einem marineblauen abgeschabten Sitz aus billigem Segeltuch. Er war umgekippt. Eine vorspringende Felswand versperrte ihr die Sicht auf das dahinterliegende Gelände. Als sie sich umdrehte, sah sie, dass in der Ferne ein Auto auf das Gatter zufuhr. Wahrscheinlich war das Rory. Sie kniff die Augen zusammen. Oder vielleicht doch nicht? Rorys Wagen sah anders aus. Grace wurde unsicher. Egal, wessen Auto es war, sie hatte keine Zeit zu warten. Sie musste Beatrice finden, bevor es zu spät war. Sie musste es riskieren. Vorsichtig hangelte sie sich um den Felsen herum und hoffte, einen Blick dahinter werfen zu können, ohne gesehen zu werden.

Da sah sie sie. Auf einem Felsen hoch über dem Abgrund saß Beatrice und blickte auf das Meer. Aus der Entfernung sah sie ruhig und zufrieden aus. Carol war auch da. Sie kehrte gerade Beatrice und Grace den Rücken zu und ging langsam auf den Höhleneingang zu.

Grace wusste, wenn sie irgendetwas ausrichten wollte, durften beide Frauen sie nicht sehen. Auch wenn nur Beatrice sie bemerken sollte, riskierte sie damit, dass das Mädchen mit lautem Schreien reagieren würde.

Grace sah sich um und sah einen Mann das Feld überqueren. Mit Sicherheit war es nicht Rory, so viel konnte sie erkennen. Von der Statur her könnte es Peter sein. Sie wünschte, es wäre Peter. Aber sie musste sich jetzt schnell entscheiden. Sie suchte die Felswand nach einem geeigneten Versteck ab. Zwischen zwei mächtigen Felsbrocken entdeckte sie schließlich die einzige Möglichkeit. Carol blickte immer noch Richtung Höhle, sah weder Grace noch den Mann, der sich auf dem schmalen Pfad näherte. Jetzt oder nie, dachte sich Grace, sprang mit einem gewaltigen Satz zu den Felsen hin und zwängte sich zwischen die Steine. Zwar verlor sie dadurch den Blick auf Beatrice, doch hatte sie gerade keine andere Wahl. Den umgekippten Rollstuhl konnte sie immer noch sehen. Da hörte sie auf einmal Carols Stimme, die beruhigend auf Beatrice einredete. Dann kam Carol in ihr Blickfeld, als sie den Rollstuhl holte und ihn aufklappte. Bei der Gelegenheit ließ sie eine kleine Mappe in die Seitentasche des Gefährts gleiten. Dann schob Carol den Rollstuhl Richtung Beatrice. Im selben Moment rief der Mann: »Carol!«

Carol erstarrte in ihrer Bewegung und schaute in die Richtung, aus der die Stimme kam. Grace hielt den Atem an und versuchte krampfhaft, die Szenerie im Blick zu behalten, ohne ihre Deckung aufzugeben.

»Bleib stehen!« Es war Mathew Cadogans Stimme, die, trotz des tosenden Atlantiks unter ihm, klar und deutlich zu verstehen war. Offensichtlich hatte auch Beatrice ihn gehört, denn sie schrie sofort los. Grace konnte Carol nun dabei beobachten, wie sie den Rollstuhl umklammerte und sich Schritt für Schritt rückwärts zu dem Mädchen bewegte und dadurch wieder aus ihrem Blickfeld verschwand. Das ist, verdammt noch mal, nicht gut, dachte sich Grace. Das ist überhaupt nicht gut! Was hatte Carol vor? Grace spielte im Kopf in Sekundenschnelle alle Möglichkeiten durch, die sich aus der jetzigen Situation ergeben könnten. Und wo blieb Rory? Er müsste schon längst hier sein. Beatrices Schreien war unterdessen in einen monotonen Klagegesang übergegangen, der immer lauter und dringlicher zu werden schien.

»Ich will die Mappe haben, hörst du?« Grace konnte Cadogan immer noch nicht sehen, aber sie hörte die Entschlossenheit in seiner Stimme. Es war klar, dass er diesen Ort nicht verlassen würde, bevor er nicht das bekommen hatte, wonach er suchte. Beatrice tönte immer lauter. Es war ein Gesang ohne Melodie, wie eine archaische Beschwörungszeremonie. Grace lief ein Schauer den Rücken herab. Sie musste etwas unternehmen, um das Leben des Mädchens zu retten.

»Du hast keine Ahnung, was da drin steht, Mat«, schrie Carol gegen den Wind zurück. »Es ist nicht, was du suchst. Hier geht es wirklich nur um die Erpressungen. Die liebe Annie hatte sich alles ordentlich notiert und bei ihrer kleinen Schwester deponiert. Und jetzt ist es meins.« Sie hatte das sehr kühl und emotionslos gesagt. Es klang fast, als wolle sie Cadogan klarmachen, dass sie ihn in der Hand habe und nicht umgekehrt.

Endlich erschien Cadogan in Graces Blickfeld. Was für eine skurrile Situation, schoss es Grace durch den Kopf. Cadogan sah in seinem Anzug und den sorgfältig geputzten Schuhen aus wie ein Geschäftsmann auf dem Weg zum nächsten Meeting. Leider hielt er dabei nicht das obligatorische Handy in seinen gepflegten Händen, sondern eine Waffe, die er auf Carol gerichtet hatte.

Carol manövrierte den Rollstuhl mit der lamentierenden Beatrice zentimeterweise vor. Offenbar hatte sie vorhin, als Grace sie nicht im Blickfeld hatte, das Mädchen in den Rollstuhl gesetzt. Cadogan stand bewegungslos vor ihnen und zielte auf Carol und Beatrice.

»Was willst du, Mat?« Carol wollte offenbar einlenken. Ihr Ton klang versöhnlicher. »Von mir erfährt niemand ein Wort. Wir hängen beide da drin, aber ich werde schweigen, auch in meinem eigenen Interesse. Mach uns jetzt bitte Platz.«

Cadogan lachte auf und schüttelte dabei den Kopf, als habe sie bei einer Prüfung falsch geantwortet. »Du irrst dich leider, liebe Carol. Du hängst alleine drin. Ich habe damit nichts, aber auch gar nichts zu tun. Mir kann Gardai nichts nachweisen. Nichts, keinen einzigen Mord. Es sind deine Morde, Carol, ganz allein deine! Sie gehören alle dir!« Eine grenzenlose Genugtuung lag in Cadogans Stimme.

Carol hatte währenddessen Schritt für Schritt den Rollstuhl mit dem Mädchen weitergeschoben. Sie war jetzt keine zwei Meter von Grace entfernt. In der engen Felsspalte hatte Grace Mühe, ihre Waffe zu positionieren und ihr Ziel ins Visier zu nehmen. In dem Moment beugte sich Carol zu Beatrice herunter, um ihr etwas zu sagen, und Grace zog den Arm wieder zurück und ließ die Waffe sinken. Sie war in einer denkbar ungünstigen Position. Wo blieb Rory, verdammt? Hier würde es gleich eine Katastrophe geben, wenn sie nichts unternahm. Da wehte der Wind wieder Cadogans Stimme zu ihr herüber.

»Ich werde sagen, dass du es warst, die den Mord an Annie und an Murphy in Auftrag gegeben hat. Das werde ich bezeugen, wenn es nötig ist. Und man wird mir glauben, darauf kannst du dich verlassen. Bleib stehen, Carol! Sonst schieße ich!«

»Du glaubst, du kommst damit durch? Du Schwein!« Carol lachte höhnisch auf. Mit einer Hand tätschelte sie unaufhörlich Beatrices Schulter, doch das Mädchen hörte nicht auf, zu klagen.

Cadogan redete unbeirrt weiter. »Du hast einen sehr großen Fehler begangen, als du Joyce umgebracht hast! Den hätte man auch anders zum Schweigen bringen können. Und dann auch noch das Kind! Ein unschuldiges Kind, Carol! Das war unverzeihlich.« Bei den letzten Worten hatte er die Stimme gesenkt.

»So? Dann lass uns jetzt vorbei, Mathew. Hier ist auch ein Kind im Spiel. Sogar ein behindertes Kind. Geh uns verdammt noch mal aus dem Weg, wenn dir Kinder so wichtig sind!« Carols kühle Stimme rutschte auf einmal in eine hysterisch hohe Tonlage. Nachdem Cadogan den Weg nicht freigab, hatte sie offenbar ihre Pläne geändert und steuerte jetzt mitsamt Beatrice auf den Abgrund zu. Mit wutverzerrtem Gesicht schob und riss sie den Rollstuhl über den felsigen Untergrund. Beatrices Klagen war durchdringenden hohen Schreien gewichen, die an einen aufgeregten Möwenschwarm erinnerten und in Grace die lähmende Starre weichen ließen. Auf einmal wusste sie, dass sie keinen Moment länger zögern durfte. In der Ferne glaubte sie, einen Motor zu hören. Egal, sie hatte keine Zeit mehr, sie musste es riskieren. Mit erhobener Waffe trat sie hinter der Felsspalte hervor.

»Waffe runter, Cadogan. Und Sie bleiben stehen, Carol. Sie schieben sofort Beatrice zu mir herüber!«

Cadogan und Carol starrten sie an. Carol schien völlig überrascht zu sein und war tatsächlich stehen geblieben. Cadogan musste ja eigentlich Graces Auto am Gatter stehen sehen haben, doch auch er blickte sie für einen Moment fassungslos an. Offensichtlich hatte er jemand anderen erwartet.

Dann ging alles sehr schnell. Carol packte ohne lange zu zögern den Rollstuhl und steuerte mit ihm auf Grace zu. Kurz bevor sie Cadogan erreichte, drehte sie den Rollstuhl mit einem kräftigen Ruck nach links und rammte den Mann mit voller Wucht. Cadogan traf der Schlag unvorbereitet. Er stürzte zu Boden, und Carol stürmte mitsamt Beatrice im Rollstuhl auf den Klippenrand zu. Grace schrie auf, Cadogan ebenfalls. Aber er hatte sich anscheinend am Fuß verletzt und konnte nicht schnell genug wieder aufstehen. Grace rannte los. Ihr Kopf war ausgeschaltet, das Adrenalin pumpte in ihren Adern, sie musste schnell sein, schneller als Carol. Später würde sie diese wenigen Sekunden immer wieder durchleben wie in Zeitlupe, würde die Panik spüren, die sie überkam, als sie merkte, dass sie zu langsam war.

Grace wollte sich auf Carol stürzen, verfehlte sie aber knapp. Da fiel ein Schuss. Nur wenige Meter vor dem Abgrund ließ Carol den Rollstuhl los und brach zusammen. Hilflos rollte Beatrice auf die Felskante zu. Mit letzter Anstrengung spurtete Grace hinterher und riss den Rollstuhl um. Beatrice fiel auf den Boden, und Grace warf sich über sie. Kein Schrei kam mehr über die Lippen des Mädchens.

72

Man sah es Robin Byrne regelrecht an, wie unangenehm ihm die ganze Unterredung war. Mehr als einmal zupfte er an seinem Pullover herum und murmelte vor sich hin. Dabei vermied er es konsequent, Grace und Rory anzusehen.

Cadogan hatte auf Notwehr plädiert. Zwar sei nicht er, sondern das Mädchen in akuter Lebensgefahr gewesen, aber er habe keine andere Möglichkeit gesehen, Carol von ihrem wahnsinnigen Vorhaben abzuhalten, als auf sie zu schießen. Gardai sei sein Zeuge. Grace war unweigerlich der Mord am alten Cadogan zwanzig Jahre zuvor in Erinnerung gekommen. Den hatte man damals auch stillschweigend als eine Art Notwehr deklariert, und es war nie zur Anklage gekommen. Gewisse Parallelen zwischen den beiden Fällen waren nicht von der Hand zu weisen. Immer ging es um die Familie.

Rory hatte wiederholte Male genauestens darüber berichten müssen, wie er Cadogan mit dem abgesprochenen Telefonat in die Falle gelockt hatte. Das hatte alles hervorragend geklappt. Nicht geplant war dagegen, dass Cadogan vor ihm den Hof der McDoughalls erreichen würde.

»Das war fahrlässig, Rory. Das hätte um ein Haar ins Auge gehen können, ich hoffe, euch ist das bewusst.« Byrne fuhr sich nervös durch die Haare. Rory nickte zerknirscht und glättete mechanisch seine Zettelsammlung, die er in Händen hielt. »Die Strecke über Galway ist etwas länger als der Weg, den ich genommen habe. Dass Cadogan nun ausgerechnet die nimmt und dann sogar schneller vorankommt als ich, damit habe ich echt nicht rechnen können, Rob.« Rory wand sich wie ein Wurm an der Angel. Ihm war das alles äußerst peinlich. »Während der ganzen Fahrt nach Nordmayo war ich fest davon überzeugt, ihn hinter mir zu haben«, murmelte er.

Byrne machte eine gereizte Handbewegung. »Lassen wir das, Rory. Woher wusste Cadogan überhaupt, dass es eine Mappe mit Annies Aufzeichnungen gab, Grace?«, fragte Byrne und schaute Grace an.

Grace war mit ihren Gedanken gerade woanders gewesen. Sie nahm einen Schluck Tee, bevor sie ihm antwortete. »Das wusste er von Annie selbst. Das können wir zumindest annehmen. Colm, Cadogans Sohn, erzählte uns, dass er Annie wenige Tage vor ihrem Tod abends bei seinen Eltern gesehen habe. Sie hielt etwas in der Hand. Das kann die Mappe gewesen sein.«

Rory unterbrach Grace aufgeregt. »Nein, Grace, es muss sogar die Mappe gewesen sein.« Grace sah ihn von der Seite an. Rory war in seinem Element. »Sie kam zu Cadogan, um ihm mitzuteilen, dass sie aufhören würde mit den Erpressungen. Sag ich doch.«

Byrne schaute ihn zweifelnd an. »Und warum verrät ein Kind dann seine Eltern? Habt ihr dafür auch eine Erklärung?«

Rorys heftiges Nicken führte unmittelbar zum Verlust seines obersten Hemdknopfes, der schon länger nur noch an einem hauchdünnen Faden gehangen hatte. Das war für ihn ein vertrautes Gebiet. Als sechsfacher Vater kannte er sich weiß Gott aus. »Kinder stehen zu ihren Eltern. Sie wollen ihnen unbedingt helfen, wenn sie merken, dass es Probleme gibt, Rob. So, wie Mathew Cadogan vor zwanzig Jahren seiner Mutter helfen wollte, indem er seinen Vater umbrachte. Colm wollte die Eltern nicht verraten. Gleichzeitig bekam er mit, dass seine Eltern etwas zu verbergen hatten. Der Junge ahnte schon lange, dass bei seinem Vater irgendetwas nicht stimmte. Was das war, hat er natürlich nicht wissen können. Als er seine Eltern dann bei einer offensichtlichen Lüge uns gegenüber ertappte, die auch noch seine gute Freundin Annie betraf, hielt er es an der Zeit, die Wahrheit zu sagen. Wenn man die Polizei belügt, bekommt man Ärger. Den wollte Colm seinen Eltern ersparen, und er wollte die Wahrheit sagen. Dass er seine Eltern auf diese Weise als Lügner bloßstellte, war ihm offenbar nicht klar, oder er betrachtete das als das geringere Übel. Interessante Einschätzung eines Zehnjährigen.«

Byrne stand auf und durchquerte ruhelos den großen Raum.

»Ihr seid euch darüber im Klaren, dass wir eine reine Indizienbeweisführung gegen ihn auffahren müssen? Letztlich hat er auch Grace gegenüber nichts Entscheidendes zugegeben, auf das wir uns stützen könnten.«

»Seien Sie doch froh, Robin, Cadogan wird nicht mehr an eurem Golfturnier teilnehmen können und Sie haben eine reelle Chance, den Sieg abzuräumen«, frotzelte Grace, und Rory konnte sich ein Grinsen nicht verkneifen. Robin überhörte ihre Bemerkung geflissentlich und fuhr fort: »Cadogan streitet ab, dass er irgendetwas mit den Erpressungen zu tun gehabt hat. Das sei ganz alleine Carols Idee, Planung und auch Ausführung gewesen.«

»Das glaube ich ihm sogar«, sagte Grace eher zu sich selbst. Sie stand mit dem Rücken zu ihren Kollegen am Fenster und schaute ins Dunkel. Irgendwo da draußen musste das Meer sein. »Aber ich bin sicher, dass er Bescheid wusste.«

Rory blickte von seinem Zetteldurcheinander auf, und Byrne unterbrach sein unruhiges Hin- und Hergehen im Raum.

»Jim O'Malley und Donal Joyce wurden möglicherweise nur deswegen erpresst, um Annie mit Geld zu ködern. Ablenkungsmanöver oder Aufwärmübungen für die ganz große und wirklich wichtige Nummer. Und das war einzig und allein Murphys Projekt. Und davon steht eben nichts in dieser verdammten Mappe!«

»Wie kamst du eigentlich darauf, dass Annie sie bei ihrer Schwester versteckt hatte?«, fragte Byrne.

Grace dachte nicht daran, ihm auf die Nase zu binden,

dass Peters Bemerkung sie auf diese Spur gebracht hatte. »Find raus, wie Annie tickte ...« hatte er geschrieben. Sie war für ihre Familie und besonders für die kleine Schwester da gewesen. Ihr schärfte sie ein, dass sie etwas Wichtiges an ihrem Lieblingsort versteckt habe und dass sie einzig und allein Garda davon verraten dürfe. Deshalb wurde Beatrice jedes Mal so laut, wenn sie merkte, dass ein Guard im Haus war. Sie wollte auf sich aufmerksam machen. Zuerst bei Rorys Besuch, dann bei Day. Grace lächelte ihr schiefes Lächeln. »War nur so eine Eingebung. Cadogan betreibt seit Jahren einen lukrativen internationalen Handel mit geheimen Forschungsergebnissen. Stichwort Biopiraterie. Es gab wohl vor zwei Jahren schon mal einen Vorfall, der jedoch nie vollständig geklärt werden konnte. Diese Information haben wir von Peter Burke bestätigt bekommen. Die Info muss schon bei dir in deiner Mailbox liegen, Robin.«

»Peter Burke, der Privatdetektiv?«

Grace nickte. Byrne machte ein leises Schmatzgeräusch.

»Das Haus in Cashel, in dem Annie ermordet wurde, gehört einem Kollegen Cadogans«, ergänzte Rory. »Cadogan besitzt sogar einen Schlüssel. Die Indizienkette gegen ihn ist wirklich erdrückend, Rob.«

Byrne nickte schwach und setzte sich endlich wieder.

»Die britischen Kollegen haben auf dem privaten Computer von Cressida Silverleaf weiteres belastendes Material gegen Cadogan gefunden. Cressida war der festen Überzeugung, dass Cadogan nach wie vor ein immenses Interesse an Murphys Forschungsbericht hatte. Als sie von Murphys Tod hörte, war ihr sofort klar, dass Cadogan seine Finger im Spiel haben würde. Sie wollte ihm eine Falle stellen und bestellte ihn nach Glenforbes. Ich sollte das Gespräch mit anhören, damit sie einen Zeugen haben würde. Diese Information hat sie sich vor ihrem Tod als verschlüsselte Mail an ihre eigene Mailadresse geschickt. Cadogan erschien jedoch früher als geplant am vereinbarten Ort.«

Grace starrte wieder in die Dunkelheit vor dem Fenster und schluckte. Im Raum roch es nach den Pfefferminzbonbons, die Byrne regelmäßig lutschte, seitdem er das Rauchen aufgegeben hatte. Sie hasste den süßlich scharfen Geruch. Das quälende Gefühl der Unzulänglichkeit und Unzufriedenheit machte sich in ihr breit. Ihr war fast übel. Sie musste allein sein und nachdenken. Sie musste raus hier. Mit einem süffisanten Lächeln drehte sie sich zu Byrne um. »Cadogans Rolle als treusorgender Ehemann und Familienvater gibt ihm gerade hier in Irland eine hervorragende Tarnung. Besser als irgendwo sonst.«

Byrnes Gesicht versteinerte plötzlich. »Was wollen Sie damit sagen, Grace?«

Sie sah ihn belustigt an. »Nichts. Ich wollte es nur noch einmal gesagt haben.«

Byrne betrachtete angestrengt seine Tischplatte, als gäbe es darauf etwas Interessantes zu entdecken. Dann rieb er sich verlegen die auffallend großen Hände und holte tief Luft. »Grace, wie Sie die Kleine gerettet haben, das war einmalig. Wir wussten ja gar nicht, dass Sie im Sprint und im Weitsprung so ein Champion sind. Hätten Sie bei Ihrem Einstellungsgespräch ja mal erwähnen können.« Er lächelte. »Danke, Grace.«

73

Es war gegen zwei Uhr morgens. Das Gespräch mit Byrne lag schon einige Stunden zurück. Grace saß allein in ihrem Büro. Der Schein ihrer Schreibtischlampe warf ein warmes Licht auf den Tisch. Immer wieder war sie ihre Aufzeichnungen, die Zeugenaussagen und Notizen durchgegangen. Mehrmals hatte sie die Entschlüsselung der Daten der Kollegen aus London durchgelesen und überprüft. Sie hatte im Internet gesurft und schließlich lange über den Zeitungsartikeln und Bildern gebrütet, die Rory ihr hingelegt hatte. Jetzt holte sie einen kleinen Handspiegel aus ihrer Tasche und lehnte ihn an den Laptop. Sorgfältig kämmte sie sich die Haare und zog einen Scheitel. Kritisch überprüfte sie ihr Spiegelbild und drehte mehrmals den Kopf.

Es war vollkommen still. Auch die gesamte Garda-Zentrale lag zu diesem Zeitpunkt, bis auf die Portiersloge und den Notdienst, leer und verlassen da. In die Stille hinein hörte Grace plötzlich ein zaghaftes Klopfen. Sie hob den Kopf. Hatte sie sich verhört? Wer würde um diese Zeit etwas von ihr wollen? Es klopfte wieder.

»Ja, bitte?« Gespannt blickte sie zur Tür. Ein verlegen lächelnder Rory trat ein.

»Rory, was machst du hier? Du solltest zu Hause im Bett bei Mrs Coyne sein!«

»Sag ich doch. Aber er hat mich aus dem Bett geholt.« Wie auf Kommando tauchte hinter ihm Peter Burke auf, drängelte sich an Rory vorbei, und bevor Grace sich hätte wehren können, umarmte er sie.

»Gott sei Dank!« Peter hielt Grace ein Stück von sich weg und schaute sie besorgt an. »Es scheint alles heil zu sein an dir. Rory hat mir alles haarklein erzählt.«

Grace grinste schief. Ihr war die Fürsorglichkeit Peters peinlich, und dann noch in Gegenwart von Rory. Aber sie merkte auch, dass sie sich über den unerwarteten Besuch der beiden freute.

»Du bist nicht ans Handy gegangen, und da hab ich Rory genervt. Der meinte, es könne gut sein, dass du noch hier seist. Und jetzt …«

Rory fiel ihm ins Wort. »Und jetzt sitzen wir hier nachts zu dritt herum. Wie unser geliebtes Shamrock, das dreiblättrige Kleeblatt.« Rory klimperte wie ein Stummfilmstar mit den Lidern. Sie mussten lachen. Rory, der nicht Uniform trug, sondern in einem weinroten Wollhemd und heller Jeans hergekommen war, zog die Tür zu und ging zu Graces Schreibtisch. Neugierig betrachtete er das Durcheinander aus Akten, Ausdrucken, Berichten und dem angelehnten Spiegel samt Kamm. »Was machst du da? Hast du eine neue Frisur ausprobieren wollen?«

Grace ging auf Rorys Scherz nicht ein. »Es lässt mir einfach keine Ruhe. Ja, die Morde haben wir aufgeklärt, wir haben Geständnisse. Aber eigentlich fehlt uns nach wie vor ein zentrales Motiv. Das, was mit Annie bei Murphy passierte, ergibt für mich nach wie vor keinen wirklichen Sinn.«

»Du meinst, wir wissen immer noch nicht, was genau an dem Samstagabend bei Murphy geschah, nachdem Annie dort aufgetaucht war?« Peter und Rory nickten nachdenklich.

»Jetzt schaut mal beide genau hin.« Grace kämmte ihre brünette Mähne nach vorne in ihr Gesicht und zog dann einen Scheitel auf der rechten Seite.

Die beiden Männer beobachteten erstaunt und ratlos ihre Frisieraktion.

»Was seht ihr?«

Rory hüstelte. »Ich sehe Grace mit ihren wunderbaren Haaren, die sie mit einem Scheitel auf der rechten Seite offen trägt.«

»Korrekt.« Grace nickte zufrieden.

»Und nun passt auf.« Sie kämmte sich wieder und präsentierte sich kurz darauf erneut mit offener langer Lockenpracht. »Und was seht ihr jetzt?« Sie hielt den Atem an.

Die beiden Männer betrachteten sie schweigend.

»He, hallo, aufwachen, was seht ihr?« Grace war ganz zappelig vor lauter Ungeduld.

Schließlich antwortete Peter zögernd. »Also, ich weiß nicht so genau, aber ich sehe dich mit … äh … offenen Haaren, und du trägst den Scheitel jetzt, glaube ich, links.«

»Genau!« Grace blickte sie triumphierend an. »So, jetzt schaut euch das mal an!« Sie schob ihnen ein paar Fotos hin, auf denen Murphy zu sehen war.

»Das hier ist ein Bild von Vincent Murphy in seiner Personalakte des PC. Wo ist der Scheitel? Ihr müsst es euch spiegelverkehrt vorstellen. Deswegen hocke ich vor diesem blöden Spiegel.«

»Links«, antworteten Peter und Rory gleichzeitig wie aus der Pistole geschossen.

»Richtig. So, und hier ist das Bild aus dem Belfast Observer, das ihn am Samstagabend bei der Eröffnung der Konferenz zeigt. Wo ist der Scheitel?«

»Rechts«, sagte Rory schnell. »Aber es war ja auch Fred, der zu dem Zeitpunkt bereits seinen Platz eingenommen hatte, um seinem Bruder ein Alibi zu verschaffen«, fügte er erklärend hinzu. Er schien noch nicht zu wissen, worauf Grace hinauswollte. »Wahrscheinlich trägt Fred seinen Scheitel rechts und nicht links, wie sein Bruder.«

»Das stimmt«, bestätigte Grace und zog noch ein weiteres Foto hervor. »Das ist Fred Murphys Foto in seiner Personalakte bei Max Planck in Berlin. Scheitel rechts. Wie zu erwarten.« Sie holte Luft und schaute Peter und Rory mit blitzenden Augen an. »Und akkurat dort saß auch der Scheitel, als ich ihn hier nach dem Mord an Annie vernommen habe.«

»Was?« Rory starrte sie mit weit aufgerissenen Augen an. Peter setzte sich und sagte nichts.

»Vincent mit dem Scheitel links, den habe ich auch getroffen, allerdings nicht hier in Galway, sondern in Dublin. Da war sein Bruder Fred schon tot. Und der trug seinen Scheitel rechts – bis ins Grab. Ich habe mich schlau gemacht: Es ist so gut wie unmöglich, bei einem dichten Haarschopf einen Scheitel, der schon Ewigkeiten auf einer Seite liegt, einfach so auf die andere Seite zu verlegen. Wenn das Haar es überhaupt zulassen würde, sähe es zumindest seltsam aus.«

Für einen Moment herrschte absolute Stille im Raum. Grace redete unbeirrt weiter. »Vincent hatte seinen Bruder gar nicht kurzfristig gebeten, für ihn in Belfast an dem Abend einzuspringen. O nein. Er hatte mit ihm bereits vorher besprochen, dass Fred ab Belfast komplett seine Rolle übernehmen würde. Vincent Murphy hatte schon lange geplant, mit seinen eigenen Forschungsergebnissen unterzutauchen. Dafür brauchte es natürlich Zeit und eine gewissenhafte Planung.«

Während sie redete, merkte Grace, wie selbstverständlich sich auf einmal all die Puzzleteilchen zu einem stimmigen Ganzen zusammensetzten. Sie hatten schon immer vor ihnen gelegen, aber es war ihnen nicht gelungen, sie richtig anzuordnen. Jetzt war es wie eine Befreiung. Und Peter und Rory hörten schweigend und konzentriert zu, als Grace weitersprach.

»Vincent wusste, dass auch Cadogan hinter den Ergebnissen her war. Doch er hatte längst seine eigenen Pläne geschmiedet, wollte sich ins Ausland absetzen, vielleicht sogar zusammen mit Grønmo. Das bleibt leider unklar. Grønmos Verschwinden kann ein Zufall sein, doch nach dem, was Peter vor zwei Jahren herausgefunden hat, scheint es darauf hinzuweisen, dass Grønmo in die Sache verwickelt ist und selbst gegen das PC arbeitete.«

Peter nickte zustimmend und war sichtlich beeindruckt von Graces Vortrag.

»Nicht Murphy überraschte Annie, wie wir die ganze Zeit vermuteten, als sie bei ihm im Haus auftauchte, um ihn vermutlich vor Cadogan zu warnen. Vielmehr war es Annie, die ihn überraschte, wie er sich mit Sack und Pack und nicht nur einer Übernachtungstasche absetzen wollte. Sie zählte zwei und zwei zusammen, und es kam zu der Auseinandersetzung, bei der er sie bewusstlos schlug.«

Rory hörte aufmerksam zu und beugte sich dabei auf seinem Stuhl so weit nach vorne, dass er Gefahr lief, umzukippen. »Sag ich doch. Normalerweise hätte man von einem sich sonst so fürsorglich gebenden Mann wie Murphy erwartet, dass er sich um Annie kümmert und nicht nur die Freundin verständigt und dann abhaut. Das ist dir ja gleich komisch vorgekommen, oder?«

Sie nickte. »Ja, aber ich kam einfach nicht dahinter, was an der Geschichte nicht stimmte. Murphy muss an dem Abend in völliger Panik gehandelt haben. Die Sache mit Annie hatte seinen sorgfältig vorbereiteten Plan natürlich komplett durcheinandergebracht. In seiner Verzweiflung fiel ihm nichts anderes ein, als Carol zu verständigen. Da hatte er sein umfangreiches Reisegepäck schon gut verstaut, sodass sie nichts merkte.«

Grace dachte kurz nach. »Es waren ja immer die kleinen Widersprüchlichkeiten und Irritationen, die ich zwar schon registriert habe, aber nicht näher benennen konnte. Zwillingsbruder Fred spielte seine Rolle natürlich exzellent. Er war sehr gut vorbereitet. Ein paar Details wusste er dann allerdings doch nicht.«

»Immerhin hast du ihn ja dreimal vernommen und warst bei ihm im Haus. Da ist dir nichts Ungewöhnliches aufgefallen?«, fragte Peter nach.

»Doch. Aber es waren nur winzige Ungereimtheiten, die ich ignorierte oder falsch interpretiert habe. So erkannte er offenbar das deutsche Kinderlied auf meinem Handy, das auch in Dänemark sehr beliebt ist, sofort wieder. Den Klingelton, den mir meine Kollegen zum Abschied aufs Handy geladen hatten. Es heißt: ›Ein Männlein steht im Walde‹. Das war ihr Spitzname für mich.«

Peter stutzte. »Wieso das denn?«

Grace vermied es, ihn anzusehen. Es war ihr unangenehm, darüber zu sprechen. Verlegen lachte sie auf. »Na ja, wenn du das ›Männlein‹ als ›Menschlein‹ betrachtest, dann sahen mich die Kollegen offensichtlich als Einzelkämpferin, die immer allein war und keinen Anschluss in Dänemark fand. Als ich dann noch in meinem roten Anorak aufkreuzte, hatte ich den Namen weg.«

Grace strich sich eine Haarsträhne aus dem Gesicht und schaute die beiden Männer fast trotzig an. Es kostete sie viel Überwindung, so viel von sich preiszugeben. Rory versuchte, die Situation wieder etwas zu entspannen. »Und Murphy hat das Lied erkannt?«

Grace musste grinsen, als sie sich an die Situation erinnerte. »Er hat schallend gelacht und gemeint, das Lied hier in Irland zu hören, wäre ja seltsam. Kein Ire würde auch nur das Gesicht verziehen, wenn er dieses Lied hört. Er würde es nicht kennen. Aber Fred Murphy lebte ja seit Langem in Deutschland. Er hat es sofort erkannt.« Sie überlegte kurz. »Er wusste übrigens auch nicht, wie seine Terrassentür aufging. Ich musste ihm helfen mit dieser Schnapp-Schiebe-Technik, die es seit Neuestem hier überall gibt. Er kannte sich damit jedenfalls nicht aus. Dann ist mir aufgefallen, dass er das Wasser in Weingläsern servierte. Ich dachte damals, dass er besonders stilvoll sei. Mittlerweile glaube ich, dass er lediglich die richtigen Gläser nicht so schnell finden konnte. Als ich ihn irgendwann fragte, wie er an Annie als Putzhilfe gekommen war, wusste er das auf Anhieb nicht. Das hatten die Brüder offenbar vergessen, abzusprechen. Deshalb musste er bei Vincent erst nachfragen. Und als Murphys Mitarbeiter mir erzählte, dass er nach Annies Tod sehr verändert gewirkt habe, was er auf seine Betroffenheit zurückführte, entbehrt das im Nachhinein nicht einer gewissen Komik. Er war ja wirklich ein anderer.«

Grace musste fast lachen, als sie das fassungslose Gesicht von Rory sah. »Rory, was ist los? Du bist selbst ein eineiiger Zwilling. Du kannst von uns dreien am besten verstehen, was die Murphys da veranstaltet haben.«

Rory schnaufte zustimmend und kratzte sich am Kopf. »Wie recht du gerade hast, Grace.«

Grace fuhr fort. »Die Zwillingsbrüder hätten wirklich alles füreinander getan. Das kommt dir bekannt vor, Rory, oder?«

Rory nickte und verzog die Mundwinkel zu einem kleinen Lächeln.

»Freds Tod hat Vincent tief getroffen. Damit hatte er selbstverständlich nicht gerechnet. Und es schockierte ihn vor allem, dass er statt seiner sterben musste. Offenbar hatte er Cadogan vollkommen unterschätzt. Cadogan arbeitet mit Profikillern. Das hatte auch Cressida

Silverleaf recherchiert. Sie kannte sich in dem Metier bestens aus. Das hatte sie ja bereits auf der Pressekonferenz angedeutet, dass in dem Business nicht mehr vor brutaler Gewalt zurückgeschreckt wird. Annie musste sterben, weil sie aussteigen wollte. Carol und Cadogan brachten sie in dem Haus in Cashel um, nachdem sie sie vergeblich dazu überreden wollten, weiterzumachen. Sie war zu gefährlich geworden.«

»Hat er denn deiner Meinung nach auch Cressida umgebracht? Carol hätte es auch gewesen sein können«, sagte Peter nachdenklich.

Grace zuckte mit den Schultern. »Ich vermute, es war dieses eine Mal Cadogan selbst. Er wohnt ja ganz in der Nähe, und es war zeitlich zu knapp, jemand anderen damit zu beauftragen.«

»Dieser Mord ist mir der unverständlichste von allen.« Rory war aufgestanden und lief jetzt im Zimmer auf und ab.

»Warum?«, fragte Peter.

»Weil sie eine erfahrene und gewiefte Journalistin war. Sie wusste doch, welche Brisanz das alles hatte. Und sie wusste auch, dass ihre Gegner alles andere als harmlos sind. Das hatte sie selbst recherchiert. Und sie wurde beobachtet, oder?«

Grace nickte.

»Warum bestellt sie Cadogan dann in dieses gottverlassene Glenforbes? Das verstehe ich einfach nicht.« Rory raufte sich wieder die Haare, die schon in alle Richtungen abstanden.

»Wir wissen, dass sie einen anonymen Hinweis auf Cadogan und seine kriminelle Machenschaften erhalten hat. Das haben die Kollegen in London in ihrem privaten Computer sichergestellt. Ich habe Cressida persönlich kennengelernt, und sie war weiß Gott kein blauäugiger

Anfänger. Eigentlich kann es nur eine nachvollziehbare Erklärung geben: Sie hielt nicht Cadogan für den Hauptdrahtzieher, sondern Murphy. Eine fatale Fehleinschätzung, und doch hatte sie auch nicht ganz unrecht. Sie war Murphy und seinem doppelten Spiel auf der Spur. Der hatte ihr vielleicht auch den anonymen Hinweis auf Cadogan gegeben, um sich selbst aus ihrer Schusslinie zu nehmen. Dann wird Murphy ermordet, kurz bevor sie ihn treffen kann. Kurz darauf plant sie einen Besuch in Berlin. Warum? Weil sie nicht glaubt, dass Vincent Murphy tatsächlich ermordet wurde? Wir wissen, dass sie sich, bevor sie nach Galway kam, bereits an das Max-Planck-Institut in Berlin gewandt hatte. Dort erfuhr sie, dass Fred Murphy schon seit zwei Wochen nicht mehr für das Institut tätig war. Er hatte gekündigt. Die deutsche Polizei hat mir jetzt eine Mail geschickt, dass seine Berliner Wohnung leer steht. Vincent Murphy ist wahrscheinlich über alle Berge. Ich vermute mal Richtung Asien.«

Rory pfiff leise durch die Zähne. Dieses Mal störte sich Grace nicht daran. Im Gegenteil, sie freute sich über die Anerkennung und warf ihm einen raschen dankbaren Blick zu.

»Das heißt, Cadogans größter Konkurrent um die begehrten Forschungsergebnisse war der Wissenschaftler Murphy selbst? Was für eine Story!« Peter sah Grace ungläubig an. Grace nickte und sah auf einmal müde aus.

»Sollen wir Vincent Murphy zur Fahndung ausschreiben?« Rory hatte jetzt wieder seine offizielle Polizistenstimme.

Grace zog die Augenbrauen hoch. »Wegen Forschungsergebnissen, die sogar von ihm selbst stammen? Außerdem kennen wir nicht das genaue Motiv seiner Flucht. Er kann versuchen, im Ausland ordentlich Kohle daraus zu machen, oder er will sie tatsächlich in Sicherheit bringen. In das PC konnte er kein wirkliches Vertrauen mehr setzen. Und vergessen wir nicht: Er hat keinen einzigen Mord auf dem Gewissen. Die Tatsache, dass er indirekt am Tod des geliebten Bruders mit schuld ist, ist Strafe genug. Das wird für den Rest seines Lebens auf ihm lasten. Nein, Rory, lass gut sein.«

Grace war aufgestanden und zum Fenster gegangen und zog die neuen Vorhänge beiseite. Am Himmel sah man bereits den silbernen Streifen der Morgendämmerung aufziehen. Als sie das Fenster öffnete, hörte man die ersten zögerlichen Rufe der Möwen. Frische Meeresluft strömte in den stickigen Raum, und sie atmete tief durch. Dann drehte sie sich zu den beiden Männern um, die abwartend im Zimmer standen, und lächelte ihr schiefes Lächeln. »Ich danke euch sehr. Ohne euch wäre das nicht zu schaffen gewesen.«

Peter schaute sie nicht an, sondern betrachtete eingehend das Muster des Bodenbelags. Rory trat verlegen von einem Bein auf das andere, kratzte sich hinter dem Ohr und strahlte dann übers ganze Gesicht. »Sag ich doch. Dein erster Fall in Irland, Grace O'Malley.«

Glossar

Achill Island, Insel westlich der Küste Mayos, die mit einer Brücke mit dem Festland verbunden ist; gesprochen: Äkill Eiland

Aisling, weiblicher Vorname; gesprochen: Äschling

Bono, Sänger der Rockgruppe U 2 und irischer Nationalheld, wohnt wie die meisten Taoiseachs (siehe: Taoiseach) im teuren Dalkey (siehe: Dalkey)

Claddagh, ehemalige keltische Siedlung im Zentrum von Galway. Bekannt heute durch den Claddagh Ring. Nach wie vor ein begehrter Stadtteil mit kleinen Cottages direkt am Meer; gesprochen: Klädda

Dalkey, teurer Vorort südlich von Dublin direkt am Meer. Bekannt auch durch Flann O'Briens »Aus Dalkeys Archiven«; gesprochen: Dokie

Garda (oder **Gardai**, gesprochen: Gardi), Name der irischen Polizei, die sich bei Staatsgründung 1922 **Garda Síochána na hÉireann** nannte (»Hüter des Friedens«)

Graínne Ni Mnáille, irischer Name für Grace O'Malley, wird häufig zusammengezogen zu Granuaille (gesprochen: Gronjawehl); gesprochen: Gronja nei Maljach

Inis Meáin, die mittlere der drei Aran Inseln in der Bucht von Galway, auf denen noch Irisch als Alltagssprache gesprochen wird; gesprochen: Inisch Maan

Leprechauns, Name für die irischen Zwerge und Kobolde, oft »The little people« genannt, gesprochen: Läprekons

MET, Metropolitan Police Service, Polizeibehörde von Greater London mit Hauptquartier in New Scotland Yard.

Oonagh, weiblicher Vorname; gesprochen: Una

Oughterard, Kleinstadt zwischen Galway und Clifden; gesprochen: Uuterard

Padraig (oder Padraic), männlicher Vorname; gesprochen: Porrig

Roisin, weiblicher Vorname; gesprochen: Roschin

Shaun, männlicher Vorname; gesprochen: Schon

Siobhan, weiblicher Vorname; gesprochen: Schivon

Taoiseach, die offizielle und gängige Bezeichnung für den irischen Premierminister, gesprochen: Tieschock

Danksagung

Ich danke allen, die mich in der Vorbereitung, beim Schreiben und beim Polieren des **Irischen Verhängnisses** unterstützt, ermuntert, beraten oder inspiriert haben. Besonderer Dank an:

Nele, Trygve, Monica und Klaus, Anna, Astrid, drei Generationen der Familie Coyne, Bernhild, John Waters, Michael Gaeb, Karoline Adler, Hanna Mittelstädt, Holger Kuntze und Volker Dittrich.